KB116748

굿바이, 욘더

굿바이, 욘더

Good bye Yonder

김장환 장편소설

비채

개정판 작가의 말

이 소설이 출간되고 나서 벌써 많은 시간이 흘렀습니다.

당시만 해도 5세대 통신기술이 시작되기 전이었죠. 이 이야기에 자주 등장하는 '유비쿼터스 컴퓨팅' 같은 개념보다는 '초연결'이나 '사물인터넷' 같은 새로운 용어가 더 많이 사용됩니다. 가상과 현실이 통합된 '사이버네틱 스페이스'는 '사이버 물리 공간'처럼 더 구체적인 아이디어로 대체되는 것 같고요.

재출간에 즈음해서 많은 부분을 손보아야 했을지도 모릅니다. 용어들이 시대에서 살짝 벗어난 것을 고쳤어야 했는지도요. 기술의 미래상이나 그를 맞이하는 인간적 상황에 대해 주절주절 내용을 서술하는 것은 불필요한 일이 되었을 겁니다.

오래된 것을 오래된 대로 두었습니다.

한 십 년 전, 현재를 어떻게 예측하고, 그 후에 올 앞날을 어떻게 바라보았는지 살피면서 재미를 느껴보실 수 있다면 좋겠습니다.

작가의 말

블루스를 부르려면 먼저 지불해야 할 인생의 부채가 있다 Got to pay your dues if you wanna sing the blues고 하던가. 언젠가 나만의 블루스를 꼭 한번 부르고 싶었으나 늘 무언가에 걸려 지불이 지체되곤 했다. 그리고 처음으로 무대에 오른 기분은, 엉겁결에 올라왔으나 기타는 튜닝이 풀리고 목소리는 잠긴 것만 같다. 언젠가는 제대로, 진짜 블루스 비슷하게 부르게 되겠지.

부족한 작품을 뽑아주신 심사위원님들께 감사드린다, 고 적으려다 멈칫한다. 그게 사실이라도 그렇게 말하면 선생님들께 실례를 범하는 것 같아서. 다만 하루하루 그날 치의 입금을 하듯 그분들께서 내게 기대하신 것과 내가 보고 싶었던 것이 일치되도록 차근차근 만들어내고 싶다. 그러고 보니 부채가 늘어난 기분이다.

"내가 죽게 되면 작은 돌멩이가 되면 좋겠어. 아무도 이런 작은 돌멩이가 그렇게 많은 이야기를 간직했었던 줄 모르게……." 오노 요코가 했던 말이다(솔직히 정확히 그렇게 말했는지 비슷하게 말했는지 기억나지 않지만 나는 그렇게 기억하고 그 말을 좋아한다). 이야기는 누가 만들지 않는다. 그러나 늘 세상을 가득 메우고 누군가의 입에서 흘러나온다. 그게 이야기의 멋진 점이다. 누군가 내 귀에 숨을 불어넣고 나도 누군가에게 숨을 흘려넣을 기회를 얻는다는 것.

'미래가 또 하나의 신화'라는 생각. 그 사소한 아이디어에서 내 이야기는 시작되었다. 수십 년 뒤, 아니 몇 년 뒤에 우리 삶이 얼마나 많이 변해 있을까 생각하는 일은 늘 내게 즐거움을 가져다준다. 기술의 발달이 특이점을 넘어 어디로 튈지 알 수 없는 수준으로 급변하고, 인간이 아닌 새로운 종, 인간의 능력과 수명을 초월한 포스트 휴먼이 나타나게 될 거라는 환상적인 예언들. 미래에 대한 청사진은 우리를 항상 가볍게 흥분시킨다.

이런 멋진 이야기들을 접하며 대하는 우리의 태도란 어쩌면 그 옛날 사람들이 신화나 판타지를 서로 나누던 것과 비슷하지는 않을까. 어쩌면 그것이 이야기의 본질은 아닐까. 그런 환상이 우리를 팍팍한 현실로부터 잠시 다른 세계로 데려가주는 것은 아닐까. 그러므로 새로운 이야기이면서도 가장 낡은 이야기, '신화'를 가져오고 싶었다.

　또한 이야기의 시점과 장소는 영국의 미래학자 이안 피터슨 Ian Peterson이 한 인터뷰에서 예측한, 브레인 다운로드 기술이 선보여질 삼십여 년 후에 맞추었다. 소설에 구체적으로 밝혀져 있진 않지만 통일이 이루어진 새로운 한국의 '뉴 서울'이란 곳을 공간적인 배경을 정했는데, 과거로부터 온 파도와 다가오는 미래의 파도가 아직 공존하는 장소를 상상하며 글을 썼다. 그래야 주인공이 양쪽 물에 발을 다 넣어볼 수 있을 테니까.

　이 책이 나올 때까지 도움 말씀을 주시고 지원을 아끼지 않으신 편집부에 깊이 감사드린다. 나의 작은 축제를 이 책이 나오기까지 애써주신 '보이지 않는 출판의 주역들'과 함께하고 싶다. 보잘것없는 인물을 멋지게 인터뷰해주신 조선일보 김태훈 기자님께도 감사드린다.

현실이 아니었고 지금도 아니며 미래에도 아닐 것을 두려워 말라.
진정 현실인 것은 예전에도 그랬고
앞으로도 파괴되지 않는 그대로일 것이니.

〈바가바드 기타〉

1

I will see you in my dreams

"나는 죽음이 아무것도 남기지 않는 것이면 좋겠어."

이후怡琲가 말했다. 그녀는 브로핀 헬멧을 쓰고 침대에 누워 있었다. 그녀의 주위에는 비늘처럼 반짝이는 센서들이 날아다 녔다. 들썩이며 숨을 쉬는 그녀의 가슴, 힘겹게 뛰고 있는 그녀 의 심장 위로. 창을 통해 들어온 햇살에 반사광을 드러냈다가 살짝 사라지기도 하며. 그녀가 아직 살아있는지 감시하는 장치 들에게로 그녀의 몸이 내보내는 신호를 전달하고 있었다.

"희미한 영혼이라도 남아 있으면…… 그게 당신을 그리워할 까 봐."

브로핀에 깊이 빠져들면 그녀는 말이 많아졌다. 그녀의 정신 은 강물에 오른 배처럼 둥실둥실 흘러 다녔다. 이 말을 하기도 하고 저 말을 하기도 했다. 알아들을 만한 말도 있었고 그렇지 않은 것도 있었다.

"아하! 저기 저런 것들이 있네? 너희들을 본 지 정말 오래되었어. 그쪽으로 돌지 마. 이게 기울어지잖아. 그런데 당신에겐 그게 어떨까?"

나는 그녀가 그 헬멧 안에서 무엇을 보고 있는지 궁금했다. 예쁜 색깔들일까, 요란한 패턴들일까? 아니면 구체적인 영상들일까? 그녀와 내가 함께 보냈던 좋은 시간들? 그녀가 갖고 싶어 했던 하얀 강아지? 헬멧을 통해 업로드된 그녀의 기호, 취향, 그녀를 즐겁게 할 기억 자료를 바탕으로 만들어진 영상은 '브로핀 페인 디스트랙션 프로그램VRorphin Pain Distraction Program' 을 통해 쉴 새 없이 공급된다. 그녀의 뇌를 바쁘게 만들고 마침내 육신의 고통으로부터 떨어뜨려놓으려고.

브로핀은 암환자와 화상 환자들에게 모르핀보다 선호되는 진통 방법이었다. 가상현실을 이용해서 고통을 통제하는 것. '마지막 순간까지 존엄성을 지키며 임종을 좀 더 쾌적하게 맞이하도록 돕는다'는 프로그램.

"마약에 취해서 임종을 맞이할 수는 없는 것 아닙니까? 이별의 순간까지 의식을 유지하고 사랑하는 사람과의 마지막 경험을 가지고 가셔야죠."

의사들은 심각하게 말했지만 이후는 놀랍도록 흔쾌히 받아들였다.

"내가 이 세상에서 즐길 수 있는 마지막 것이 되겠군요."

놀이기구의 탑승권을 구입하는 어린아이처럼 산뜻한 태도였다.

그러나 내게 모르핀과 브로핀은 대단히 다른 것처럼 느껴지지 않았다. 고통이 심해져서 브로핀이 활발하게 살아나면 그녀의 목소리는 더 나른해졌다. 잠꼬대하듯 중얼거리는 말은 대부분 모호하거나 의미가 불분명했다.

"그게 당신에겐 어떨까? 내가 없어지는 것, 그건 내게서가 아니야. 나는 당신으로부터 없어지는 거지. 나 자신에게는 내가 없어지는 게 아니야. 그땐 내가 이미 없어진 다음일 테니까 거기엔 아무것도 없어. 없는 것에 없는 것이 겹쳐지는 것일 뿐. 그렇지만 당신에겐 내가 없게 되는 거야. 나는 그게 슬퍼."

그녀의 집중에 방해가 될까 두려워 나는 아무 대꾸도 않았다. 그녀가 헬멧을 통해 내 말을 들을지도 알 수 없었고 설사 그렇다 해도 그녀의 의식을 몸의 고통 속으로 다시 끌어들이게 되는 일일지 모른다. 그럼에도 그녀의 말은 내 속에 아프게 들어왔다. 내게 이후가 없게 된다는 것.

나는 병실 창가를 서성이고 있었다. 그녀가 내게 던지는 마지막 말에 귀를 반쯤 열어두고 건너편에 새로 짓고 있는 병동 건물을 바라보면서. 레일을 따라 움직이며 벽체를 조립하고 있는 로보암들과 그 뒤로 펼쳐진 마천루에 시선을 던진 채. 그리고 간혹 창에 비치는 그녀의 침대를 힐금거리며 흘러가지 말아야 할 시간과 씨름을 벌이고 있었다. 그것의 흐름을 방해하거나 조금이라도 지체시키기 위해 내가 할 수 있는 일이란 아무것도 없다는 철저한 무력감에 빠져서.

그리고 얼마가 흘렀을까? 그녀와의 일방적인 교신마저 끊어져버렸다. 그녀는 완전히 브로핀으로 들어가서 신음이나 가쁜 숨소리 말고는 아무 신호도 내보내지 않았다. 잠시 뒤 후두둑 은빛 센서들이 아래로 떨어졌고 그녀의 가슴 위에 파르르하는 작은 요동을 일으켰다. 그리고 그것들이 다시 잠잠해졌을 때, 아무 특이한 사건도 아니라는 듯 아내가 정말 떠나버렸다. 세상에 흔히 벌어지는 지극히 평범하고 당연한 일 중 하나인 것처럼.

병원 측에서 장례 절차에 대한 사항을 물어올 때 나는 거기 있는 옵션을 다 읽어보지도 않았다. 나는 무작정 눈앞에 떠오르는 스크린에서 맨 위에 있는 항목에 손가락을 가져갔다.

"시신을 1) 병원에 맡겨 처리합니다. 2) 본인이 인수합니다."

나는 1번을 선택했고 화면은 다음 메뉴로 넘어갔다. 새로운 선택지들이 내려왔다.

"1) 시신을 화장할 때 재는 다음 중 한 가지 방법으로 처리합니다."

나는 다시 1번을 택했다.

"화장을 선택했을 시에 1) 시市가 권장하는 방법에 따라 재再처리합니다."

재를 버린다는 뜻이었다. 어느 공용 납골당 선반 같은 곳에 남겨두지 않고, 그녀의 몸을 화학적인 원소로 환원시켜 세상에 돌려보낸다. 그녀의 몸이었던 것은 세상 곳곳에 흩어져서 새로운 사물의 일부가 된다. 그녀를 구분 짓던 모든 것, 그녀를 이루던 모든 특색이 사라지고 내가 알아볼 수 없는 생소한 모습이 되어. 그러나 또 모른다. 어떤 형태로 나와 다시 만나게 될지. 그녀를 이루었던 작은 분자 하나가 내가 만지는 문고리가 되어, 내가 입에 넣는 파이가 되어. 아니면 그저, 내가 숨 쉬는 공기 중에 떠다니다가 내 호흡을 따라 내게로 돌아올지 모른다. 그것도 그렇게 나쁘진 않겠다.

그녀를 보내는 '서류 절차'는—사람들은 이런 일을 아직도 그런 이름으로 불렀다— 한자리에서 끝나버렸다. 사망신고까지 포함하는, 소위 유비쿼터스 세상의 편의라는 것이 내겐 너무나 고통스러운 일이었다. 그녀가 세상에 부재함이 공식적으로 확인되는 데에는 몇 분의 시간도 걸리지 않았다.

병원을 나설 때 무슨 미련 같은 것이 남진 않았다. 오직 거기를 빨리 뜨고 싶다는 생각뿐이었다. 그녀가 사라진 현실로부터 일단 멀리 떠나고 싶다는 본능이었는지. 아니면 다른 곳에는 다른 현실이 기다리고 있을지 모른다는 망상 같은 것이었는지.

"택시!"

내가 호출했다. 내 목소리를 알아들은 핸디가 수면 상태에서 깨어나 나의 호출을 근처에 있는 어느 빈 택시에 전송했다. 내 주변에서 가장 가까운 곳을 지나가던 빈 택시의 내비게이션에는 내 모습이 나타나 깜박거렸을 것이다. 기사는 호출에 응답하고 오토파일럿을 켠 채로 기다리면 된다. 어딘가의 무엇인가가, 이제는 거의 추상명사처럼 취급되는 '네트워크'가 그 외의 모든 일을 대신해줄 테니까. '거미줄'이라는 별명으로도 불렸고 '구름'이라는 이름을 얻기도 했던 것. 그것이 내 핸디가 있는 장소를 찾아 택시를 보내온다. 마치 세상이라는 하드웨어를 움직이는 소프트웨어처럼 네트워크는 일상사 모든 것에 관여한다.

"어디로 모실까요?"

나는 그제야 내가 그를 호출할 때 주소를 밝히지 않았다는 사실을 떠올렸다.

"택시! 성북 3구 돈암가 73번지."

뭐 이런 식으로. 그러나 나는 막상 택시에 오를 때까지도 그 주소가 내가 갈 유일한 곳임을 깨닫지 못했다. 나는 내 목적지에 대해서 다시 한번 생각해봐야 했다. 내가 지금 갈 수 있는 곳이 어디인지. 나와 이후가 함께 살아온 집, 거기 말고는 사실상 아무 데도 없었다. 나는 그제야 성북 3구 73번지라고 주소를 말했고 그와 동시에 나의 소재는 택시의 GPS 모니터에서 깜박이며 이동하기 시작했다.

나는 창밖을 내다보았다. 세상은 내가 겪은 상실에 관심이 없었다. 거리를 걷는 사람들은 허공을 바라보거나 혼잣말을 하듯 중얼거리고 있었다. 어떤 이는 허리를 꺾으며 크게 웃기까지 했다. 그들은 내가 보고 있는 거리를 나와 공유하고 있지만 그와 동시에 각자의 공간에 들어가 있다. 시드니에 있는 연인과 만나고 있는 사람도 있을 것이고 어제 마무리 짓지 못한 무역협상을 진행중인 사람도 있을 것이다. 누군가는 저 거리를 아마존의 정글처럼 걷고 있을지 모른다. 그는 지금 인디아나 존스가 되어 잃어버린 성궤를 찾고 있을 것이다.

그래서 그들은 허공에 눈을 맞춘다. 어떤 사람은 허리춤에서 손가락을 바쁘게 움직인다. 또 어떤 사람은 외마디를 빠르게 내뱉으며 명령어를 전달한다. 모두 어딘가와, 무엇인가와 인터페이스를 하는 중이다.

'사이버네틱 스페이스'

이것이 사람들이 사는 새로운 공간의 이름이었다. 사람들이 사이버 스페이스라 부르던 것, 즉 컴퓨터와 네트워크가 만들어 낸 가상공간이 물리적인 세계로 흘러나왔다. 그리고 그 두 공간이 혼재하는 새로운 공간이 태어났다. 어디를 가나 센서와 렌즈, 홀로그램과 각종 터미널, 인터페이스가 존재한다. 사람의 몸에서부터 거리의 블록, 가로등과 상가의 유리창까지 물리적인 세계와 네트워크를 소통해주는 장치가 넘쳐난다.

그리고 사람들에겐 저마다 선호하는 디바이스가 달라붙어 있다. 나처럼 손으로 컨트롤하는 방식을 좋아하는 사람은 팔목에서부터 엄지, 검지에 이어진 반쪽짜리 장갑 형태의 장비인 핸디를 사용했다. '셰이드'라 불리는 선글라스 모양의 인터페이스를 좋아하는 사람도 있었고, 목걸이나 헤어밴드 같은 하드웨어를 쓰는 사람도 있었다. 요즘에는 아예 머리나 신체에 칩을 박아 넣는 사람도 생겼다. 그러면 시신경 조작을 통해 네트워크에 접속할 수 있다.

"손님?"

택시 기사가 나를 돌아보았다. 그의 눈에도 내가 안절부절못하는 것이 뚜렷이 보였던 모양이다. 나는 정말 무엇을 어찌해야 할지 몰랐다. 거기에 그대로 내려야 할지, 아니면 어디라도 다음 장소를 찾아 이동해야 할지. 내 두뇌는 다음엔 무엇을 하라는 명확한 지시를 내리지 않았다. 그래서 어쩐다? 만일 여기서 내리면 집으로 걸어 들어가나? 이후가 없는 집에서 뭘 하지? 집에 들어가서 그녀가 거기 없다는 사실을 받아들여야 할까?

사망신고까지 마치고 왔음에도 그것은 말 그대로 '현실적'이지 않았다. 분명히 거기 있어왔고 마땅히 있어야 할 것이 어떻게 그렇게 문득 없어질 수 있는지. 이 세상 아무것도 그렇게 순식간에 없어지지는 않는다. 스위치가 꺼지듯이, 갑자기.

택시에서 내렸지만 집에 들어갈 엄두가 나지 않았다. 이후가 없어진 세상에서 멀리 떠나려고 했는데 결국엔 우리가 살던 거리로 돌아온 셈이었다. 나는 무심코 이후가 간혹 들르던 교회로 걸음을 옮겼다. 우리가 이 동네에 처음 이사를 오던 날 그녀가 우연히 발견한 곳이었다. 집으로 올라가는 골목 어귀에서.

"어머? 저기 저런 것이 있네?"

하고 그녀는 말했다. 구청에 가서 간단히 결혼 등록을 하고 미리 이삿짐을 옮겨두었던 집으로 들어가는 길이었다. 그녀가 가리킨 방향에는 십자가를 단, 아주 오래된 구식 건물이 있었다. 우리가 살게 될 작은 빌라에서 한 블록쯤 떨어진 곳이었다.

"저게 뭔데?"

"교회. 나도 한때 다녔던 적이 있어."

오늘날 교회에 다니는 사람은 그리 많지 않다. 젊은 세대가 종교를 갖지 않고, 예배 양식이 달라진 탓이었다. 물리적인 교회를 다니는 사람은 완연한 노인을 제외하고는 없었다. 이후는 무슨 이유에선지 정기적으로는 아니지만 어쩌다 한번씩 그곳에 갔다. 일요일 아침 내가 느지막이 일어나면 그녀는 집에 없었고, 두어 시간쯤 뒤에 조금 우울하거나 흡족한 표정으로 돌아왔다. 나는 굳이 묻지 않았다. 그녀가 "교회에 갔다 왔어" 하고 말해주기 전까지.

"종교를 가지고 있는 줄 몰랐는데?"

"아니, 난 믿지 않아."

"그럼 거기서 뭘 찾아?"

"몰라. 아마도 어린 시절? 우리 동네에도 교회를 다니는 사람은 별로 없었어. 교회에 가면 내 또래의 아이는 겨우 서넛뿐이었거든. 어린이 모임 같은 것은 따로 없었어. 주위엔 다 나이 든 사람뿐이었어. 나는 그 노인들이 부르는 찬송가 소리를 듣는 게 좋았어. 왠지 모르지만 지금 생각해보면 무슨 오래된 제의 같은 것에 참여하는 듯한, 일종의 체험이랄까?"

"오래된 제의?"

"사람들이 머리를 조아린 채 무슨 말을 중얼거리기도 하고 이상한 곡조의 노래를 부르기도 하고. 하지만 무엇보다 굉장한 규모의 대가족이 모여드는 것 같은 느낌이었어. 일정한 날 일정한 시간이 되면 차들이 주차장에 늘어서고 사람들이 모여. 밖에 나와서 사람들을 인도하는 분도 있었지. 그리고 모두 엄숙한 표정으로 자리를 잡아. 나는 엄마와 아빠의 손을 잡고 거기로 들어가서 노인들 틈에 앉아. 그러면 이상하게도 마음이 편해지고 눈물이 날 것 같아서 양옆에 앉아 있는 엄마와 아빠를 번갈아 바라보았어. 엄마와 아빠는 거기에 가면 색다르게 보였어. 조금 거리감이 생긴 것 같다가도 아, 우리 엄마 아빠가 맞아, 하고 안심이 되기도 하고. 그리고 신기한 옛날이야기를 들을 수 있었지. 지금은 거의 모두 잊어버렸지만. 우리가 외톨이가 아니란 얘기, 사람들이 죽음을 두려워하지 않아도 된다는 얘기. 그게 내가 다시 살려내고픈 내 어린 시절이야."

이후는 그렇게 말하고 쑥스러워했다. 나는 그녀를 이해했다. 그녀에게는 부모로부터 받은 살가운 정이 조금밖에 없었을 테니까. 이후의 어머니는 그녀가 아주 어렸을 때부터 암과 싸워왔다.

유독 암으로 변화되기 쉬운 유전자를 가진 사람이 있었다. 이후의 어머니가 그랬다. 25세까지 발병률 30퍼센트, 35세까지 75퍼센트……. 그들은 그렇게 시한폭탄 같은 시나리오를 가지고 살았다.

"우리 엄만 늘 그걸 의식하고 살아야 했어. 내 생각엔 두 분이 교회를 다닌 건 '그것'과 관련이 있는 것 같아."

'그것'은 이후 자신도 종종 무서워하던 결말이었다. 그녀의 어머니처럼 예측진단을 해둔 것은 아니었지만, 그녀에겐 그 예감이 오늘의 운세나 날씨처럼 따라다녔다. 어떻게든 '그것'과 별개로 살고 싶지만 결국 어떤 날은 그날의 무드를 갑자기 결정하기도 하는. 그 불안은 때로 그녀를 다소 과장되게 들뜨게 했다. "Like there's no tomorrow, 내일이 없는 것처럼……."

24

그녀가 자주 하던 말이었다.

그녀의 아버지 역시 우리가 결혼하던 해에 등산을 하다 실족해 돌아가셨다. 그녀에겐 가까운 친척도 없는 듯했다. 어쩌면 교회는 외톨이인 그녀가 가족에 대해 간직한 유일한 좋은 기억인지도 몰랐다.

교회의 나무 벤치에 앉아 있을 때 사제 복장의 한 남자가 다가왔다. 종교가 사양길에 접어든 이래 각 종파의 성직자는 자기들의 정체성을 더 적극적으로 드러내는 편이었다. 예전만큼 열광적으로 종교를 찾는 사람이 없으니 기회가 생길 때마다 자신들의 믿음을 홍보해야 했다.

"어떻게 오셨습니까?"

그는 커피숍에서 주문을 받는 사람처럼 내게 말을 걸었다. 거기 갈 때에는 그런 걸 기대했는지 모른다. 누가 와서 말을 걸고 물어봐주길. 그럼 나는 오늘 이 교회에 다니던 한 신도가 세상을 떠났다고 말하리라. 그러니 그녀를 위해 기도해달라고, 그녀가 천국에 가는 길을 인도해달라고 부탁할지도 모른다. 그러나 그의 첫마디는 익숙한 서비스를 제공하는 사람처럼 의례적이고 건조했다. 모든 사람에겐 각자 원하는 구체적인 서비스가 있을 뿐이라는 듯이. 그래서인지 나의 대답도 계획과는 조금 달랐다.

"잠깐만 쉬었다 가도 되겠습니까?"

그는 내 표정을 찬찬히 살폈다.

"무슨 슬픈 일을 당하신 모양이군요."

"네, 오늘 이 교회에 다니던 신도 중 하나가……."

나는 말을 더 잇지 못했다. 목이 자꾸 메었다. 이후가 내게 말을 거는 이 목사를 교회에서 종종 보았을지 모른다는 데에 생각이 미쳤기 때문이다.

"제 아냅니다. 아동극 성우였죠. 아이들을 좋아했습니다. 울림이 좋은 아름다운 목소리를 가진 여자였죠. 아침에 내 이름을 부르면서 깨워줄 때가 즐거웠고 또 그립습니다. 그런데 오늘 하늘이……."

다시 말을 멈추어야 했다. 나는 종교적인 사람이 아니었다. 그도 그걸 눈치챘을 것이다. '하늘'이 아니라 '하느님' 또는 '하나님'이어야 마땅했을 테니까.

"그런데 이제 그 목소리를 더 듣지 못하게 되었습니다."

"아, 저런. 우리 자매 중 한 분이 오늘 하늘나라로 가신 모양이군요. 그분 성함이 어떻게 되십니까? 그분을 위해 기도하겠습니다. 함께 기도하시죠."

나는 그 사람이 이후를 알지 못한다고 판단했다. 내가 그녀의 이름을 말하면 사제는 골똘히 생각에 잠길 것이다. 그게 누구더라? 그 이름과 자신이 아는 교인들의 얼굴을 맞춰보려고 눈을 굴릴지도 모른다. 나는 벌떡 일어나 밖으로 걸어 나갔다. "신도님, 신도님!" 나를 소리쳐 부르는 목소리를 뒤로 하고.

이후에 관한 단 한 조각의 의미도 그 사람과 더 나누고 싶지 않았다. 그는 그동안 많은 노인과 영결했을 것이다. 수도 없는 사람들에게 똑같은 서비스를 베풀었을 터였다. 나는 이후가 천

26

국으로 가는 노인들의 기다란 대열에 함께 서 있는 것 같은 광경을 상상해버리고 말았다. 자기가 지금 서 있는 자리, 기다리고 있는 일의 의미를 깨닫고 있을까? 저 앞엔 뭐가 있을까 하고 고개를 내밀지는 않을까?

나는 다시 거리에 멈춰 서서 어떤 방식으로 이후의 죽음을 애도할까 궁리해보았다. 우선 우리를 알던 가깝고 먼 모든 사람에게 메시지를 보내기로 했다.

"메시지!"

내가 외치자 손안의 핸디가 홀로그램 방식의 디스플레이를 띄우고는 주소록을 올렸다. 그중 '친지' 리스트를 불렀고 나와 이후가 함께 알고 있는 친구들을 선택했다.

"이후가 조금 전 세상을 떠났습니다. 어디로 갔는지 저도 모릅니다. 그녀가 남기고 간 옷은 불에 태워 강물에 흘려보냈습니다. 그래서 장례식은 없습니다. 잠시 저 혼자 애도를 하겠습니다. 이후를 알던 모든 분들은 이 세상 어떤 네트워크에서도 그녀를 더는 만날 수 없음을 알아주십시오. 그녀가 여러분께 전한 사랑은 아직도 전송되고 있겠지만."

나는 그렇게 우리가 알던 모든 사람에게 이후의 죽음을 알리는 메시지를 보냈다. 그러고는 가까운 바를 향해 발길을 돌렸다. 핸디를 끄고 정신을 잃을 만큼 퍼마실 작정이었다. 그게 아마도 내가 할 수 있는 마지막 추모 방법일 것이다. 이후를 잃었다는 사실을 완전히 잊을 때까지 마시고 잠이 들리라. 아침에 다시 그녀가 없는 세상에서 눈을 뜨게 될지, 그때는 또 어떻

27

게 견뎌낼지 모르지만.

　연거푸 위스키 몇 잔을 마시고 난 뒤였다. 분명히 껐다고 생
각한 핸디에 불이 들어왔다. 술이 취해 움직이다 버튼을 슬쩍
누르기라도 했던 것인지. 핸디를 열자 내가 보낸 부음에 대한
답신이 쌓여 있었다. 나는 영상을 끄고 이어피스를 귀에 낀 채
소리로만 대충 훑었다. 내 귀를 흘러 지나던 이런저런 조문 중
하나가 유난히 나를 자극했다. 음악이었다. 누가 나를 위로하
려고 보낸 파일인 것 같았다. 아주 오래된 스윙 재즈, 잡음이
가득한 모노 녹음이었다.

I'll see you in my dreams

Hold you in my dreams

Someone took you out of my arms

Still I feel the thrill of your charms

Lips that once were mine

Tender eyes that shine

They will light my way tonight

I'll see you in my dreams

당신을 꿈에서 볼 거야

내 팔에 다시 안고서

내 품에서 빼앗겼지만

당신의 느낌이 아직도 생생해

내 것이었던 입술

부드럽게 빛나던 눈동자
오늘 밤 내 앞을 밝혀줄 거야
당신을 꿈에서 다시 보게 될 테니

메시지는 "'바이앤바이'에서 보내드렸습니다" 하는 말로 종료되었다.

예전 같으면 그런 고리타분한 노래에 관심을 갖지 않았겠지만 내 마음은 어느 때보다 민감하게 반응했다. 음악은 나를 저 깊은 뿌리에서부터 공진시켰다. 나는 정말 그렇게 생각했다. 그녀가 꿈에라도 가끔 와준다면 좋겠다고. 내 꿈에 그녀의 모습 그대로 다시 나타나 그저 가만히 있기만 해도 좋을 것 같았다. 아무 말도 하지 않고 아무것도 하지 않더라도. 그냥 가끔씩 잠깐만이라도 함께 있어준다면. 그녀의 냄새, 그녀의 촉감, 그녀의 목소리를 잠시 가지는 데 뭐든 희생할 수 있다고.

2

거짓된 희망

이후를 보낸 후 나의 모든 일상이 변했다. 아침에 일어나는 법, 일어나서 처음에 하는 행동, 샤워를 하고 옷을 갈아입는 법, 토스터에 와플을 굽고, 창을 열고 하루를 맞이하는 법. 그녀가 내게 하던 것들이 없어졌고 내가 그녀에게 하던 것들이 없어졌다. 나는 어쩌다 거울에 비치는 나를, 집 안을 이리저리 돌아다니는 나를 어색하게 대할 뿐이었다.

외로움이라기보다는 어색함이었다. 마치 매일 새로운 모텔에 드나드는 것처럼 그곳의 구조, 그곳에 있는 모든 소품, 그것의 소재에 대해서는 익숙하지만 여전히 모든 것이 낯설다. 문을 열고 들어서면 먹먹함이 기다리고 있다. 체크인 체크아웃, 그게 내가 하루를 보내는 방법이었다. 이제 내게 삶은 잠시 들르는 곳이지 머물 곳이 아니었다. 하루하루는 한곳의 생소함에서 다음 생소함으로 떠나는 여행과 같았다. 그 갑갑한 지루함을 견뎌내는 일.

나는 사람과의 연락을 끊고, 일도 손에서 놓은 채 그 여행에 완전히 빠져들었다. 그리고 혼자 들른 여행지에서 하는 것처럼 때론 마음 놓고 술을 마셨다. 맥주, 위스키, 와인…… 뭐든 손에 잡히는 대로. 말짱한 정신을 거두어낼 수 있다면 무엇이든.

술이 취하면 간혹 집을 나섰다. 깜깜한 한밤중에. 그리고 또 새로운 버릇처럼 이후를 찾아 나섰다. 그녀가 있을 만한 곳, 그녀와 내가 다니던 장소를 하나하나 순회했다. 그녀의 직장 근처, 그녀와 방문하던 카페며 음식점, 영화를 보던 극장, 그녀와 소일하던 산책로를. 마치 한차례 지진이 지나가고 재난이 끝난 뒤에 만나려고 미리 약속해둔 '랑데부 포인트'를 찾아가듯이. 물론 그녀는 아무 데도 없었다. 그저 거듭 확인할 뿐이었다. "어, 여기 없네? 여기도 없네?" 하고. 그녀가 옳았다. 이후에게 자신이 없어지는 것은 아무것도 아닐지 모른다. 그녀는 분명 내게로부터 없어진 것이다.

그렇게 이 년여의 시간이 흘렀다. 그녀의 부재에 조금은 익숙해졌을까. 어느 날 아침, 술에서 깨어난 나는 불현듯 일을 다시 시작해야겠다고 마음을 먹었다. 그리고 그것이 '이후를 위해서'라고 정해버렸다. 그녀가 어딘가에 아직 살아있어서, 이렇게 피폐하게 지내고 있는 나를 보면 몹시 슬퍼할 거라고. 그녀를 더 아프게 하지 말아야겠다고.

신기한 일이었다. 나는 그 빤한 거짓을 스스로 믿게 되었다.

거기에 무슨 타당한, 아주 미신적이고 신비한 근거라도 있다는 듯이. 그러자 그 믿음은 내 몸에 변화를 불러일으켰다. 열이 오르고 아드레날린이 솟아오르자 갑자기 조급증이 찾아왔다. 나는 벌떡 일어나서 핸디를 열었다.

일을 하고 싶다는 연락에 〈Live in it!〉 편집장은 진심으로 반가워했다. 내 핸디 위에 나타난 그의 얼굴이 활짝 웃고 있었다. 그는 홀로그램에 나타나는 사람의 표정이 실제와는 조금 다르다는 걸 알았다. 다소 과장되게 표현을 해야 제법 그럴싸하게 나타난다는 것을.

"소식은 종종 들었어. 개판으로 지낸다는 거. 사람들이 여기저기서 보았다더군. 술에 절어 헤매고 다닌다고. 애도 기간이 너무 길었던 거 아냐?"

편집장이 친한 체를 했다. 사십 대 중반의 나이에도 젊은이 같은 활력을 유지하는 사람이었다. 인간 종이 끝나고 기술과 결합한 새로운 종, 포스트 휴먼이 나타나기 직전의 마지막 세대라 불리는 이들의 선봉에 속하는 연령. 하긴 우리 모두가 그에 포함되는 것이라고들 말하지만.

"인세가 들어가서 알겠지만 자네 책이 여전히 꾸준하게 나가는 편이야. 자네 독자가 남아 있다는 얘기지."

〈Live in it!〉은 매거진을 표방하는 미디어 콘텐츠였다. 기획 취재, 연재물, 인터뷰 기사 등으로 이루어진, 여성들이 더 많이 구독하는 남성잡지였다.

"요즘 남자들은 정말 이해하기 어렵습니다. 예전에 남자들은 아주 단순했죠. 하지만 '마지막 세대'의 남자들은 그렇게 쉽지 않답니다. 감상적이고 변덕스럽고 복잡하죠. 그들의 속마음을 엿볼 수 있는 길을 〈Live in it!〉에서 찾아보세요!"

이런 말로 여성 독자를 노골적으로 겨냥하는 광고를 내기도 했다. 그러면 독자들은 잡지를 읽는 남자들이 잘나가는 전문직 종사자일 것이라 믿었다.

오래전 나는 〈Live in it!〉으로부터 '흑백마녀'라는 이름의 한 여성 포르노 감독과의 인터뷰를 의뢰받은 일이 있었다. 그녀가 새로 발표한 영화는 국제 대회에서 '연기자들이 뽑은 감독상'을 수상했고, 일반 상영관에도 걸릴 만큼 흥행에 성공했다. 영화는 시종 등장인물들이—거기에는 이성, 동성 및 양성애자들이 모두 포함되었다— 이런저런 장소에서 서로를 바라보며, 때로는 집단으로 자위를 하는 장면으로 채워져 있었다.

"모든 섹스는 실제로는 자위행위죠. 어찌 보면 섹스의 상대는 개인의 자위를 돕는 자극물에 불과하답니다. 특히 여성의 경우, 그 행위에 적극적으로 참여하겠다는 의사가 없으면 좀처럼 오르가슴을 얻을 수가 없죠. 실제 삽입 시에도 그렇고요. 전통적으로 남성이 주도하던 포르노는 늘 지루한 성교로 가득했죠. 진짜 여성적인 것, 삽입이나 접촉이 존재하지 않는 영화를 찍어보고 싶었습니다."

내가 기억하는 인터뷰의 요지였다. 그중 어떤 대목이 여성

33

독자에게 어필했는지 모른다. 하여간 그 기사가 꽤 좋은 반응을 얻었고, 그것을 계기로 '홀이 만난 사람들'이라는 고정란을 배정받았었다. 그것이 지금은 'Live in it!이 만난 사람들'이라는 타이틀로 바뀌었고, 그럭저럭 좋은 반응도 얻고 있었지만 편집장은 거리낌 없이 나의 복귀를 결정했다.

"하여간 반갑기 그지없네. 어떤 걸로 해볼까?"

"뭐 좀 정신이 번쩍 들 만한 걸로 하나 주십시오. 요즘 막 화제가 되고 있는 그런 거 없나요?"

편집장의 홀로그램이 눈을 살짝 찌푸렸다. 그리고 자기 앞의 디스플레이를 들여다보는 양 눈동자를 이리저리 움직여댔다.

"아, 그래 마침 약속되었던 게 하나 있네. 타이밍이 잘 맞아 들었어. 자네 요즘 잘 팔리는 《미래와의 결별》이란 책 들어봤나?"

"공중파에 나오는 걸 봤죠. 기술 유토피아를 믿지 말라는?"

"그래. 다들 유비쿼터스가 현실이 되고 사이버네틱 유토피아니, 기술 특이점이 눈앞에 와 있다느니 하고 떠들어대는데 그 사람은 견해가 좀 다르지."

"어떻게요?"

"글쎄, 그건 자네가 직접 공부를 해봐야 할 일이고…… 그래야 정신 차리는 데도 도움이 될 테니까. 하여간 간단하게 말하면 미래학이란 게 나쁜 거짓말이라고 주장하는 사람이야. 인터뷰 날짜는 따로 통보해줌세. 대강 구두로 약속은 잡혀 있으니까. 한 열흘 내로 정확한 시간과 장소를 잡아서 진행하자고."

편집장은 "반갑네, 반가워!"를 서너 번 반복하며 통화를 끝냈다. 그와 교신을 마치고 나는 곧바로 《미래와의 결별》이란 도서를 다운로드했다. False Hope, 즉 거짓된 희망이라는 영문 부제가 달려 있었다.

"미래학은 지금 과거에 종교가 했던 역할을 맡고 있다. 뭔가 아주 좋은 것이 도래할 터이니 희망을 버리지 말라고 복음을 전파한다. 천국과 영원한 행복. 기술이 그 길을 열어줄 것이라고. 실제로 예전의 미래학이 예고한 많은 것이 실현되면서 지금 미래학은 최전성기를 구가하고 있다고 말해도 좋을 정도이다. 그러나 우리는 점점 현실과 현재를 잃어간다. 생동하는 현재는 아직 오지 않은 미래의 이미지에 자리를 내어준다. 미래만이 진실로 존재하고 현실은 유령이 되어버린다."

책의 서언에 나오는 일부였다.

나는 그 책을 대충 훑어보고는 저자의 경력을 조사해보았다. 반미래학자 장진호 박사Scholar, Anti-futuristics, Jang Jin Ho, PhD. 미래학을 반대할 만한 학문적인 배경에서 나온 사람이 아니었다. 미래학의 주장 대부분이 과학이나 기술, 경제학이나 사회학적인 토대로부터 나온 것이라면 그는 철저하게 인문학을 공부한 사람이었다. 더구나 그의 전공 분야는 고대문학이었다.

나는 그가 최근에 각광을 받는 미래학을 공격하면서 주목을 끌려는 또 하나의 미디어 스타가 아닌가 하고 지레짐작했다. 이런 시대에는 뭐든 편안하고 평범하게 해서만은 안 되니까. 고대문학을 전공한 사람이 최첨단 학문을 비판하면서 우울한 전망을 제시한다면 충분히 시선을 받을 만한 일이다.

십여 년 전만 하더라도 미래학은 주류 학문에 끼지 못했다. 일시적인 호응을 얻는 저작물은 간혹 있었지만 진지하게 다뤄지던 이슈는 아니었다. 물론, 지금은 얘기가 다르다. 누구나 미래에 대해 이야기한다. 전문가든 전문가가 아니든. 시대가 그랬다. 대중은 미래를 예견하는 사람을 숨죽여 바라보고 있었다. 장밋빛 전망을 내세우는 전도사가 대부분이었지만 가끔은 어두운 미래를 그려내는 묵시록의 선지자 같은 사람도 있었다.

그리고 약 일주일 뒤 〈Live in it!〉 편집장에게서 오케이 사인이 떨어졌다.

"장진호 박사가 자기 사이버 사무실에서 인터뷰를 하자고 제안해왔네. 자네에게 그곳 주소를 이미 전송했으니 약속된 시간에 거기로 가보게. 현장을 기록할 카메라와 장비는 자네에게 바로 부칠 테니까."

시간이 되자 나는 편집장이 보내온 장비를 부착한 가상현실용 고글을 썼다. 장비의 작은 렌즈들은 〈Live in it!〉의 촬영기사가 실시간으로 직접 제어할 것이다. 인터뷰 준비를 모두 마치고 장진호 박사가 알려주었다는 주소로 접속했다. 현실 속 테이블에는 커피를 아예 포트째 갖다놓고.

인터뷰는 나의 아바타와 그의 아바타가 만나 진행된다. 물론 직접 대면해 그의 육성과 표정을 그대로 잡아내는 사실적인 인터뷰보다는 못하다. 하지만 요즘 사람들은 오히려 이런 방식의 인터뷰를 더 자연스럽게 받아들이는 경향도 있다. 더 진실하고 진지한 일은 가상공간에서 벌어지는 게 당연했다. 정치 토론, 비즈니스 미팅, 인터뷰……

그의 가상 사무실은 입이 쩍 벌어질 만큼 하이테크였다. '사이버네틱 스페이스'를 구성하기 위한 각종 장비가 가득했다. 게다가 그는 내가 생각했던 것 같은 아바타 차림—그의 가상 사무실로 들어가는 것이라 당연히 그렇게 짐작했었다—이 아니었다. 그는 자신의 실제 사무실에 커다란 안락의자를 놓고 앉은 자신의 실사를 내보내고 있었다.

그리고 그의 가상 사무실은 실사와 버추얼 리얼리티가 함께 존재하는 복합적인 형태의 것이었다. 가령 테이블에 놓인 화병은 실제 사물일 수 있다. 하지만 한쪽 벽에 걸려 있는 밀레의 〈만종〉은 그저 이미지 파일일 수도 있다. 그 아래 자리 잡은 서류함은 그가 팔을 뻗어 지시하면 필요한 자료를 바로 내게 전송해줄 가상현실의 프로그램일지도 모른다. 조금 아이러니한 상황이었다. 미래학에 반대하는 반테크놀로지의 논객이 최첨단 방식의 기술을 거리낌 없이 사용하고 있다니.

그 역시 내 예상과는 조금 다른 사람인 것 같았다. 그저 약간의 반향을 일으킬 책을 하나 내고 여기저기 홍보해서 강연이나 하러 다니려는 허황된 인물이 아닐까 했는데 첫인상부터가 남달랐다. 그는 소위 염소 턱수염을 기르고 있었다. 눈이 깊고 하관이 갸름해서 강한 인상을 풍겼다. 부드러우면서도 확신이 가득한 태도가 엿보였다. 의례적인 인사를 나누고 나서 곧바로 질문을 시작했다.

"고대문학을 전공하시다가 어떻게 미래학에 관심을 가지게 되셨습니까?"

"미래학이 옛날에 신화가 자리하던 위치에 있다고 생각했기 때문이죠. 신화나 이야기는 본래 인간이 처한 자연에서의 애매한 입장, 그 불안을 해소하기 위한 도구였기 때문입니다."

"좀 더 자세히 설명해주시겠습니까?"

"뭐 진부한 이야기죠. 인류는 이해할 수 없는 것에 대한 불안을 안고 진화했습니다. 천둥 번개와 하늘의 천체. 이해할 수 없고 두려운 것뿐이었겠죠. 생명체로서의 절망적인 유한성도 어떻게든 받아들여야 했죠. 그러니 인류가 자꾸 거짓말을 만들어내는 것은 당연한 귀결이었을 겁니다."

"거짓말이요?"

"허구죠. 자신을 위안할 수 있는 허구. 바람이 부는 것을 신의 숨결이라 생각하고 그가 분노하면 폭풍우가 생기고 그의 마음이 가라앉으면 미풍이 분다는 등의 믿음. 자신의 어떤 제의 행위나 희생을 통해 신의 비위를 맞출 수 있다고 하는 생각. 또는 인간에게 세계를 이해한다고 믿게 하는 이야기들. 또는 사람이 죽으면 어딘가에 가서 계속 존재를 유지하게 된다는 생각. 허구가 진실이 되는 겁니다. 그래야 위안이 생기죠."

"하지만 독자는 그런 기원을 가진 신화와 미래학을 동일시한다는 것이 지나친 비약이라고 생각할 텐데요."

"미래학이란 게 새로운 것도 아닙니다. 원시시대 무당이 사냥을 나가기 전에 점치던 예지나 다름없죠. 그들은 원시인들이 사냥을 나가기 전에 '어디에 가면 사냥감이 나타날 것이며 그 것을 어떻게 잡아야 하고 우리는 그때 얼마간의 희생을 겪어야 할 것이다' 하고 예언을 했죠. 그러면 원시인들은 무당의 예지를 믿고 따랐습니다. 사냥의 위험과 불안감을 그렇게 극복했을 겁니다. 내가 보는 미래학이 그런 것입니다."

"근본적으로 인간은 원시시대 이후로 변한 것이 없다는 말씀처럼 들리는군요. 하지만 미래학은 무당의 예지와 비교하기에는 방법론이 매우 다릅니다. 통합적인 연구와 통계, 시나리오 분석 등 객관적인 방법론으로 정당성을 획득하는 걸로 아는데요. 이성에 기초한 직관이랄까……."

그는 나의 말을 황급히 잘랐다.

"아아, 저는 단지 미래 연구futures study나 미래학futurology만을 염두에 두고 그 용어를 사용하는 것이 아닙니다. 제 책에서도 밝히고 있지만 우리 사회 전반에 흐르고 있는 일정한 정신 사조를 두고 말하는 것이지요. 미래학이라 표현했지만 사실 미래 이데올로기나 미래 신화라 부르는 것이 더 정확한 것인지 모르죠."

순간 나는 인터뷰어로서 부끄러움을 느꼈다. 내가 그의 책을 제대로 읽어보지 않았음을 자인하게 된 셈이었다.

"이데올로기, 신화요?"

"예. 허구요."

그는 그렇게 답하고는 허허 웃는 표정을 지었다. 그것이 농담이라는 뜻일 게다. 그런 후 나를 정면으로 응시할 때의 시선에서는 모호하지만 선량한 기운 같은 것이 느껴졌다.

"미래학을 다른 분들보다 좀 더 넓은 의미로 해석하시는 것 같군요. 우선 그 미래학이 아니, 그 미래 이데올로기, 신화라는 것이 무엇인지 좀 말해주십시오. 그러니까, 그 미래학이란 것이 허구이기 때문에 반대하신다는 겁니까?"

그는 내 질문에 직설적으로 답하는 대신 우회하는 길을 택하기로 마음먹은 것 같았다.

"우리가 사는 세계라는 게 그래요. 외상 거래를 바탕으로 세워져 있습니다."

"외상이라……."

"아직 생기지 않은 가치를 있는 셈 치고 사는 겁니다. 미래에 부채를 지고 있는 셈이죠. 미래의 가치가 없으면 현실이 무너져버리고 말죠. 우리 문명의 기반이 거기 세워져 있기 때문에 사회, 경제, 정치, 문화 분야가 의식 또는 무의식적으로 미래를 자꾸 포장하고 디자인하지 않으면 안 됩니다."

"조금만 더 구체적으로 설명해주시죠."

"가령 바다에 내 물건이 가득 실린 배가 떠 있다고 합시다. 나는 그 물건을 구매자에게 미리 다 팔아버릴 수가 있어요. 배가 항구에 들어오기도 전에 말이죠. 한발 더 나가 나는 아직 바다에 있는 물건을 담보로 돈을 빌려 새 물건을 또 살 수도 있습니다. 그러면 새로운 물건을 실은 배가 다시 항해를 시작하죠. 나는 그 새로운 물건도 팔 수가 있습니다. 또는 다시 담보로 내놓고 돈을 빌려 다음번 물건을 선적하고요. 지금 말씀드리는 것은 물론 비유입니다만, 근본적으로 이 예화가 우리 문명이

40

앞날에 대해 가진 태도와 다르지 않다는 것입니다. 배가 풍랑을 만나 좌초하거나 하는 일이 벌어져서는 안 됩니다. 설사 정말 그런 일이 벌어지더라도 그렇지 않다고 주장해야 하죠. 아니면 곧 그다음 배가 들어오게 될 것이라 고집해야 합니다."

"자칫하면 미래란 눈으로 확인할 수 없는 신기루 같은 배가 되겠군요."

"바로 그렇죠. 우리는 기술이니 진보니 발전 같은 배를 이미 띄워 놓았습니다. 그것을 빌미로 문명을 이끌어가는 거죠. 개인의 삶도 그렇습니다. 우리가 무엇을 하든 좋은 것은 항상 아직 오지 않은 시간, 이제 다가올 시간에 있다고 믿는 것이죠. 우리는 저마다 그러한 전제하에 활동하고 있습니다. 미래에 대한 기대는 어찌 보면 개인의 삶에서 가장 중요한 동인이죠."

"하지만 어떤 미래학자들은 인간이라는 종 자체가 심각한 변화의 국면에 들었다고 주장합니다. 이제까지 알려진 인간은 사라지고 포스트 휴먼, 즉 기술과 결합한 새로운 종이 나타나게 된다고요. 그렇다면 우리 인간에게 의미 있던 신화나 종교도 변이를 겪지 않겠습니까?"

"우린 신기술을 개발하고 새 상품을 만들어내고 진보한 기술이 가져올 새로운 사회의 청사진을 제시하느라 급급하죠. 어떤 기술이 가져올 파급에 대해서는 도외시하고 말입니다. 전기톱이 만들어지면 온 열대우림이 베어질 거라는 예측 같은 건 하지 않는 겁니다. 내연 기관 자동차가 화석연료를 동내고 세상을 매연으로 가득하게 할 것이라든지.

그나마 그동안의 기술이 가져온 여파나 파급은 어쩌면 작은 것인지도 모릅니다. 그 여파가 우리의 통제를 벗어나게 될 때 파국이 오는 거죠. 마치 외상에 외상을 거듭하다가 파산하게 되는 것처럼.

지금 어느 기업이나 국가 또는 연구 단체도 신기술이 가져올 파급효과에 대해서는 심각하게 고민하지 않습니다. 말씀하신 대로 소위 기술 특이점, 인간이 기술의 발달을 통제하지 못하는 시점이 정말 오면 어떤 일이 벌어질지 아무도 모르죠. 제가 경고하고 싶은 것은 기술의 디스토피아입니다. 기술이 약속했던 것을 배달하지 못할 때가 아니라 전혀 엉뚱한 것을 배달해왔을 때죠. 갈등, 억압, 환경 재앙, 완전한 파괴. 그것이 어떤 형태를 띨지 모르지만 말이에요."

인터뷰는 계속 이어졌다. 장 박사는 기술이 어떻게 고대 신들의 지위에 올라갔는지에 대해서 이야기했고, 인간을 초월하는 능력을 가진 고대 다신교의 신들이 현대에 있어서는 기술이 표상하는 것과 같다고 주장했다. 또 가상공간이 새로운 아이디어가 아니라 동서양에 존재했던 '차안-피안'의 연장이라는 주장을 펼쳤다. '지금 아닌 다른 곳에 더 나은 곳이 있다'는 믿음이란 것이었다. 이어서 알쏭달쏭한 말로 인터뷰를 맺었다.

"여성이 이끌던 한 고대문명은 무덤 위에 세워져 있었습니다. 그들의 생활공간 안에 먼저 죽은 가족이 묻혀 있었죠. 그들이 먹고 자던 바로 그 집 아래에. 죽은 사람과 산 사람이 한 공간 안에 거주하는 거였죠. 그들은 죽음과 삶을 구분하지 않았습니다. 모르긴 몰라도 그들은 우리보다 훨씬 더 많이 현실의 풍부함을 즐길 수 있었을 겁니다. 죽음, 무한적인 시간이 곧 유한한 삶을 계속 되살펴보게 하는 효과가 있었을 테니까요. 죽음을 잃어버리면 삶도 잃게 됩니다. 우리를 진정으로 치유할 수 있는 것은 죽음인지 모릅니다."

그와의 인터뷰를 온전한 정신으로 했다고는 할 수 없었다. 아직 알코올 의존증에서 벗어나지 못해 멍한 정신을 다잡으려 커피를 연달아 마셨지만 장진호 박사의 말을 어느 정도 이해했는지 가늠할 수가 없었다. 그럼에도 나는 그날 바로 인터뷰 편집을 마쳐 전송했다. 그러고는 편안한 마음이 되었다. 실로 오랜만에 느껴보는 안온함이었다.

가능하다면 휴식기를 갖지 않고 계속 일을 하고 싶었다. 장진호 박사와의 대화가 내게 잠자고 있던 인터뷰어로서의 본능 같은 것을 일깨웠다. 일을 하고픈 간절한 열망도 생겼다. 편집장도 나의 오랜 공백 후의 일에 만족한 모양이었다. 내게 바로 전화를 걸어 새로운 일에 대해 운을 뗐다.

"우리가 인터뷰를 하려고 접촉하고 있는 또 한 사람이 있는데, 좀처럼 성사가 안 돼. 우리뿐만 아니라 마이너에 속하는 미디어들이 다 달라붙었는데 아직 한 번도 제의에 응한 적이 없는 사람이야.

부흥사 K라고 자네가 쉬는 동안 하층 네트워크를 아주 떠들썩하게 만든 인물이지. 소위 사이버 구루라고 네트에서 가르침을 전파하는 그런 사람 중 하나로, 자기 방송 서비스에 부정기적으로 프로그램을 올리고 있어. 처음에는 그저 하층 네트워크에 늘 나타나고 하던 반짝 스타 중 하나가 아니냐, 대체로 그런 반응이었지. 그런데 그런 것만은 아닌 것 같아. 은근히 추종자를 얻다가 특히 요새 들어 상당한 컬트를 형성하고 있는 모양이야. 젊은 세대로부터 시작한 추종 세력이 점점 다변화되었다 하지. 숫자도 많아지고.

그런데 그에겐 매우 특이한 점이 있어. 그 사람의 가르침이라는 게, 자네도 실제로 보면 알겠지만, 분명한 메시지가 있는 게 아니야. 그저 모호한 예화, 기이한 비유, 상징 같은 것으로 가득할 뿐이지. 아마도 추종자만이 알아들을 수 있는 무슨 코드 같은 게 숨겨져 있는지도 모르지. 일종의 밀교처럼 초심자 이상이 되어야 조금씩 알려주는지도. 그렇다고 무슨 전통 종교의 형태를 띠고 있는 건 아니고 오히려 반종교적이란 평이 대부분이야. 게다가 그 부흥사 K라는 인물에 대해선 알려진 바가 하나도 없어. 완전히 베일에 싸인 인물이라고. 하여간 성사만 된다면 인터뷰어로서는 매우 흥미로운 인터뷰이interviewee가 될 거야. 자네의 컴백을 화려하게 환영해줄 좋은 케이스가 될 거라고. 어찌되었든 그와 접촉을 계속해볼 테니까 자네도 미리 준비를 해두게나. 혹 운이 좋다면 다음 일거리가 될 테니까."

편집장과의 통화 후에 나는 잠이 들었다. 소파에 그대로 쓰러진 채.

나는 이후의 꿈을 자주 꾸지 못했다. 대신에 이후는 어떤 사물이나 동물의 모습으로 그려졌다.

내가 한적한 거리 어떤 카페에 들어선다. 커피를 주문한다. 두툼한 머그에 커피가 가득 담겨 나오고 사방에 향을 풍긴다. 내가 커피 향을 음미하려 하자 향이 사라진다. 나는 카페를 돌아본다. 갑자기 아무도 없다. 거리를 내다본다. 혹시 무엇이 지나갈까 해서. 거기에도 아무도 없다. 나는 커피 잔을 들여다본다. 그러고는 갑자기 그것이 이후라고 생각한다. 그 안에 담긴 것이. 맞아, 이게 그녀이다. 나는 커피를 한 모금 마신다. 그리고 다시 고개를 들어 거리를 내다본다. 작은 고양이 한 마리가 지나간다. 그것은 걸음을 멈추고 나를 돌아본다. 나는 그것이 이후라고 생각한다. 맞아, 그것이 그녀이다. 그녀는 야옹, 짧게 울고 떠나간다. 비가 내린다. 나는 그것이 이후라고 생각한다. 빗방울이 거리와 보도와 내가 앉은 파라솔에 떨어진다. 세상에 이후가 가득하다.

다음 날 아침 나는 부흥사 K라는 인물에 대해 알아볼 양으로 네트워크에 접속했다.

24개의 열지 않은 메시지가 있습니다.

뉴스를 검색하려던 참에 디스플레이 한구석에 메일 서비스로부터 호출이 떴다. 아마도 전날 장진호 박사와의 인터뷰 작업에 열중하느라 터미널을 꺼두었던 동안 쌓인 것 같았다. 메일의 제목을 일별하며 열람하던 중 그것을 발견했다.

"여보, 나야."

그런 제목이었다.

각 서비스 업체마다 스팸과 바이러스를 막기 위해 엄중히 감시하고 있었다. 스팸 광고물이 그런 장치를 모두 뚫고 수신자에게 도달하기란 쉽지 않다. 그러다 보니 스팸으로 의심받지 않고 사람들의 메일 계정에 광고물을 돌리기 위해 갖은 방법이 동원되었다. 그중 한 가지가 개인 메일로 위장하는 고전적인 양식이었다. 어딘가에 유출된 개인정보를 이용해 사적으로 주고받는 메일처럼 보내는 것이었다.

"여보, 나야."

나는 그것이 그런 형태의 광고일 거라 확신하며 무심코 그것을 열었다. 그런데 뜻밖에도 그것에서 이후의 얼굴이 나왔다.

"여보, 나야. 잘 지내?"

그녀가 말했다.

3

여보 나 여기 있어

그것은 분명 이후였다. 내가 기억하는 그녀의 얼굴, 그녀의 목소리 그대로. 그녀의 하얗고 갸름한 얼굴, 미역처럼 까만 머리칼, 생기 넘치는 말투. 홀로그램의 상태가 썩 좋은 편이 아니어서 부분적으로 깨져 있었지만 "여보, 나야. 잘 지내?"라고 말하는 그것은 이후가 틀림없었다. 밝고 건강하고 편안해 보였다. 어쩌면 살아있을 때보다 더.

그녀의 이름으로 보내진 메시지는 세 개가 더 있었다. 두 번째 것은 이런 내용이었다.

"여보, 나 여기 있어. 다른 데 가지 않았어."

나는 잠시 멍하니 앉아 있었다. 이 사태의 의미를 풀어보려고. 물론 아주 잠깐이나마 어떤 불가능한 가능성에 대해 생각해보지 않을 수 없었다. 이 메일이 사실이고 그녀가 죽지 않았을 가능성. 무슨 불가해한 일이 벌어졌거나 어마어마한 오해가

빚어졌다거나. 이것을 보내온 것이 진짜 그녀이며 이제 곧 그녀를 다시 볼 수 있다거나.

그러나 곧 더는 자신을 속일 수 없게 되었다. 그런 상상은 삼십 초를 버티지 못했고, 또 그러기엔 내게 벌어진 일을 너무나 잘 알았다.

누군가가 어딘가에 남아 있는 이후의 영상과 목소리를 이용해서 이런 말들을 합성했을 것이다. 이런 것에 이용할 만한 자료는 얼마든지 찾을 수 있다. 사람은 살면서 이런저런 네트워크에 접속해 흔적을 남긴다. 그 사람이 떠나도 그 사람의 파편, 메모리는 가상공간 안에서 떠돌아다니며 백업되어 남는다. 누구든 마음만 먹으면 이후의 목소리와 영상을 이용해서 이런 영상을 만들어낼 수 있다. 약간의 해킹으로 그녀의 번호를 이용해 내 핸디에 메시지를 보낼 수도 있다.

하지만 누가 겨우 스팸질이나 하자고 이런 노력을 기울여 이 정도로 완성도 있는 영상을 꾸몄을까? 무슨 대단한 상품이나 서비스를 내게 팔려고? 아마도 추악한 포르노 사이트거나 어쩌면 어떤 기이한 단체 같은 것에 가입을 종용하는 그런 메일일지도 모른다.

나는 나머지 메일을 열었다. 모두 하나로 제작된 동영상에서 나뉜 것이라 짐작되는 것이었다. 처음 것부터 다시 한데 연결하면 다음과 같은 메시지가 완성되었다.

"여보, 나야 잘 지내? 여보, 나 여기 있어. 다른 데 가지 않았어. 벌써 시간이 많이 되었네? 내가 보고 싶지 않아? 나를 만나러 오려면……."

　메시지의 내용으로 미루어보면 아직 도착하지 않은 메일이
하나 더 있었다. 그것을 통해 내가 그녀를 만날 수 있는 방법을
알려줄 모양이다. 웬만한 일에는 스팸 신고조차 하지 않는 나
였지만, 이번에는 도가 넘치게 악랄했다. 메일 서비스 메뉴에
링크된 사이버 경찰대 번호를 막 누르려는 순간 불현듯 스치는
기억이 있었다.

　이후가 떠나기 며칠 전이었다. 브로핀 페인킬러 헬멧을 쓰고
있지 않을 때면 이후는 나를 밖에 내보내곤 했다. 한 시간이나
두 시간쯤 산책을 다녀오라고. 하긴 때로는 서로를 마주 보고
앉아 있는 게 고역이었다. 무슨 말을 해야 할지, 서로를 어떻게
위로해야 할지 몰랐다. 둘 모두에게 그 상황이 어렵긴 마찬가
지였다.

　병원 근방에는 작은 공원이 두 군데 있어서 나는 그곳을 번
갈아 방문했다. 산책이랄 것이 없었다. 나무와 흙, 자갈과 작은
시내로 꾸며놓은 조경 공간을 하릴없이 걸을 뿐. 이후가 고통
없는 휴식을 즐기길 바라며 시간을 죽이는 거였다.

　나무에서 새소리도 들리고 산책로 앞으로 다람쥐며 오소리
같은 것이 지나가기도 했다. 멀리서 보면 생물처럼 보였지만
다가갈수록 행동에 어색함이 느껴졌다. 그것들은 근방에서 모
이를 먹다가 다가오는 사람의 기척을 감지한 체, 주의를 기울
이다 위협을 감지해 도망하는 체했다. 하지만 움직임은 굼뜨고
반응이 조금씩 늦었다. 모두 로봇이었으니까.

"인공은 자연을 닮고 자연은 인공을 닮아갑니다. 로봇에게 모이를 주거나 비비총을 쏘지 마세요."

공원 곳곳의 전광 게시판에서 흘러나오는 문구였다.

산책을 하고 돌아와 보니 병실에는 방문객이 있었다. 이후가 웬 낯선 여자와 이야길 나누는 중이었다. 까무잡잡한 얼굴에 자그마한 체구의 여자. 한 이십 년 전쯤에나 유행했을 법한 자주색 투피스를 입고 있었고, 길게 늘어뜨린 생머리 위에는 필박스 타입의 모자를 쓰고 있었다. 그녀는 내가 늘 앉던 간병인용 의자에 앉아 있다가 내가 병실에 들어서자 까딱 고개를 숙였다.

"자기야 인사해. 내가 정리하는 일을 도와주기로 하셨어."

"정리?"

"떠나기 전에 내 자료를 좀 손봐두고 싶어서."

자주색 투피스 여자의 손에는 아내의 메모리 팩이 들려 있었다. 어디선가 이후가 구입했던 예쁜 노란색 파우치에는 사진이며 동영상, 문서형 기록, 그녀가 쓴 저널, 나와 보낸 시간이 고스란히 들어 있을 터였다. 이후는 자기에 관한 자료를 잘 관리하는 편이었다. 대부분의 사람이 그런 자료를 네트워크에 방치해두는 데 반해서.

"바이앤바이닷컴에서 나왔습니다. 부인의 추억을 간직해드리게 됩니다."

자주색 투피스의 여자가 말했다. 닷컴이라고? 아직도 그런 이름을 쓰는 회사가 있나? 속으로 그런 생각을 했던 것을 기억한다.

"추억을? 어떻게요?"

"부인께서 주신 자료를 영구히 남을 기억으로 만들어 저희 서버에 유지하게 됩니다. 남편께서 언제든지 들어와 부인과의 소중했던 시간을 회고하실 수 있습니다."

나는 그 말에 즉각적으로 대응하고 싶었다. 무어라 매몰차게 쏘아붙이거나 재치 있게 거절하려고. 그러나 아무 말도 하지 못했다. 그저 그 여자를 뚫어져라 보는 수밖에.

그 뜻을 완전히 삭이는 데 시간이 좀 필요했다. 이후의 자료를 어딘가에 남겨두고 그걸 보러 내가 거기에 드나든다. 어떻게 가공되어 있을지 알 수 없지만 그녀의 자료를 빨래처럼 널어놓은 곳에. 그런 일은 있을 리 없다. 내가 그런 데에 드나들며 억지 위안을 찾을 리가. 아무것도 이후를 대체하지 못한다. 내게 하나뿐인 고유한 이후, 나와 그녀만이 공유했던 구체적인 기억을.

아마도 이후는 나를 위해 그런 일을 준비하고 있는 모양이었다. 하지만 나는 영 마뜩지가 않았다. 자꾸 내게 그 사실을 상기시키지 않더라도 그녀를 떠나보내야 하는 것이 충분히 버거운데.

불통해서 서 있는 내가 좀 무례해 보였는지 이후는 나에게 잠시 더 밖에 나갔다 오기를 권했다. 그녀의 의사를 따르지 않을 수 없었다.

병원에서 내려와 서성이다 한 편의점으로 들어갔다. 담배라도 한 갑 살까 하고.

"김홀 씨 어서 오세요, 오늘도 즐거운 하루 보내고 계신가요? 5월 16일 16시 23분 현재 기온은 섭씨 17도, 습도는 65퍼센트로 비교적 쾌적한 날씨입니다. 그리고 늘 찾으시던 하이네켄 맥주는 지금 35퍼센트로 특별 행사중입니다."

편의점 문이 내게 인사했다. 나는 늘 일정하게 제한된 신상을 네트워크에게 읽히고, 네트워크는 내가 즐겨 먹고 마시는 것이 무언지 일깨워준다. 이후가 좋아하던 짭짤한 땅콩을 한 봉지 집었다. 이제 그녀는 이런 음식을 먹을 수 없지만.

"진짜 담배는 없나?"

내가 묻자 자판기는 "흡연은 당신의 건강에" 어쩌고저쩌고 하는 말을 길게 내뱉은 뒤 답했다.

"흡연의 욕구를 줄여드리는 대체 끽연 상품이 준비되어 있습니다. 담배와 똑같은 연기를 내뿜고 싶으시다면……"

이후가 냄새를 싫어해서 담배를 피우지 않은 지도 꽤 오래되었다. 그래서 편의점에서 더는 담배를 팔지 않기로 결의되었다는 소식을 몰랐던 모양이다. 담배는 죄다 대체용품으로 바뀌어 있었다. 그중 아무거나 하나 골라 입에 물었다. 포장에 적힌 용법에 따라 입에 물고 숨을 삼키자 저절로 불이 붙었다. 기분 좋은 향이 내 주변에 퍼졌다. 담배를 닮은 것은 거기까지였다. 그 때문에 담배처럼 제한을 받지 않았겠지만.

내가 편의점에서 나설 때 이후와 함께 있던 여자가 걸어오는 것이 보였다. 그녀는 마치 내가 어디 있을지를 미리 알고 있

52

었던 것처럼, 거기서 만나기로 약속이라도 되어 있던 것처럼 똑바로 내게 다가와 말을 걸었다.

"정말 안타깝습니다."

"네?"

"부인 말이에요. 건강하실 땐 그렇게 삶에 대해 확신이 넘치는 분이셨는데."

그녀는 내가 가는 길을 졸졸 따라오며 그렇게 말했다. 나는 부아가 솟았다. 입에 발린 그녀의 말 때문인지, 아니면 정해진 결과를 인정하지 못하겠다는 마음의 표출이었는지.

"건강할 때라고요?"

"부인은 아마도 언젠가 본인께서 암으로 돌아가실 것을 예상하신 듯해요. 의뢰를 받고 부인을 처음 뵌 건 벌써 오래전이죠. 저와 첫 번째 구술 심사를 할 때부터 본인의 삶도, 김홀 씨도 매우 사랑하시는 걸 느낄 수 있었습니다."

"심사요?"

"이렇게 말씀드리면 어떻게 생각하실지 모르지만 저희는 아무나 고객으로 받아들이지 않는답니다."

"자격 조건이 있단 말씀인가요?"

"자격 조건이라기 보단 정말 우리 서비스를 필요로 하는 분인가를 알아보는 거죠. 저희가 제공하는 서비스가 모든 분에게 다 적합하다 할 수 없거든요."

빤한 상술이었다. 자기들이 제공하는 서비스가 대단한 것인 양, 무슨 특권이라도 되는 것처럼 말하고 있는 거였다. 그러나 이후가 먼저 찾아 작업을 의뢰할 정도라면 이 여자가 단순한 영업 사원은 아닐지 몰랐다. 나는 그녀에게 이후의 동기에 대해 묻고 싶었다. 왜 그런 의뢰를 했는지.

"당신이 맡은 역할이 무엇입니까? 상담사이신가요?"

"나는 미디엄이에요, 그렇게들 부르죠."

"미디엄? 영매 말인가요?"

나는 실소를 내뱉고 말았다.

"우리는 누구나 다 미디엄이에요."

여자가 미소를 지으며 말했다. 마치 내가 웃은 게 진심이고 자기는 내 웃음에 진짜 기분이 좋아졌다는 것처럼.

"내게도 초능력이 있다 이건가요? 그럼 이후가 떠난 뒤에도 그녀와 계속 연락할 수 있을까요?"

"유비쿼터스 시대라고들 하죠? 이 거리 모든 사물이 살아있는 것 같지 않으세요? 저 신호등이나 건물들까지. 이 세상 모든 것이 서로 소통하잖아요? 우리는 모두 네트워크의 매체이고."

나는 입을 다물었다.

"제 이름은 세이렌이에요. 나중에 제 연락처가 필요하실 거예요."

그녀가 자신의 핸디를 들어 내게 명함을 내미는 포즈를 취했다. 나는 내 핸디로 그것을 수령했고. 그래, 우린 모두 미디엄이군.

"제 아내가 원하는 일이 정확히 무엇입니까? 그쪽에 의뢰한 일이란 게."

"말씀드린 그대로예요. 부인께서 남기신 기억을 우리가 보존해드릴 겁니다. 부인이 원하시는 방법으로."

"그런 거라면 내가 직접 할 수도 있습니다. 그녀의 기억은 당신들보다 내가 더 잘 아니까."

그녀는 걸음을 멈추고 나를 돌아보았다.

"아직 모르시겠습니까?"

"뭘요?"

"부인이 남기고 싶은 것은 부인이 선생님께 보여드리고 싶은 기억이지, 선생님이 부인에 대해 간직하고 싶어하는 기억이 아니라는 걸."

"그게 서로 다른가요?"

"부인께서 남기실 기억에는 부인이 **들어** 있죠. 그저 어떤 저장 공간에 버려져 있는 메모리가 아니란 거죠."

어찌 보면 그녀는 기억이란 단어의 두 가지 의미를 혼용해서 쓰고 있었다. 나만이 가질 수 있고 나만이 알 수 있는 사적인 기억. 그리고 사이버네틱한 세계에서 특별히 중요하게 취급되는 네트워크 안의 메모리. 물론 세상이 모두 네트워크로 연결되고 인간의 활동 또한 대부분 그 안에서 이루어지니 사람이 하는 활동은 어떤 의미에서 빈 메모리에 자취를 남기는 것이라 해도 좋을지 모른다.

"그러니까 거긴 추모 사이트인 모양이군요. 실제로 들어가본 적은 없지만 그런 게 있다는 얘기는 많이 들었습니다. 일종의 사이버 묘지."

"문제는 의뢰인이 남긴 기억을 어떤 방식으로 운용하느냐겠죠."

"이러니저러니 해도 결국 그런 것 아닙니까? 사랑하는 사람이 죽고 난 뒤에 그곳 사이트에 들어가서 그들이 남긴 사진이며 기록을 열람하고 거기 게시판에 하고 싶은 말도 남기고. 마치 그녀가 아직 살아있다는 것처럼 말입니다. 나는 그렇게 하고 싶지는 않습니다. 진짜 그녀가 아닌 어떤 것을 두고 그녀인 것처럼 대하면서 위안을 얻고 싶지는 않아요."

"누가 진짜가 아니라고 하나요?"

"네?"

"선생님께서 느끼시는 만큼 진짜가 되는 거죠. 이 세상도 그렇지 않아요? 지금 피우시는 담배는 진짜가 아니지만 진짜를 대신하고 있잖아요. 그리고 고인이 남긴 기억이 실제로 어떻게 운용되느냐가 문제죠. 방문객에게 고인과의 어떤 종류의 소통을 해줄 수 있느냐의 문제. 사람들은 흔히 말하죠. 돌아가신 분이 자기 마음속엔 살아있다고. 그 생생함의 차이인 것이죠."

그녀는 잠시 말을 거뒀다. 나는 병원 로비에 도착했고 거기들어갈 참이었다.

"우리 서비스에 들어오시면 부인께서 주신 자료를 토대로 만들어진 인공지능 아바타를 만나실 수 있습니다."

"뭐라고요?"

"부인의 모습과 기록을 고스란히 간직한 인공지능 아바타. 각각 독립적인 프로그램으로 운영되어 개성과 실감이 잘 보존

되죠. 부인과 대화를 하거나 추억을 나누실 수도 있습니다. 가상공간 안의 산책로나 공원에서 함께 지내실 수도 있고요."

나는 이후를 원망했다. 그런 엉뚱한 짓을 벌이다니. 어떻게 내가 그런 걸 바랄 거라고 생각했을까? 인공지능이라고? 아무리 세상이 시뮬레이션으로 변화한다 해도 그녀는 게임이 아니다. 소프트웨어 나부랭이로 조작되지도 않는다.

"부인께서 결정하신 일이에요. 선생님에게 도움이 될지 모른다고. 너무 보고 싶어지거나 힘이 들면 우리 서비스에 들어와 보세요. 추억은 꼭 과거에 한정된 것이 아니에요. 새로 만들어질 수도 있죠."

결국 메일은 그 자주색 원피스의 여자가 일한다는 바이앤바이닷컴이란 곳에서 보내온 것이 틀림없었다. 그것을 내게 알려주는 데 왜 그렇게 오랜 시간이 걸렸는지, 하필이면 이런 방식으로 연락을 취해왔는지 도저히 이해되지 않지만. 아마도 그간 내가 그곳을 까맣게 잊고 방문하지 않은 것에 대해 이런 식으로 자극해온 것인지 모른다.

나는 마지막 메일이 오길 기다렸다. 그리고 머지않아 그런 게 도착했다.

"여보, 나를 만나려면 이 주소로 들어와."

이후였다. 이후의 얼굴, 이후의 목소리를 가진 여자가 내게 그렇게 말했다. 아마도 바이앤바이 서버에 거주하는, 이후의 모습을 가진 아바타이겠지만. 그리고 메일에는 바이앤바이닷컴에 접속할 수 있는 구체적인 방법이 제시된 파일이 함께 들어 있었다.

　나는 한동안 이후의 홀로그램을 켜놓고 앉아 있었다. 그것을 무한 반복재생하며. 여보, 나 여기 있어. 어디 가지 않았어. 홀로그램은 이후처럼 웃었다. 여보, 나 여기 있어. 어디 가지 않았어. 홀로그램은 또한 이후처럼 말했다. 여보, 나 여기 있어. 어디 가지 않았어. 홀로그램이 자기를 만나러 오라고 나를 거듭 부르고 있었다.

　내가 거기에 손가락을 가져가면 영상이 바르르 떨렸다. 먼 곳에 깜박이는 작은 불빛처럼, 단숨에 없애버릴 수 있는 심지 위 촛불처럼. 우리가 점하는 공간이란 게 그런 건지 모른다. 작은 흐름에도 쉽사리 동요하는, 서로 끌거나 밀어내며 한시적으로 작동하는 전자기장에 불과한 것.

4

바이앤바이

　지금 돌이켜보면 거기는 죽은 자와 산 자가 함께 거니는 공원이었다. 산 자의 아바타와 죽은 자의 아바타가 서로 손을 잡거나 팔짱을 끼고. 어떤 곳에는 여럿이 모여 있기도 했다. 벤치에 앉아 두런두런 이야기를 나누고 있는 노부부. 한 여자에게 기타를 치며 노래를 불러주고 있는 남자. 아들로 보이는 사내아이와 잔디밭에서 공놀이를 하고 있는 중년 남자. 그것을 보며 박수를 치는 젊은 여자. 여기저기 늘어서 있는 정원과 과수원, 물과 조각상 사이에는 그런 사람들이 북적거렸다. 그중 누가 살았고 누가 죽었는지 구분할 수 없었다. 적어도 겉으로는 그 둘 사이에 아무 차이가 없었다.

　거기서 우연히 어떤 사람과 만나

　"안녕하세요? 누굴 보러 오셨나요?"

　하고 물었을 때

"저는 이미 죽은 지 오래된 사람이랍니다."

하고 대답해도 전혀 이상할 것이 없으리라.

나는 메일에 첨부된 접속 방법에 따라 복잡한 경로를 거치고 몇 개의 게이트를 통과해 거기에 도착했다. 입구에는 커다란 2D 그림이 있었다. 벌거벗은 남녀 한 쌍이 상체를 서로 교차한 채 상대의 손을 잡고 서 있는 그림. 고개를 서로의 반대쪽 어깨로 숙여 T자 또는 하나의 십자가를 이룬 것처럼 취한 포즈였다. 그리고 그 남녀는 환한 자줏빛 오라에 둘러싸인 채 캄캄한 공간을 뚫고 승천하는 중이었다. 한쪽 구석에 〈영혼들의 사랑—장 델비유The Love of Souls by Jean Delville, 1867~1953〉라고 적혀 있었다.

제목을 의식하지 않아도 죽은 자들을 그린 것이란 걸 쉽게 알 수 있었다. 인상적이었다. 그림에 흔히 등장하는 소재가 아니라는 점에서. 문득 죽음이 거기 그려진 대로 그렇게 순수하다면 아름다울 수도 있겠다는 생각을 했다. 삶이 여기서 끝이 아니라면, 그래서 거기 그려진 대로 모두 벗은 영혼이 되었다면, 당신이 그처럼 한 점 부끄럼 없는 모습으로 매한가지가 된 당신의 연인을 만날 수 있다면 그때는 저 그림 속 연인처럼 편안하게 사랑할 수 있겠지. 육체가 주는 모든 제약과 조건을 버리고 오로지 상대에 대한 그리움만을 남긴 채.

그림 바로 아래에는 'VR 인터페이스가 필요한 서비스입니다'라는 말이 반짝이고 있었다.

가상현실용 고글을 쓰고, 손에 핸디를 부착했다. 그러자 내 거실과 그곳에 크게 자리하던 벌거벗은 두 영혼의 그림이 사라지고 파란 하늘과 널찍한 벌판이 나타났다.

기다란 강이 흐르는 강변에는 커다란 돔과 부속 건물들이 자리 잡고 있었다. 그리고 강을 따라 자동차 도로와 보도가 나 있었다. 강물은 유속이 거의 없다시피 할 만큼 천천히 흘렀다. 눈이 아플 정도로 밝은 햇살이 강물에 어른거렸다. 낮은 가로수들이 길을 인도하고 있었는데—사실 그 정도면 최고 수준의 렌더링이라 할 수는 없다. 최근 가상현실 기술은 현실과 도저히 구분이 불가능할 만치 발달했으니까— 나뭇가지 사이를 불어가는 바람이나 발에 차이는 모래 같은 것은 다소 어색하게 느껴졌다. 나는 그 길을 걷기 시작했다.

'In the sweet by and by, we shall meet on the beautiful shore. 머지않은 날, 아름다운 강변에서 우리 만나게 되리.'

도로 중간쯤에 있던 높다란 장대 사이에 이런 내용의 배너가 떠올라 펄럭이고 있었다. 바이앤바이라는 이름이 거기에서 유래했음을 알 수 있었다.

나는 천천히 걸음을 옮겼다. 내가 지금 몸이라고 느끼는 것, 내 아바타의 움직임, 그 신체적 느낌에 익숙해지도록. 가상공간에 들어가 숱한 인터뷰를 했지만 이처럼 아바타의 모든 기능을 이용해 다녀보기는 오랜만의 일이었다. 그러고는 강변길을 다 걸어 커다란 돔 앞에 있는 층계에서 멈춰 섰다. 거기에 안내판 같은 것이 보이지 않았기 때문에. 아마도 건물 로비 안으로 들어가 누군가에게 안내를 받아야 할 것 같았다.

"처음이세요?"

뒤를 돌아보니 한 소녀가 있었다. 열예닐곱쯤 되어 보이는 소녀의 아바타였다.

"그래, 처음 들어왔어."

나는 아직 엉거주춤한 자세로 서 있었다. 이런 공간에 통용되는 의례에 밝지 않았다. 나는 그 아바타를 진짜 소녀라고 단정 짓고 그렇게 행동했다. 그녀가 마흔을 훌쩍 넘긴 미망인일 수도 있었다. 사별한 남편에게 그들이 처음 만났던 모습으로 들어오는 것일 수도 있다.

"먼저 면회실에 가셔야 해요. 그곳에서 면회 신청을 하시고 안내를 받으시면 돼요."

"아아, 면회실은 어디로 가지?"

"맹이시군요. 게임도 잘 안 하는. 인터페이스는 어디나 같아요. 사용하시는 게 핸드피스인 거 같으니까 오른손, 또는 왼손잡이시라면 반대편 손, 엄지와 검지를 붙이세요. 동그랗게."

나는 그대로 했다. 내 오른편 공간에 폴다운 형식의 메뉴가 펼쳐졌다. 그 안에는 맵-지도라는 항목이 있었다.

"이제부턴 혼자 하실 수 있겠죠?"

"아 그래, 고마워."

고개를 돌려 인사를 하려 했는데 그녀는 벌써 그 자리에 없었다. 맵에 따르면 면회실은 이 건물의 좌측 동에 위치하고 있었다.

"참, 여기서 만나게 되는 것은 고인의 아바타예요. 그걸 잊지 마세요. 그냥 동영상 기록 같은 게 아니라고요. 마음의 준비를 단단히 해두시는 게 좋을 거예요."

가버린 줄 알았던 소녀의 아바타가 갑자기 내 옆에 불쑥 나타나 그렇게 말했다. 그러고는 내 아바타의 팔을 슬쩍 건드리고 다시 부리나케 떠나버렸다.

면회실이란 곳은 기둥을 제외한 모든 벽면이 창으로 된 홀이었다. 바깥의 건물과 풍광이 파노라마 화면처럼 들어왔다. 멀리 보이는 강물, 몇 개인지 알 수 없는 많은 정원과 곳곳에 자리한 분수와 석상. 그리고 그런 곳을 한가히 걸어 다니는 아바타들.

"누구를 만나러 오셨나요?"

면회실 접수원이 물었다.

"제 아내입니다. 이름은 차이후."

"등록번호는요?"

나는 그녀의 등록번호라는 것을 불러주었다. 고글을 살짝 벗고 내 핸디에 입력된 숫자를 곁눈질하면서.

접수 담당 아바타는 뭔가 인터페이스를 하는 체했다. 모니터 같은 것을 들여다보면서 짐짓 손을 바쁘게 움직였다. 키보드라도 두드리나? 데이터베이스 검색에 걸리는 시간을 그런 식으로 때우는 것이라 짐작했다.

"차이후 씨는 블루 가든에서 만나실 수 있습니다. 먼저 가서 기다리시지요."

그리고 잠시 뒤 나는 안내 아바타를 따라 어떤 정원으로 인도되었다. 정확히는 작은 분수대가 있는 조촐한 정원의 배경. 이곳 역시 최신 기술의 렌더링은 아니었다. 그저 적당한 현실감이 드는 정도였다. 하지만 분수에서 나는 물소리가 마음에 들었다. 정원을 꾸며 놓은 수석이며 식물군을 들여다보며 시간을 보냈다. 속으로는 이런 진정효과가 나는 물소리, 이런 푸른색을 통해 여기 들어오는 사람을 조작하고 있다고 느끼면서.

사람들은 이런 것에 점점 몰두하게 되다가 자신의 실체감을 잃는다. 그러고는 여기서 하게 되는 체험, 여기서 만나게 되는 아바타를 보다 더 생생하고 현실적으로 받아들이게 된다.

예전의 LSD Lost Soul's Domain라는 게임이 그랬다. 게임이 시작되면 한동안 숲속을 헤매게 되었다. 어쩌다 만나게 되는 작은 꽃, 기이한 생김새의 곤충 따위를 손으로 주우면서. 그러다 보면 그것의 오묘한 색깔, 괴상한 모양에 점점 취하게 되었고 나중에는 자신이 그곳에 게이머로 들어온 사실을 까맣게 잊어버렸다. 그러고는 캐릭터가 실제의 나인 양 게임에 몰두하게 되는 것이다.

얼마나 시간이 흘렀을까, 한 여자가 정원의 다른 쪽 입구에 나타났다. 설핏한 그림자처럼 나타나서 천천히 안으로 걸어 들어왔다. 그러고는 점점 더 선명한 모습이 되며 내가 자세히 볼 수 있는 거리로 다가들었다.

이후였다. 그녀가 정말 거기 있었다. 정확히 말하자면 그녀의 모습을 한 아바타가. 그녀는 내 앞으로 와서 무슨 말을 할 것처럼 입을 달싹였다.

고글의 이어피스를 통해서도 내 심장이 뛰는 소릴 들을 수 있었다. 몸에 열이 오르고 손에는 식은땀이 배었다. 나는 간신히 입을 열어 아바타에게 말을 건넸다.

"이후? 차이후車怡珝?"

"응, 나야."

그녀가 대답했다. 잠깐의 뜸을 들이고 나서. 죽은 내 아내, 이후의 기억 자료를 인공지능에서 끌어오려면 시간이 조금 필요한 모양이었다.

아바타는 이후가 건강할 때 자주 하던 링렛 파마를 하고 있었다. 발그스레한 혈색이 도는 얼굴. 그리고 그녀가 실제로 소유하고 있던, 지금도 그녀의 옷장에 그대로 보관되어 있는 겨자색 스웨터를 입고 있었다. 나는 그녀가 그 옷을 입은 모습을 특히 좋아했다. 그 옷을 꺼내 입을 때면 등 뒤로 몰래 다가가서 껴안곤 했다. 그 푹신하면서도 까칠한 촉감. 그녀의 주위에서 올라오는 그녀의 냄새. 느낌이 되살아나는 듯했다.

아바타의 시뮬레이션, 그 이미지가 얼마나 정밀하게 처리되었는지, 또는 움직임이 얼마나 사실적인지는 더는 문제되지 않았다. 그 순간 내게 그것은 그녀로만 여겨졌다. 어쩌면 아바타를 단순한 프로그램으로만 받아들이지 않는 데 익숙한 내 경험 때문인지도 모른다. 그래서 나는 그것을 정말 살아있는 이후처럼 받아들이게 되었는지도 모른다. 그녀가 어딘가에 아직 존재한다면 바로 이런 모습일 테니까.

나는 그제야 그 미디엄이라는 여자가 했던 말을 진정으로 이해할 수 있었다. 단순한 추모 사이트가 아니라는 걸. 그저 어디에 정리되어 있는 아내의 기억을 열람하는 수준이 아니라는 것을. 이것은 어쩌면 내 머릿속에 있는 그녀에 대한 기억과 이곳 서버의 인공지능에 남아 있는 그녀의 기억이 만나는 일이다. 내 속에 있는 그녀에 대한 기억이 이곳에 저장된 그녀 자신의 기억을 통해 다시 생명을 얻고 또 새롭게 만들어질 것이다.

나는 다음 말을 찾지 못했다. 재차 이렇게 물어보는 것 말고는.

"정말 맞아? 이후가 맞아?"

그녀는 대답을 하지 않았다. 그녀는 눈을 굴리며 한동안 생각에 잠겼다. 인공지능에 약간의 부하가 걸린 것 같았다. 같은 질문을 두 번 받았으니까. 아마도 상대의 이상한 행태에 대해 의미를 분석하고 그에 맞는 시나리오를 찾고 있을 터였다.

"맞는 거 같아. 내가 맞아. 내가 차이후!"

"내가 누군지 알겠어?"

나는 마치 잠깐 정신을 잃었다가 의식이 돌아온 사람을 대하듯이 그렇게 또 물었다.

"그럼."

"내가 누구야, 한번 말해봐."

"자긴 홀, 성은 김 씨고 외자 이름을 가진 내 남편. 2017년 생. 2043년 성북 3구청에서 나와 결혼했지."

아바타는 그저 데이터베이스의 자료를 인용할 뿐이었다.

"메시지를 보낸 것도 당신이야? 내게, 찾아오라고?"

"응, 맞아. 맞아, 내가 보낸 게."

아바타는 말을 거두고는 시간을 두고 다시 시작했다.

"으음…… 그런데, 아직 다 생각이 나진 않아. 내가 당신과 보냈던 시간이나 내가 늘 하던 일들이 조금씩 돌아오고 있어. 희미하게 조금씩. 나에게 시간을 좀 주면 다 기억이 날 거야. 그렇지만 그게, 당신에게 메시지를 보내는 게, 한 번에 다 잘 되진 않았어. 뭘 어떻게 말해야 하는지. 당신이 어떻게 받아들일지. 그래서 좀 잘 안 됐어. 몇 번에 나누어 말해야 했어."

나는 내 본심을 토해내고 말았다. 주인 없는 아바타에게.

"보고 싶었어. 당신도 내가 보고 싶었어?"

"응. 당신이 보고 싶었어. 내가 바랐던 것은 그것 말고는 아무것도 없어."

그녀는 그렇게 말하고 내 눈을 또렷이 바라보았다.

이건 나쁜 꿈이었다. 나는 헤드셋을 벗어 던지고 일어났다. 더는 견디기가 어려웠다. 두 개의 충동이 내 안에 꿈틀거렸다. 한편에서 내 심정은 그녀를 받아들이라고 소리치고 있었다. 이것을 계속 이어가라고, 그녀가 아니라면, 그녀가 두고 떠난 작은 유물이라도 만지면서 그리워하라고. 그러니 그렇게 이상하게 굴지 말고 그녀가 너를 위해 준비한 슬픈 파티에 다시 들어가라고.

하지만 다른 한편에서 나의 이성은 그녀를 받아들이지 못했다. 이것은 다만 병적인 집착이라고, 저 아바타는 그녀도 아니고 네 마음의 갈망이 빚고 있는 허구일 뿐이라고.

경쾌하고 단출한 성품의 이후가 이런 것을 원했을 리 없다. 이건 그저 혐오스러운 아이디어이고 절망적인 사람을 이용해서 돈벌이를 하려는 기발한 속임수일 뿐이다.

그때 내 귀에

"받아요! 받아요!"

하고 외치는 소리가 들렸다.

내가 벗어 던진 고글 장비의 오디오가 아직 켜져 있는 상태였다. 목소리는 아까 만났던 소녀의 것이었다. 그와 동시에 탁자에 올려놓은 내 핸디가 불을 반짝이기 시작했다.

핸디를 들어 화면을 열자 소녀의 얼굴이 나타났다. 아바타의 얼굴과 같은 홀로그램이었다. 하지만 이번 것은 실사 이미지였다. 그녀도 자신의 가상현실 인터페이스를 벗어 던지고 내게 전화를 건 모양이었다. 하긴, 고인을 만나러 들어가는 사람이 자기 모습과 다른 아바타를 입을 리가 없지. 아바타가 본래 모습과 다를 것이라 생각한 것은 소녀도 마찬가지인 듯했다.

"아하! 이렇게 생긴 아저씨였구먼. 아바타보다 조금은 낫게 생기셨네."

소녀가 장난스럽게 말했지만 나는 아직 멍한 상태였다.

"핸디 번호는 어떻게 알았지?"

"당연히 면회실에 가서 알아낸 건 아니죠. 그런 거야 식은 죽 먹기라고요. 아저씨와 두 번째 스쳤을 때 다 알아냈죠. 아저씨가 누구고 뭘 하시는 분인지. 항상 내 툴을 지니고 다니거든요?"

"해킹은 중대한 범죄야."

"그건 뭐 그렇다 치고요. 그보다 아저씨가 그렇게 떠나는 바람에 소동이 조금 있었다고요."

소녀가 말했다.

"무슨?"

"아저씨가 만나러 온 여자분이 충격을 받았어요!"

"충격을 받다니 무슨 소리야. 그건 그저 인공지능 아바타일 뿐인데. 진짜 내 아내가 아니라고."

"만나러 오신 게 부인이었군요? 안되셨네요. 하지만 그건 그냥 아바타만은 아니죠. 상대와 대화나 정서적인 교류를 할 수 있도록 짜인 것이에요. 잘못하면 프로그램이 타버릴 수도 있다고요."

"프로그램이 타버려?"

"말하자면 그렇다는 거죠. 그렇게 단순한 게 아니에요. 그분의 성격, 감정 같은 것을 최대한 보존해서 만든 인공지능이라서 천천히 학습해가고 자리를 잡아야 하죠. 그렇게 하지 않으면 자칫 아주 괴상한 형태로 망가져버리기도 하거든요."

"그래서 무슨 일이 있었는데?"

"쉽게 말하자면 아바타가. 폭주한 거죠. 한동안 아무 행동도 결정짓지 못하고 그 자리에 얼어붙었어요. 그런 인공지능 아바타는 누가 명령을 입력하는 것이 아니라 스스로 행동을 결정해야 한다고요. 그리고 그게 학습이 되어 점차 의도된 인격으로 성장하게 돼요. 아저씨는 애완동물 기르는 게임도 안 해본 모양이죠?"

나를 다독이기라도 하는 어투였다.

"다시 돌아가서 부인을 불러내세요. 그리고 찬찬히 대화를 해보세요. 감정을 최대한 가라앉히고."

"나는 거기 다시 들어갈 생각이 없어."

"그거야 아저씨 생각이고. 그럼 부인을 아니, 부인의 아바타를 그런 모양으로 영원히 그 사이트에 방황하게 두실 거예요? 그건 좀 슬픈걸요?"

"아니. 그 서비스를 하는 자들에게 그 인공지능이란 것을 소거하도록 해야지. 내가 원한 게 아니야."

"하지만 부인은 원하셨을 거 아니에요? 그러니까 돌아가시기 전에 그런 서비스에 가입을 해서 거기에 기억을 남기는 어려운 과정을 치르셨을 거 아녜요? 얼마나 힘들고 괴로우셨겠어요? 아저씨를 위해 부인이 기울인 정성을 생각해서라도 그렇게 하시면 곤란하죠. 게다가 서비스 비용도 만만치가 않다고요. 아마도 오랜 기간 생각하시고 저축한 돈을 한꺼번에 넣으셨을 텐데."

소녀가 정곡을 찔렀다. 나는 잠시 말을 잃었다.

"그다음엔 어떻게 됐지?"

"마침 제가 근방에 있었어요. 아저씨가 갑자기 나가는 걸 보고 또 여자분이 벌벌 떨면서 이상행동을 하는 걸 보았죠. 그래서 재빨리 그분에게 다가가 말을 걸었어요. 그래야 그 프로그램이 다음 행동을 개시하니까. 그런 크래시crash가 자주 발생하면 버그bug가 생길 수 있고 그러다가 프로그램이 완전히 상하게 되죠."

"그래 하여간 고마워."

정확히 무슨 일이 벌어졌는지 알지 못했지만 모르지만 그녀가 어쩌면 이후의 모습을 한 아바타를 구했을지 모른다고 믿었다. 그저 자기가 한 일을 무슨 대단한 선행이라도 되는 양 과시하는 것만은 아닌 듯했다.

"별말씀을. 처음엔 다 그래요. 너무 생생하기 때문이죠. 마구 울어대는 사람도 있고 다시는 못 오는 사람도 있죠. 그 단계가 지나가면 괜찮아질 거예요. 진정하시고 좀 쉬세요."

"그래, 생각 좀 해봐야겠다."

소녀의 말에도 일리가 있었다. 이후가 한 일이라면 특별한 이유가 있었을 것이다. 내가 거부감을 느낀다 해서 그녀의 유지를 한사코 무시해버릴 수는 없다.

소녀의 이름은 피치였다. 본명은 이윤희. 나와의 대화를 끊고 보낸 메일에서 그렇게 밝혔다. 요즘 아이들이 자기 이름을 뻔질나게 바꾸는 유행을 따른 듯했다.

그 뒤로 피치는 자주 메일을 보내왔다. 그녀는 내 메일 우선순위를 뒤죽박죽으로 만들어놓은 뒤 자기 메시지를 제일 먼저 읽게 하기도 했다. 내가 무슨 연예인이라도 되는 것처럼 여겨졌던 모양이다.

"유명한 분인 줄 몰랐네요? 미디어 스타들을 많이 인터뷰하셨던데? 한동안 일을 안 하다가 얼마 전에 다시 시작하셨다죠?"

한번은 이런 메시지도 있었다.

"저를 한번 찾아오세요. 마침 제가 일하는 수소충전소가 아저씨 사시는 곳이랑 가까워요. 제가 크게 도움이 될지 어떨지는 모르지만 그 사이트에 대해 드리고 싶은 말이 있으니까."

나는 피치라는 소녀를 만나보기로 했다. 거기 다시 접속할지에 대해서는 결정하지 못했지만 어쨌든 도움이 될 것 같았다. 그곳에 대해 다른 사람의 관점을 들어보고 싶었다. 내가 특별히 유난스럽게 구는 것인지, 아무 죄책감 없이 이후의 잔재를 만나러 다녀도 되는 것인지.

실물로는 나이보다 성숙하고 다부져 보이는 아이였다. 그녀는 충전소 카운터에서 고객의 신용 확인을 하고 있었다. 중간 길이의 머리를 양 갈래로 단단히 죄어 묶은 그녀의 귓불 뒤에 칩 하나가 반짝거렸다.

그녀는 내가 사무실에 들어서자 눈짓을 보내 알아보았다는 표시를 하고는 일을 마저 처리했다. 고객들을 활기차게 대하는 모습이 베테랑 같았다. 피치는 고객들을 다 보내고 나서 자동판매기에서 탄산수를 두 개 꺼내 들고 사무실 한편의 벤치로 나를 이끌었다.

"반가워요"

손을 내밀어 악수를 하고는 씨익 웃으며 말했다.

"그래요, 드디어 칩을 박았어요."

머리칼을 들어 살짝 드러난 칩을 보여주면서. 내 시선에 부담을 느낀 것 같았다. 아직 살이 완전히 아물지 않은 것으로 보아 시술한 지 몇 개월밖에 되지 않은 듯했다.

"아무 부작용도 없어요. 사이보그가 되는 첫걸음이죠."

"어, 그래. 근데 허가는 제대로 받은 곳에서 했나?"

그렇게 말하는 나 자신이 나이보다 훨씬 구세대처럼 느껴졌다. 고리타분한 걱정에 익숙한.

"물론이에요. 이런 걸 서너 개는 더 할 수 있는 돈을 모았으니까."

"그런 걸 서너 개나 더 박는다는 거야?"

"그건 두고 봐야죠. 당장은 모두들 하니까 따라해봤지만 앞으로 하나씩 더 하게 될지. 그래서 정말 보철 공학과 로보틱스가 발전하는 기술에 따라 나중에는 내 몸을 완전히 다 바꿔버릴지. 하하!"

피치는 한바탕 유쾌하게 웃었다. 그러고는 탄산수를 한 모금 마시고 말을 이었다.

"요즘 내 또래들은 다 그런 꿈을 가지고 있어요. 지금부터 조금씩 준비해서 나중에 완벽한 사이보그나 로봇이 되는 꿈. 신체적인 능력도 얻고 또 이십사 시간 네트와 접속 상태에 있을 수도 있고요. 뇌가 유지되는 한 질병 없이 아주 오래 살 수 있다고 하니까 말이죠."

"그게 사실이라면 나도 하고 싶군."

"그건 그렇고, 지난번엔 그저 짐작으로 그렇게 말했던 거지만…… 보아하니 아저씨는 부인의 기억을 직접 등록하신 게 아닌 것 같아요?"

"어어, 내가 한 게 아냐. 이후, 내 아내가 한 거지."

"아저씨 동의 없이, 그러니까 아저씨는 그걸 전혀 모르고 있었단 말씀인가요?"

"정확히 말하자면 그런 것인 줄은 몰랐을 따름이지."

"그런 추모 사이트는 거기 말고도 많아요. 거긴 좀 특별하다는 것뿐이죠. 대개는 돌아가신 분의 사진이나 동영상 따위를 올려놓고 방명록 같은 것을 걸어놓죠. 그런 데도 아주 잘 돼요."

"그런데 여긴 인공지능을 이용해서 살아있는 사람을 대하는 것처럼 만든 거지. 그게 그런 것일 줄은 상상도 하지 못했어."

"그런 곳도 거기만은 아니에요. 제일 잘 알려진 곳이기는 하지만. 아저씨는 그곳을 별로 찬성하지 않는 것 같군요."

피치에게서는 요즘 아이들이 '사이버 와이즈'라 부르는 지혜 같은 것이 엿보였다. 교육을 많이 받지는 않았지만 여기저기 사이버 스페이스와 미디어를 파고 다니면서 겪고 배운 지식이 많은.

"찬성하지 않아. 건강하게 여겨지지 않으니까."

"사실 제가 아저씰 뵙자고 했던 게 그 때문이에요. 혹시 아저씨가 어떤 선입견 때문에 거부감을 가지셨다면 그렇지 않다는 말씀을 드리고 싶어서. 그런 게 꼭 필요한 사람이 있어요. 그저 그 사람을 추억하는 것만으로는 마음 치료가 안 되는 사람. 아주 갑자기 죽어간 사람이나 고통스럽게 병사한 사람에 대해 회한을 가진 사람, 고인에 대해 깊은 죄책감을 가진 사람, 너무 사랑한 나머지 그 사람이 떠난 뒤에 그걸 극복하지 못하는 사람. 아저씨도 그중 하나에 해당하는지도 모르죠. 특히 마지막 경우에."

아이는 샐쭉 미소를 보였다.

"그래, 그럴 지도 모르지. 그래서……."

"그래서 돌아가신 부인께서 그런 것을 미리 준비하셨는지도 모르죠. 아저씨에게 뭔가 그런 거라도 있지 않으면 극복하기 힘들 거라 판단하셔서."

나는 이후가 왜 내게 이 일을 준비하면서 귀띔을 해주지 않았는지 이해할 수 없었다. 내가 이런 극단적인 방식의 추억에 동의할 거라고 믿었던 것일까?

"종종 그런 일도 있어요. 그곳에 다니면서 풀지 못했던 어떤 문제를 푸는 사람. 어떤 기적 같은 치료를 받는 사람도 있어요. 그러니 성급하게 결정하지 마세요."

"가령 어떤 것? 어떤 문제를 풀지?"

"어떤 여자분이 있었죠. 미혼모였어요. 아들이 죽고 나자 아이에 대한 모든 기억을 직접 거두어서 그 서비스에 등록을 했죠. 그리고 거의 매일 아들을 보러 왔어요. 아니, 아저씨 말씀처럼 정확히 그분의 아들은 아니죠. 아들의 존재를 대신할 아바타를 말이에요. 그분은 아들이 왜 밖으로만 도는지 알고 싶어 했죠. 아이는 게임방 같은 곳에서 일했는데 집에 들어오질 않았대요. 시간이 나면 친구들과 교외에 나가 로보 스쿠터 경주를 하면서 보내고요. 결국 그 사고로 죽게 되었지만, 여자분은 열심히 아바타를 만났고 서로의 기억을 비교하면서 인공지능을 키워갔죠. 그러던 어느 날 아이의 아바타가 말했대요.

'나는 엄마를 너무 사랑해요. 하지만 엄마와 나, 둘만 있는 집은 너무 싫어요' 하고 말이죠. 그제야 그분은 모든 숙제를 풀었대요."

"인공지능 아바타가 한 말로? 게다가 그 말로 어떻게 숙제를 풀었다는 거지?"

"그야 나도 모르죠. 그분에게는 본인이 알 만한 무엇이 있었겠죠. 하여간 저 같은 경우만 해도 그래요. 저는 돌아가신 아버지와 가진 추억이 너무 짧아요. 태어나면서부터 늘 혼자 살아왔기 때문에……. 아버지와 떨어져서 자랐거든요? 지금은 무슨 문제가 생길 때마다 거기 아버지를 보러 가요. 아버지에게 속상한 일도 실컷 털어놓고 어리광도 부리고. 아버지는 제게 힘이 될 만한 이야기들을 들려주세요. 살아계실 때는 둘이 전혀 갖지 못했던 시간이거든요? 자, 어때요? 꼭 그렇게 나쁜 곳만은 아니죠?"

"그래 그건 인정하지. 하지만 내게 필요한 일 같지는 않아."

"제 말을 한번 믿어보세요. 분명 아저씨 마음속에서 해결 못한 무엇인가를 풀어낼 기회를 얻을 거예요."

피치는 확신이 넘치는 태도로 말했다.

5

피치의 방 사람들

　피치는 종종 온라인으로 나를 찾았다. TV라도 켜 놓고 있으면 대뜸 내 디스플레이에 '피치가 교신을 원합니다'가 깜박였다. 그러고는 즉석 통신을 종용했다. 내가 짐짓 모른 체하고 있기라도 하면 우리 집 시스템에까지 파고 들어와

　"헤이, 헤이 받아요."

　하고 집 안의 스피커들을 울려댔다. 핸디를 열지 않을 수 없었다.

　"좀 이따 할래? 난 좀 바빠."

　그녀는 아랑곳하지 않았다. 스스럼없이 자신의 신변에 관한 이야기, 자기가 일터에서 겪은 사람에 대한 이야기를 떠들었다.

　"어젠 말예요, 눈이 부실 만큼 굉장히 예쁜 여자 하나가 가게로 들어온 거예요. 무슨 약에 취했는지 눈이 게게 풀린 상태로 차도 없이 혼자 걸어서요. 화장실이 급하다고 하더라고요. 거

리에 들어갈 만한 공중 화장실이 흔하질 않으니 동정심이 마구 일어나서 직원용 화장실을 열어줬어요. 그런데 아무리 기다려도 나오는 기척이 없길래 한참을 기다리다 화장실에 가보니 세상에! 온통 난장판을 벌여놓았더라고요. 바닥 여기저기 묽은 변을 흘리고. 여자는 아마 몰래 빠져 나간 모양이었죠. 급하게 옷을 내리다가 그냥 배설해버렸는지 설사가 가득 묻은 스커트를 세면대에 놔두고 말이죠. 그걸 빨다가 그냥 가버린 거죠. 하체를 어떻게 가리고 거리로 나섰는지 궁금할 따름이에요. 청소를 다 하는 데 무지 애를 먹었다고요! 하여간 그래서 지금 제 방엔 이십만 아시안화는 될 만한 엄청 비싼 명품 스커트가 널려 있어요. 헤헤, 덕분에 제가 횡재한 거죠."

나는 그녀가 외로워하는 것이라 짐작했다. 오래도록 혼자 살았다 하니까. 하긴 세상에 없는 사람의 아바타를 만나러 다니며 위안을 얻는 아이가 아닌가?

"아 참, 그리고 아저씨 때문에 제가 좀 유명세를 탔어요. 지난번에 아저씨를 만났단 소식을 내 팔로워들에게 알렸거든요. 반응이 대단했어요."

"무슨 팔로워들?"

"바이앤바이 사람들이지 뭐예요?"

나는 아이를 야단칠까 하다가 그만두었다. 내 사생활이 그런 데에 화제가 되어 오르내리는 게 싫다는 말을 하려다가.

"무슨 내용을 남겼기에?"

"뭐, 인터뷰어로 이름 난 어떤 기자를 바이앤바이에서 만났다. 게임도 안 해본 양반인지 자기가 만나러 온 인공지능 아바타를 거의 불구로 만들 뻔했다. 내 도움으로 아바타를 구했다 등등."

"그게 왜 관심사가 됐을까?"

"아아, 뭐 제가 좀 이야기를 재미있게 각색한 데다가 요즘 잘 나가는 인터뷰어 중에 어떤 사람일까 하고 서로 궁리하느라 더 재미있었던 거죠."

"그런 건 별로 달갑지 않은데."

"좀 깨어나시죠, 목석 씨!"

피치는 뾰로통한 표정의 이모티콘을 디스플레이에 띄워 보였다. 헤헤! 웃는 소리를 내 핸디에 내보냈다. 그러고는 느닷없이 제안을 해왔다.

"그 사람들과 만나보지 않을래요?"

"네 팔로워들?"

"아뇨, 그중에서 따로 모임을 갖거든요? 바이앤바이 방문객 사이에도 커뮤니티가 몇 개 있다고요. 그중 제일 작은 데가 '피치의 방'인데 제가 바로 주인장이에요."

"난 그런 거 하지 않아."

"그냥 한번 나와보세요. 방구석에 그렇게 파자마 바람으로 처량하게 쭈그려 있지만 말고. 바깥 냄새도 한번 맡아보라고요."

피치는 마치 나를 보고 있는 것처럼 덧붙였다.

동기가 무엇이든, 그녀는 자꾸 나를 바이앤바이에 연루시키는 셈이었다. 나와의 관계를 다른 사람에게 과시하려는 것인지, 그저 내게 호감을 느껴서인지. 예전 같으면 일언지하에 거절했겠지만 그러지 않았다. 내게도 마음을 줄 누군가가 필요했던 것인지 모른다. 나는 피치를 조금씩 받아들이고 있었다. 나는 그녀의 제안을 수락했다.

모임 장소는 과천 IT 거리의 한 음식점이었다. 거리를 온통 색색으로 물들인 다이오드 불빛, 요란한 모양과 빛깔의 셰이드를 쓰고—셰이드는 요즘 새로운 패션 상품으로도 각광받았다— 각종 네트웨어나 클라우드 장비로 무장한 사람들. 그리고 그 무리에 섞여 거리를 함께 걷는 홀로그램 광고 영상들. 첨단 거리의 한복판에 황토와 기와로 지은 옛날 집이 있다는 것이 신기했다.

"전통적인 방식으로 조리사가 만든 음식입니다."

입구에 다소곳이 선 전통 복식 차림의 로봇이 말했다. 얼핏 보면 요즘 한창 주가가 올라 있는 한 여자 배우를 닮은 얼굴이었다. 최근 인공피부 기술이 획기적으로 발달했다더니 적어도 외양만으론 인간과 구분이 어려웠다. 어쨌거나 엘리베이터 걸이나 학교 앞 횡단보도 도우미처럼 흔하게 널린 대량 생산품은 아니었다.

"잔치 음식입니다. 잔칫날 하던 갈비찜, 부침개, 전, 산적 등의 음식을 보시는 앞에서 조리해서 올립니다. 표준화된 방식으로 모두 같은 맛을 내는 요즘 음식과는 다르답니다. 재료는 모두 원형 그대로의 신선한 것으로 산지에서 공급받습니다. 어서

들어가서 직접 확인하시죠?"

내가 그 앞에 서서 잠시 머뭇거리자 로봇이 다음 말을 이었다. 아마도 내가 그런 걸 궁금해 한다고 여긴 모양인지. 재잘거리는 로봇을 뒤로 하고 활짝 열린 원목 재질의 커다란 대문을 지나 들어갔다. 돌담으로 둘러쳐진 널찍한 마당에서는 음식 냄새가 진동했다. 정말 앞치마 차림의 사람들이 부산하게 오가며 현장에서 조리를 하고 있었다. 한쪽 구석에선 말 그대로 본래 모습대로의 식재료를 씻고 다듬고 자르는 중이었다. 감자며 호박 같은 진짜 채소, 피가 뚝뚝 떨어질 것 같은 고기. 다른 한편에선 여러 개의 가스 불을 한껏 지펴놓고 기름을 두른 널찍한 팬에 밀가루 옷을 입힌 무엇인가를 지지고 있었다. 호기심을 끌 만했다. 나만 하더라도 이런 옛 요리가 만들어지는 과정을 그렇게 가까이에서 본 적이 없었다.

마당을 둘러싸고 '창호'라는 옛날 방식의 문을 가진 방이 늘어서 있었다. 방마다 작은 툇마루가 있었고 그 앞에는 신발이 가지런하게 놓인 큼직한 대석이 있었다. 그리고 그 방들 중 하나가 바로 피치의 방 사람들이 빌린 것이었다. 한 사람이 나를 손짓해 불렀다.

"이리 오쇼. 여깁니다. 우리 모임은."

나이가 지긋해 보이는 건장한 체격의 남자였다. 그 사람 외에도 젊은 남자 둘과 중년 여자 하나가 함께 앉아 있었다. 피치의 모습은 보이지 않았다. 우리는 서로 가볍게 목례를 주고받았다.

"냄새가 좋죠?"

내가 신을 벗고 방에 올라서자 오십 대 중반쯤으로 보이는 그 남자가 그런 말로 이야기를 시작했다. 솔직히 그렇다고 생각하지는 않았다. 특히 동물성 기름이 타는 냄새가 비위에 거슬렸다.

"내가 아주 어렸을 때 친족들이 모이면 이런 음식을 했지. 저기 저것처럼 마당에 펼쳐놓고 말이오. 요즘 세대는 아마 구경을 못 해봤을 거야. 처음엔 다소 역겨울지 모르지만 익숙해지면 절로 식욕을 일으키는 진짜 음식 냄새요."

그는 자기 곁의 빈자리를 내게 권했다. 좌식 의자가 영 불편했다. 그는 벌써 술이 얼근히 오른 듯 간간이 누룩 냄새가 진동하는 술을 한 모금씩 들이켰다.

"말이 나와서 얘기지만 난 이 세상의 많은 문제가 우리 먹는 것에서 비롯된다고 생각해요. 요새는 저렇게 사람의 손이 직접 닿은 음식을 먹기가 힘들지. 요리에 취미가 있는 사람이 아니라면 모두 포장된 음식을 데워 먹기만 하니까. 그러니까 사람들이 소통하는 것에 깊이가 없어."

"대개는 공장의 벨트컨베이어에서 로봇이 조리한 음식을 먹으니까요. 그리고 어쩌다 외식을 한다 해도 대부분 비슷한 식단을 가진 프랜차이즈 음식이죠."

젊은 두 남자 중 나이가 좀 더 있어 보이는—아마도 내 또래쯤으로 여겨졌다— 사람이 맞장구를 쳤다. 전문 직종에 종사하는 사람들에게서 보이는 신중함 같은 것이 느껴졌다.

"사실 사람이 소통한다는 게 몸으로부터, 그것의 따뜻한 온기로부터인데…… 그렇지 않소? 그것을 나누는 게 가장 기본적인 소통이란 말이지. 그리고 그 시작이 음식이란 말이오. 그에 반해서 요즘 말하는 소위 커뮤니케이션이란 건 허울뿐이지. 그저 차가운 정보라는 게 여기저기로 장소만 옮겨 다니는 거니까 말이오. 몸과 몸, 체온과 체온의 교류가 없단 말이지."

그는 감정이 고양되어 무슨 말을 더 할 것 같더니만 입을 다물었다. 그러고는 나를 돌아보았다.

"아 참, 좀 전에 오늘 모임의 주선자, 피치는 못 온다는 연락을 받았어요. 일하는 곳에 갑자기 결원이 생겼다던가."

피치가 나오지 않는다면 내가 그곳에 더 있을 이유는 없었다. 적당한 순간을 보아 그곳을 떠날 작정이었다.

"사실 우리는 피치, 그 아이가 인연을 맺어준 사람들이오. 나만 하더라도 네트워크 커뮤니티 같은 데에 가입하는 일이 없었는데 우연히 그 아이를 알게 되어 이 사람들을 만난 거지."

이어서 그 남자는 거기 있는 사람을 하나씩 내게 정식으로 소개하기 시작했다. 죽은 애인을 보러 바이앤바이에 다니는 젊은 남자, 중동의 분쟁지역에 파병되었다가 전사한 친구를 보러 다니는 내 나이 또래의 다른 남자. 그리고 삼십 대 중반쯤으로 보이는 시무룩한 표정의 여자는 몇 년 전에 선천적인 병으로 죽은 어린 딸의 기억이 거기에 있다고 했다.

"그리고 내 이름은 최한기요. 나를 제외한 내 가족을 모두 거기 보냈어요. 나 혼자 이 지겨운 사바娑婆에 남아 있소. 나도 죽게 되면 거기 들어갈 작정이요. 미리 계약을 다 해뒀어. 하긴 인공지능이 된 내 기억을 누가 일깨워줄지 모르지만. 그건 그렇고…… 선생에 대해선 피치에게서 대략의 이야기를 들었소. 하지만 이분들은 처음이니 새로 오신 분께서도 자기소갤 하셔야지."

나는 주위를 둘러보았다. 그들이 이미 나의 신상에 대해 알고 있을 것이라 짐작했다. 피치가 이미 나를 그들 속에 깊숙이 박아놓았을 테니까. 그래서 내가 여기 들어서자마자 나를 알아보았을 터이다. 그들이 진정으로 원하는 것은 아마도 내가 자기들과 같이 바이앤바이에 드나드는 일원임을 자복하는 것인지도 모른다. 그들의 일원이 되려면 내가 그들과 다를 바 없는 사람임을 자발적으로 보여야 한다고.

"에에 저는, 제 아내를 만나러 거기에 들어갑니다. 이름은 김홀, 인터뷰 일을 하고 있습니다. 잡지사에서."

다소 허술한 소개였지만 그들은 그 정도로 만족한 듯했다.

"부인께서 암으로 돌아가셨다죠? 저와 같은 경우시군요. 제 여자, 제가 사랑하던 여자도 같은 이유로 떠나버렸죠."

가장 나이가 어린 듯한 남자가 손을 내밀었다.

"짐작했겠지만 오늘 이 식당을 예약한 것은 나요. 나는 요즘 젊은이들이 그 뭐라더라, 그 로우테크 히피라 부르는 그런 부류요."

모임의 분위기가 무르익자 최한기라는 사람이 뭔가 긴 이야기를 꺼내려는 기색이었다. 그가 말을 시작하자 주위 사람들은 낮은 헛기침 같은 것으로 반응을 보였다. 늘 듣곤 하는 이야기가 또 시작되는구나 하는 눈치였다.

"말하자면 소수파지. 네트워크와 첨단 테크놀로지가 제공해 주는 편의와 즐거움을 외면하고 예전 기술로 돌아가 사는 사람이란 말이오. 그런데 그게 문제가 되었지. 그것 때문에 내 가족을 모두 죽게 하고 말았소."

로우테크 히피란 네트워크의 혜택을 거부하고 예전에 생산된 제품과 문화를 선호하는 사람을 말한다. 주로 나이가 지긋한 쪽에 속하는 이 사람들은 직장까지 그만두고 문명 바깥으로 나가 자기만의 공간을 만들었다. 그들은 작은 시냇가나 조그만 산어귀 숲 같은 곳에 머물며 오래된 과거의 기술에 의존해서 살았다. 그리고 가급적 네트워크에 접속을 하지 않았다. 불가피하게 네트에 접속을 해야 할 경우가 생기면 컴퓨터를 사용했다. 음악을 들을 때에도 CD라든지 DVD 같은 플라스틱 원반에 담긴 것을 특수한 장치에 넣어 재생했다.

"나는 옛날 방식의 삶을 선택했소. 난 그게 내 가족, 특히 두 아들을 위한 것이라고 생각했지. 내 아이들이 삶의 진정한 행복을 누리려면 그 길밖에 없다고 믿었단 말이오.

요즘 세상에는 모든 것이 선택지로 제시되지. 두 가지 중 하나, 네 가지 중 하나, 뭐 이런 식으로. 우리 인생의 어느 국면에 들어가든 우리는 네트워크가 제공하는 선택을 강요받아요. 누가 이런 거지같은 세상을 꿈꾸고 만들어 왔는지 모르겠어. '요구르트의 유효기간이 하루 남았습니다' 하고 말하는 포장지,

'요구르트를 더 주문할까요?' 하고 묻는 냉장고. 또 거기에 '그 래' 하고 대답하면 다음 날 택배로 집에 들어와 있어.

아침에 면도를 하려고 거울 앞에 서면 내 체중이 하루 사이에 얼마가 불었는지, 권장 식단은 무엇인지 말해주지. 하루의 일과는 모두 네트와의 끊임없는 대화 속에 진행돼요. 네트워크는 다 알고 있어. 내가 무빙워크에 올라야 할 시간, 정류장에 버스가 도착하는 시간, 내가 타게 될 엘리베이터가 언제 도착하는지, 거기에 몇 명이 타고 있는지도 알려주지.

사무실에 들어가 텅 빈 터미널 앞에 앉게 되면 스크린이 내려오고 나는 네트의 일원으로 들어가서 일을 하게 돼요. 이리저리 흐르는 흐름의 통로에 앉아 입력과 출력을 스위칭해대면서. 결국 내가 하던 업무란—나는 한 전자부품 회사의 출고 담당이었는데— 회사의 네트워크를 보조하는 것에 불과했지.

그러던 어느 날인가 나는 내 일거수일투족을 감시하는 테크놀로지의 사회가 신물이 나고 혐오스러워졌소. 그래서 떠날 결심을 했지. 옛날 사람들의 로우테크에는 말이야, 요즘 사람들이 잊어버린 즐거움이 있거든. 불편을 감수한다지만 그게 진짜 불편인지 잘 모르겠고, 어떤 일의 과정에 내가 더 많이 들어가서 개입하게 되는 그런 즐거움. '내가' 한다는 그런 쾌감."

그는 커다란 글라스를 단번에 비워버렸고 나는 앞에 놓인 도자기 주전자에서 하얀 빛깔의 술을 다시 채워주었다.

"그런데 나로 하여금 최종적으로 그런 결심을 하게 한 가장 중요한 이유는 바로 내 아이들이었소. 나는 뭐랄까, 그 애들이 이대로 진정 행복하게 살 수 있을까 고민하게 되었어요. 노상 사이버네틱 스페이스에 들어가 사는 아이들의 삶에 시간이란 게 없더라고. 아이들에게 삶이란 이동일 뿐이었소. 한 장소에서 다른 장소, 한 공간에서 다른 공간으로의 이동. 그것이 무얼 말하는지 알겠소?"

그가 나의 눈을 들여다보았다.

"그 아이들에겐 변화의 경험, 즉 시간이 줄 수 있는 참된 체험이 없다는 거지. 그 아이들에게 시간이란 어떤 공간 안에서 보낸, 이미 흘러버린 과거로만 지각되지, 몸으로 느끼는 게 아니란 말이오. 그러니 삶이 얼마나 소중하고 벅찬 것인지 알 수가 없지.

그래서 어느 날 나는 아이들에게 말했소. '우리, 이 문명에서 나가자. 번득이는 렌즈와 픽업으로부터, 우리의 움직임을 일일이 읽어내는 센서로부터, 우리의 행태를 간섭하는 프로그램으로부터, 우리를 무대에 세워 강요하는 저 지겨운 시나리오로부터!' 그런데 아이들은 '뭐 하려요?' 하고 물었지."

그는 술이 많이 취했고 이야기꾼이 되어 있었다. 목소리를 높이고 큰 몸짓을 써가며 말을 이었다.

"'아빠는 늘 너희랑 진짜 낚시를 다니고 싶었단다. 아빠가 어린 시절 진짜 바다에서 했던 낚시의 경험을 너희에게 물려주고 싶었어. 단순한 대와 단순한 낚싯줄, 단순한 바늘과 단순한 미끼를 가진 진짜 낚시 말이다. 물속에서 사력을 다해 당기는 물고기와 대가 부러질 듯 씨름을 벌이는 거야. 릴을 감으면서 살아서 펄펄 뛰는 물고기와 줄다리기를 하지. 그러다가 하얀 파도 사이로 커다란 물고기가 튀어 오를 때 온몸에 전달되는 짜릿한 생동감. 내가 너희에게 물려주고 싶은 것은 이런 진짜 경험이야.'

그러고는 저 문산 외곽에다 고물상을 차렸어요. 일종의 로우테크 전시장 같은 거를. 당신들, 하이테크 생활에 젖은 사람들은 모르겠지만 지난 몇십 년 동안 버려진 물건에는 엄청난 보물이 많아요. 적어도 나 같은 로우테크 히피에게는 그렇게 보였소. 그런데……"

그는 돼지기름 냄새가 흥건한 부침개를 크게 잘라 입에 넣었다. 취기 때문인지 분노 때문인지 눈에 벌건 핏발이 섰다.

"멍청한 화재였지. 빌어먹을 로우테크로 꾸며진 집 때문이었소. 우리 집에는 가장 기본적인 경보 장치도 되어 있지 않았지. 왜냐하면 요즘 기술로 그런 것을 하게 되면 어쩔 수 없이 네트워크와 연결될 수밖에 없으니까.

아내가 아이들에게 라면을 끓여주려고 했나 봐요. 물을 올려놓고 깜박 잠이 든 거지. 물이 다 졸아들고 알루미늄 냄비가 다 녹아버렸는데 그걸 몰랐나 봅니다. 아이들은 각자 방에서 컴퓨터를 하고 있었나 봐요. 그게 소방관 설명이었지 아내는 남은 게 없었소. 그녀가 누웠던 거실 소파는 그 자리에 남아 있었는데……. 내 아내는 어떻게 그렇게 훌쩍 없어졌는지 모르겠어."

사람들은 그의 말을 경청했다. 벌써 몇 차례나 이 이야기를 들었을 게 틀림없지만.

"막내 아이만 며칠을 더 살았소. 온몸에 화상을 입은 채 브로핀 장치로 고통을 견디며. 그러던 중 누가 저 바이앤바이에 대해 알려주었고 나는 다시 하이테크로 귀의하게 된 거지. 난 그 아이를 도저히 그렇게 보낼 수가 없었소. 브로핀 헬멧을 통해 다운로드해서 그 아이의 기억을 거기, 바이앤바이에 넣어두게 된 거요. 나는 본디 하이테크가 삶의 풍족함을 앗아가는 원흉이라 생각했소. 하지만 지금 내 삶을 억지로라도 유지하게 해주는 것은 그것밖에 없어. 그 바이앤바이, 거기에 가서 내 가족에게 사죄를 합니다. 이 아비의 쓸데없는 고집에 희생된 아이들에게 미안하다고 말이오."

나는 처음에 그 말을 대수롭지 않게 들었다.

"하여간 바이앤바이에 있는 내 가족들은 그 막내 놈에게 남은 기억을 바탕으로 만들어진 거요. 그 녀석이 얼마나 자상한 놈이던지 자기 엄마와 형의 모습을 그대로 옮겨 놓았습디다."

그 말을 듣고 나서 의문이 생겼다.

"브로핀으로 기억을 다운로드해서, 그 기억을 바탕으로 다른 두 분의 인공지능까지 만들어냈다고요?"

사람들은 나를 쳐다보았다. 내가 그것을 몰라서 아주 의외라는 표정을 하고. 애인을 잃었다는 젊은 남자가 내게 말했다.

"부인의 경우도 같지 않았나요? 암으로 돌아가셨으니 브로핀을 사용하셨을 텐데?"

"아뇨. 제 경우엔 아내가 메모리를 잘 관리하고 있었죠. 메모리 팩을 통째로 거기 넘긴 겁니다."

나는 브로핀 헬멧이 사람의 기억을 어떤 저장소에 업로드할 만큼 대단한 성능을 가지고 있다는 사실을 몰랐다. 내가 아는 한 그 헬멧은 살아있는 사람의 뇌파가 기능을 하는 동안에만 프로그램과 상호작용을 할 수 있는 것이었다. 물론 그것조차 업로드-다운로드 과정으로 묘사하기는 하지만 턱없이 과장된 표현일 뿐이라 여겼다. 스트리밍 또는 트랜스미팅이라 해야 옳지 않을까. 더구나 기억을 바탕으로 다른 아바타까지 만들어냈다니, 내 상상 이상의 기술력임에 틀림없었다.

"그래서, 거기 들어가 본 첫 인상이 어땠소?"

최 사장—거기 모인 사람들이 그를 그렇게 부르는 것을 알게 되었다. 아마도 그가 운영했다는 로우테크 고물상에서 유래한 호칭이리라—이 말했다. 그는 감정을 어느 정도 추스른 듯했고 화제를 돌리려는 것 같았다.

"글쎄요, 잘 모르겠습니다. 사실 저는 아직도 다시 거기에 가야 할지 말지 고심하고 있습니다."

"피치에게서 얘길 들었습니다. 당신이 첫날 벌였다는 소동에 대해서."

나와 비슷한 또래로 보이는 남자의 말이었다. 소동이라는 표현에 대해서는 뭐라 응해야 할지 몰랐지만.

"사전에 아무 지식 없이 들어가면 그런 일이 흔히 벌어지죠. 생각보다 충격이 강하니까요. 기술적으로 말씀드리자면 그곳 인공지능의 성능이 아주 높은 것이라곤 할 수 없습니다."

"그런 서비스에 최첨단 기술까지 동원될 필요가 없었겠죠."

"그러니까 말이죠. 그런데도 거기 들어가게 되면 우리는 금방 동요됩니다. 감상적이 되고, 감정이입이 되죠. 사실 그보다도 훨씬 못한 정도의 현실감이라 해도 우리는 기꺼이 받아들일 겁니다. 거기 방문하는 우리 같은 사람들에겐 엄청나게 실감나는 장치가 요구되느냐 하면 그건 아니죠.

거기 아바타들이 특별한 것은 그들의 학습능력이 극대화되어 있다는 점입니다. 모르긴 몰라도 상당히 수용적이고 섬세한 프로그래밍이 되어 있을 겁니다. 그래서 다른 지성, 거기 들어가는 사람과의 교감이 그만큼 활발하게 이루어지죠. 거기 있는 기억을 그냥 데이터라고 받아들이지 말아야 합니다. 거기 있는 아바타가 당신이 알던 그 '사람'이라곤 할 수 없을지언정 그저 인공지능에 덮어씌운 메모리에 불과한 것은 아니란 말이죠.

당신이 어떻게 하느냐에 따라 아바타는 당신이 그리워하는 그 사람을 닮아갈 수 있습니다. 요는 어떻게 교감하느냐의 문제죠. 처음에는 그것을 받아들이기가 어려워요. 거기 있는 것이 내가 그리워하는 그 사람이 아니라고 생각하죠. 그냥 그림이며 거짓이라고. 하지만 그 인공지능이 점차 자라나는 것을 경험하게 될 겁니다. 날이 갈수록 그 인공지능은 내가 기억하던 상대의 모습을 더욱 닮아가죠. 그래서 여기 있는 우리 중 누구도 거기 있는 아바타를 일방적으로 대하지 않습니다. 어떤 의미에서 우리는 함께 학습하고 있는 겁니다. 모든 건 그걸 대하는 사람의 태도에 달려 있죠. 당신이 믿음을 갖고 대하면 그것은 프로그램 이상이 됩니다. 반대로 당신이 잘못 대응하면 아바타는 아주 이상한 행동을 할 수도 있어요. 일종의 거울이죠, 서로에게 비춰주는."

"그럼요, 분명 데이터만은 아니죠. 제 연인, 지수의 경우에도 마찬가지였습니다. 시간과 노력이 들었지만 지금 나는 느낄 수 있어요. 어떤 형태로든 그녀의 잔재, 잔향이 거기 남아 있다는 것을."

애인을 병으로 잃은 젊은 남자의 말이었다. 그러자 그때까지 우울한 표정으로 잠자코 듣고만 있던 여자가 입을 열었다.

"내가 거길 선택한 것은 딸아이가 자라는 모습을 보고 싶어서였어요. 그 애가 죽었을 때는 겨우 네 살이었죠. 지금 그 아이는 유치원에 다녀요. 나는 그 아이가 학교에 들어가고 대학에 갈 때까지 그 모든 시간을 함께 나누고 싶어요."

"유치원에 다닌다고요?"

나는 그녀의 말을 끊을 수밖에 없었다. 점입가경이었다.

"그 앤, 바이앤바이에서 잘 자라고 있죠. 거기에 그런 프로그램이 있어요. 유치원 선생님이 아동 발달 상황표 같은 것도 제 메일로 보내줘요. 오늘 다른 아이와 다퉜다든지, 점심을 잘 먹지 않았다든지 하는 일과도 보내주죠. 아이는 거기에서 그렇게 커가는 거예요.

우리 아인 태어날 때부터 얼마 안 되어 죽기로 되어 있었어요. 저는 미리 대비를 했죠. 미리부터 아이의 짧은 기억을 모아 바이앤바이에 차근차근 쌓아둔 거예요. 아이가 살아있는 동안에 미래의 삶을 조금씩 옮겨두었다고 할까.

물론 나도 회의할 때가 있었죠. 그게 그 아이를 위한 것이었을까? 아니면 나 자신을 위한 일이었을까? 아직은 잘 모르겠어요. 그 아이를 그렇게 어린 나이에, 아무것도 모르고 삶을 누릴 기회도 없었던 시기에 보낼 수는 없었다는 것 말고는.

그러나 결과는 놀라웠죠. 내가 기대했던 것보다 훨씬 더. 모두 아마 저와 같은 경험이었을 거예요. 나도 막상 바이앤바이에 처음 들어가 그린 가든이란 곳에서 아이를 기다리고 있을 땐 그저 막막했죠. 내가 무슨 짓을 하는 건지 후회도 하고요. 그런데 내 아이, 내 딸 은희가 저기에서 내게로 오는 거예요. 내가 보낸 모습 그대로. 더구나, 내가 아이에게 마지막으로 입혀 보냈던 옷과 신을 신고서 말이죠. 그때의 느낌은 뭐라 설명할 수조차 없어요. 아이를 내 몸에서 낳았을 때보다도 더 신비했죠.

아이가 아장아장 걸어오는 것을 보며 나는 그것이 단순히 가상적인 분신 이상의 의미를 가졌음을 알았어요. 그 아이가 내 아이라는 것을 확신했죠. 여러분이 아바타라 부르는 것은 바로 여러분이 그리워하는 그 존재들이에요. 아니, 나는 믿어요. 거기 있는 것이 진짜 내 딸아이라고. 내 딸이 아니라면 무엇이겠어요?"

그녀는 눈물을 흘리면서 이야기를 계속했고 나는 술 한 잔이 간절해졌다.

6

나는 챈스예요

그리고 나는 바이앤바이에 다니기 시작했다. 이후의 아바타, 아니 이후가 내게 남기고 간 그 잔재, 그 잔향을 만나러. 피치의 방 사람들이 말했듯 학습을 통해서든 무엇을 통해서든 그것을 키워볼 작정이었다. 죽은 자와 산 자가 모여 노는 그 놀이터에 발을 들인다. 그들 말대로 그것이 이후를 닮아감으로써 내게 이후를 조금이라도 돌려줄 수 있을지 모른다. 그리고 내게도 그들에게 주는 위안을, 이후를 잃고 나서 한 번도 찾지 못한 평화를 가져다줄지도.

비이앤바이는 늘 좋은 날씨였다. 비가 내리지 않았다. 이십사 시간 선선한 바람이 부는 환한 대낮이었다. 그리고 나는 다시금 사이버 스페이스에 익숙해지고 있었다. 게임을 끊은 뒤로 잃었던, 가상현실에 대한 감각도 완전히 되살아났다.

나는 이후—이후라는 이름을 가진 아바타, 그러나 이제는 그 캐릭터를 '이후'라는 이름으로 받아들이는 데 예전처럼 거부감을 느끼지 않았다—를 불러내 강변을 걸었다. 때로는 아무 말 없이. 때로는 내 머릿속에 떠오르는 어떤 작은 기억의 계기를 하나씩 꺼내면서. 가령 내가 그녀에게 언젠가 선물했던 귀걸이에 대한 이야기를 꺼낸다. 그러면 그녀는 그것에 대한 자기만의 기억을 조잘조잘 이야기한다. 앵무새처럼. 그런 기억은 그녀의 손때가 묻었던 노란색 파우치에 담겨 있다가 바이앤바이 서버 어딘가로 복제되었을 것이다.

그녀는 점차 변해가고 있었다. 나의 일방적인 수용인지도 모르지만, 그녀는 점점 더 실감 나는 캐릭터로 살아났다. 어눌한 합성처럼 들리던 목소리도 점점 그녀만의 울림, 그녀만의 고유한 말투를 담아냈다. 그녀만의 표정, 그녀만의 몸짓이 아바타에 자리를 잡았다.

어느 날 우리는 라일락 가든이란 곳에서 만났다. 좁은 오솔길을 남기고 사방에 라일락 나무가 꽃을 피운 곳이었다. 냄새를 맡을 수만 있다면 정말 그 향기가 천지에 가득할 것만 같은 경치였다. 그녀는 내 눈에도 정말 눈부실 정도로 아름다운 모습으로 나타났다.

"오늘은 어때?"

그녀가 흥겨운 기분일 때, 치장이나 의상에 뭔가 작은 변화를 주고서 내게 물었던 물음이었다.

"오늘도 좋아."

내가 하곤 하던 대답이었다. 그녀에게서 달라진 것이 무엇인지 재빨리 살피면서.

"흠……."

그녀는 콧소리를 내고 앞장서 걷기 시작했다. 나는 특별한 무엇을 눈치챌 수 없었다. 요 몇 번의 만남에서 그녀가 주도권을 잡고 있다는 것만 빼놓고. 그녀는 오솔길 한쪽에 놓인 벤치에 자리를 잡았다. 그리고 손을 옆에 내려놓고는 말없이 나를 올려다보았다. 내가 곁에 앉길 기다리는 거였다. 그녀다운 습관이었다.

"이 방울이 기억나?"

내가 곁에 앉자 그녀가 손을 펼쳤다. 안에 있는 건 방울이 아니라 내부에 무엇이 부조되어 있는 작은 크리스털이었다. 이후는 그것을 흔들었다. 소리를 들어보라는 듯 내 귀에 대고. 소리가 들리는 듯했다. 딸랑딸랑. 진짜가 아니라 작은 종의 모양만 새겨진 크리스털이었지만.

물론 그것은 물건도 아니었다. 그것은 본래 이미지였다. 그녀의 노란색 파우치 안 메모리 팩에 담겨 있는. 하지만 그녀가, 아니 그녀를 닮은 인공지능이 왜 갑자기 그 이미지를 끄집어냈을까? 우리 집에 고스란히 남아 있는 그녀의 유품 중에는 분명히 그런 물건이 없는데?

나는 내 기억을 더듬었다. 어디서 보았던 물건이긴 했다. 내가 기억을 깨우쳐 자리 잡게 해야 할 소프트웨어가 오히려 내게 그것을 요구하다니.

"아, 본 적이 있어. 그런데 어디였는지 기억이 안 나는데?"

"잘 생각해봐. 우리가 만났던 날."

이후의 아바타는 눈을 가늘게 뜨고 마치 추억에 젖은 듯한 얼굴을 보였다. 나도 그렇게 했다. 이후의 아바타 표정을 따라 하면서.

이후를 만나기 전까지 나는 지극히 평균적인 삶을 살았다. 나는 학교에서, 공동체에서, 내가 하는 게임들에서 그런 것을 배웠다. 매우 뛰어난 사람이 될 것이 아니라면 일찍 포기하라는 것.

"너는 항상 네가 하는 노력에 보상을 받을 것이다. 배신 없이. 대신 자신의 능력에 걸맞지 않은 욕망을 키우는 것은 자제하라."

내가 사는 세상에서 튀는 행동이란 위험한 편에 속했다. 일단의 위원회 같은 조직이—실제로 노골적인 의미의 그런 조직이 있다는 것은 아니지만— 늘 우리의 행동 양상을 평가했다. 그들이 재능을 인정하면 일정한 범위 내에서 재능을 꽃피울 때까지 노력하는 것이 허락되었다. 하지만 재능에 비해 지나치게 노력하는 사람은 얘기가 조금 달랐다. 아무도 나쁘게 평가하지는 않았지만 걱정의 대상이 되었다. 그가 정신적인 쇠진을 겪게 될 것이라 믿었고, 그들은 실제로 그렇게 되었다.

그런가 하면 무엇엔가 깊이 빠져드는 학생 역시 관찰의 대상이 되었다. 아무런 가치판단 없이 살아야만 했다. 그들은 아주 드물게, 재능을 인정받거나 지속적인 관찰 대상으로 남았지만, 관찰 대상이었던 아이들이 시스템에서 살아남는 경우는 별로 없었다.

현명한 아이들은 이런 시스템을 일찍 파악했다. 그래서 그들은 자기의 재능을 살짝 숨기기도 하고 원하는 것을 바꾸기도 했다.

하지만 나는 한 번도 극단적인 선택을 해본 일이 없었다. 늘 온건한 선택을 하는, 기대된 만큼만 행동하는 학생이었다. 내 부모는 나보다는 모험을 더 좋아했는지 모른다. 그들은 나를 남겨두고 하나밖에 없는 손위 누이―누이는 결혼을 해서 서西 아프리카 어딘가에 살고 있었다―에게로 가버렸다. 아버지는 내게 함께 가서 새로운 삶을 개척하자고 했지만 나는 내가 배운 대로 살기로 결정했다.

나는 대학을 졸업하고 한 잡지사의 수습기자가 되었다. 내게는 늘 그랬듯 갑갑한 미래뿐이었다. 내 위에는 층층 베테랑 기자들이 자리 잡고 있었다. 사회의 모든 분야가 그랬다. 고령화 사회가 심화되면서 상층부는 경력이 많은 고참들이 차지하고 있었다. 내가 그들의 위치에 오르려면 십수 년이 지나야 할 것이다. 나를 받아주는 다른 곳은 있을 턱이 없었고 잡지사에 들어간 이상 인정받을 만한 경력을 쌓을 때까지 버텨내지 않으면 안 될 형편이었다.

내게 맡겨지는 것은 언제나 우울한 기사였다. 슬럼가 폭력 사태, 공공 의료보험 파산, 공권력 부패, 어린이 마약 중독……. 그러던 어느 날 한 애니메이션 회사를 취재할 일이 생겼다. 고

참 기자가 자신에게 떨어진 일을 선심 쓰듯 내준 것이었다.

　나는 차로 두 시간 거리에 떨어진 교외의 애니메이션 스튜
디오를 찾았다. 일이 잘 풀리지 않았다. 약속이 되어 있던 홍보
담당자가 재택근무 날로 착각을 해서 출근하지 않았다는 것이
다. 그에게서 지금 막 집에서 출발했으니 기다리라는 통보를
받았다. 별 볼 일 없는 잡지사 기자가 받을 만한 대접이었다.
그리고 내가 기다려야 하는 장소는 비어 있는 녹음실이라는 거
였다.

　"지금 사무실은 마감이 임박해서 정신이 없어요. 저쪽 두 번
째 녹음실에 계시면 담당자가 오는 대로 보내드릴게요."

　내가 방을 잘못 찾은 모양이었다. 어두컴컴한 구석 의자에
앉아 있는데 어디서 이런 소리가 들려왔다.

　"길을 잃었구나?"

　눈을 들어보니 방 한가운데가 환히 밝혀지고 그 안 가득 입
체 영상이 펼쳐지고 있었다. 그리고 이어서 이런 소리가 났다.

　"응, 그런데 너는 누구니?"

　폐허가 된 도시 한 골목에 남자아이와 여자아이가 서 있는
장면의 애니메이션이었다.

　"여기엔 너처럼 길을 잃은 아이들이 종종 들어와. 그러면 내
가 길을 알려주지."

　여자아이가 말했다.

　"그럼 넌 여길 잘 알아?"

　남자아이의 말이었다.

"여기 쭉 살았으니까. 돌연변이 딱정벌레들이 우리 부모님을 잡아먹은 뒤에도 계속."

"우리 부모님도 돌아가셨어. 박멸사들이 올 때까지 한곳에 머물지 말고 계속 움직이라고 어머니께서 말씀하셨지. 딱정벌레 독으로 빈 껍데기가 되시기 전에."

"그래, 그런 아이들이 많아. 한곳에 머물러 있다간 냄새를 맡은 딱정벌레들이 몰려올 테니까. 하지만 여긴 안심해. 내가 숨어 있을 만한 곳들을 다 아니까. 서쪽 도시로 가겠다면 그 길도 알려주지. 나는 절대 딱정벌레들의 앞잡이가 아니야, 호호!"

아마도 실제 녹음이 진행되는 것 같았다. 암순응이 되어 살피자 스튜디오 저편에 유리벽 장치가 되어 있고 그 뒤에 방음실이 있는 것을 알 수 있었다. 나는 그들의 작업에 방해가 되지 않도록 숨을 죽인 채 기다릴 수밖에 없었다. 문을 열고 나갔다가는 녹음을 다시 해야 할지도 모르니 그저 애니메이션을 지켜보다 작업이 멈출 때 살짝 빠져나갈 심산이었다.

"내가 뭐랬어? 난 딱정벌레 앞잡이가 아니랬지?"

여자아이가 말했다.

"그래, 고마워, 길을 알려줘서. 이 길을 따라 쭈욱 나가면 서쪽 도시랬지?"

"맞아. 어서 가."

"하지만 넌 왜 가지 않니? 서쪽 도시에 가면 먹을 것도 충분하다고 하던데?"

"난 그냥 여기 있을 거야. 박멸사들이 와서 딱정벌레를 다 처치하고 나면 너도 여기 다시 오렴. 나를 찾아와. 그리고 이거 가져."

여자아이가 작은 돌멩이 같은 것을 내밀었다.

"이게 뭔데?"

화면이 줌업되면서 여자아이 손에 들린 것을 커다랗게 보여 주었다. 내부에 작은 종 모양이 새겨진 크리스털 조각품이었다.

"이걸 왜 내게 줘?"

"여기 다시 오면 이걸 흔들어. 내게 그 소리가 들릴 거야. 진짜 방울이 아니라서 내가 못 듣는다고 생각하지 말고. 이젠 나를 믿지?"

나는 잠깐 졸음에 빠진 것 같았다. 스튜디오 문이 열리는 소리가 들리고 내 얼굴에 빛이 쏟아졌다.

"아직 거기 계셨어요?"

목소리는 아까 그 여자아이의 것이었지만 조금 달랐다. 성인의 음색을 띠고 있었다.

"하하! 저쪽에서 보니까 우리가 녹음을 하는 동안 내내 그 구석에 쪼그려 앉아 계시더군요."

그게 내가 이후를 처음 만난 순간이었다. 너무 아름다운 목소리.

이후는 특별했다. 그녀 자신이 특별했고 그녀에 관한 모든 것이 특별했다. 무엇보다 그녀는 평범함을 가장하지 않았다. 뭐라고 딱 꼬집어 말할 순 없지만, 그녀는 눈치를 보지 않았다. 그녀는 하고 싶은 말을 하고 싶을 때 하고, 하고 싶은 일을 하고 싶은 곳에서 했다. 입고 싶은 옷을 입고 먹고 싶은 것을 먹고. 누구나 다 그렇게 한다고 할 수도 있겠지만 그녀가 하는 방식에는 묘한 차이가 있었다. 그녀의 방식은 자연스러웠다. 다른 사람의 방식이 습관적이거나 길들여진 것처럼 보인다면.

그녀를 만나면 나는 내가 평범하다는 사실을 잊어버렸다. 그녀와 함께 장을 보고 쇼핑을 하고 산책을 하고 영화를 보고 커피를 마시다 보면 평범한 일상도 매일이 달랐다. 그녀와 함께 하는 한 나도 특별하게 느껴졌다. 나는 그녀를 만났다는 것, 그리고 그녀가 나를 좋아해준다는 행운을 놓치고 싶지 않았다.

내가 프러포즈했을 때 이후의 반응은 이런 것이었다.

"요즘 누가 그런 걸 해?"

"난 실험을 해보고 싶어. 우리가 그런 이름으로 합쳤을 때 어떤 화학반응이 일어나는지."

"말은 그럴싸하시군."

"너와 함께 롤러코스터를 타고 싶어. 위로 올라가고 아래로 내려가고. 무서운 일이 생길 때 네 손을 꼭 잡아주고. 네 눈으로 보고 내 눈을 빌려주고. 우린 늘 자기 것으로만 봐왔으니까."

"난 암에 걸릴 수 있는, 아니 걸리게 되어 있는 몸을 가지고 있어."

마치 몸이 마음대로 선택할 수 있는 것인데 자기는 운이 없어서 별로 좋은 것을 구입하지 못했다는 것처럼.

"암? 그게 뭐 어때서? 요즘 못 고치는 병이 없잖아?"

"내 몸에 암으로 사망할 수밖에 없는 그런 유전자가 있거든.

처음엔 아마 쉽게 떼어낼 수 있을지 몰라. 하지만 점점 거듭되면서 내 몸 여기저기 나타나게 될 거야. 나중엔 손을 쓸 수 없을 만큼 번지게 될 테고. 난 그런 아주 운 나쁜 사람 중 하나지."

"그런 걸 어떻게 알게 되었어?"

"우리 엄마가 그걸로 돌아가셨어. 나도 관심을 안 가질 수가 없었지. 예측진단을 받아본 건 아니지만 유전자가 있다는 것은 확실히 알아."

그녀의 거절로 내가 몹시 낙담한 것이 마음에 걸렸던 모양이다. 그녀는 며칠 뒤 생각을 바꿨다.

"그래, 좋아. 자기가 정말 원하면 결혼하자. 아무 미련도 남기고 싶지 않아."

나는 암에 대한 이후의 걱정을 심각하게 받아들이지 않았다. 그녀가 지나치게 염려하는 것이라고. 매사에 다소 일탈한 듯, 유유자적하는 그녀의 태도가 그것과 관련 있을 것이라고 어렴풋이 깨닫기는 했지만.

우리가 함께 살기 시작한 지 몇 달 지나지 않아 그녀가 갑자기 내게 특별한 제안을 했다.

"우리에게 아이가 있으면 어떨까?"

이후는 전에 내게 무엇을 원한 적이 별로 없었다.

"내 몸이 아직 건강할 때 아이를 갖고 싶어. 인공수정으로 나쁜 유전자를 미리 가려내서 착상을 시킬 수도 있다니까. 그러면 당신이 너무 힘들게 될까? 나중에?"

"지금 나는 우리 둘만 있는 것으로 족해. 시간을 두고 천천히 생각해보자."

나는 그때 아이를 갖는 것이 달갑지 않았다. 세태가 그랬다. 대개는 경제적인 자립이 완성된, 중년에 접어든 부부가 아이를 갖곤 했다. 의학이 발달해서 아이를 낳는 육체적인 부담이 훨씬 줄어들었기 때문이었다. '아이를 키우는 비용과 만족도의 비가 골프를 취미로 했을 때의 1.5배 이상이 되면 아이를 낳는다'는 연구 결과도 있었다. 어쨌거나 역삼각형이 되어 유동 없이 고착된 사회연령 피라미드가 아이를 낳아 키우는 것에 상당한 심리적 압박감을 주는 것도 사실이었다.

"내가 떠나기 전에 당신에게 뭔가 남겨두고 싶어. 당신이 마치 나를 대하듯 대할 수 있는 것. 그렇게 사랑을 쏟고 붙잡을 수 있는 것. 당신이 혼자 남게 되는 게 너무 두려워."

얼마 뒤 나는 부산에 일이 있어서 내려가게 되었다. 인터뷰를 마치고 호텔에 올라와 TV를 켜려고 내 핸디에 리모컨 번호를 입력했다. 방마다 고유 번호가 따로 있어서 번호를 핸디에 입력하면 호텔 네트워크에 접속되고 거기 시설을 이용할 수 있는 방식이었다. 그런데 뭔가 조작이 잘못된 모양이었다. 한 여인의 홀로그램이 떠올랐다. 실오라기 하나 걸치지 않은 그 여자는 침대에 누운 내게 기어오며 속삭였다.

"불을 줄이세요. 나는 챈스예요."

조명이 어두워지고 사이키델릭한 불빛이 사방에 번쩍였다. 그리고 나직한 보사노바 음악이 흐르기 시작했다.

"이 기회를 어떻게 이용하실 건가요?"

"뭘 해줄 수 있는데?"

"보여드릴 수 있고, 들려드릴 수 있죠. 마음 깊은 곳에 감춰 둔 판타지의 문을 열어드릴 수 있죠. 그렇지 않은가요? 이런 호 젓한 호텔 방에, 부인이나 애인과 떨어져 혼자 있으면 흠…… 뭔가 새로운 것, 색다른 것에 대한 그리움 같은 것이 생기지 않 나요? 살짝 샛길에 들고 싶은 마음?"

"으음, 난 행복한 결혼생활 중인걸? 얼마 되지도 않았고."

"그래도 아직 못 해본 일들이 있을 거 아니에요? 입안에 사 정하고 싶으신가요? 내 얼굴이나 가슴, 내 머리칼에? 목젖에 닿을 때까지 당신의 그 뜨거운 물건을 넣어보고 싶으신가요? 내 숨이 콱 막힐 때까지? 아니면 보는 것을 더 좋아하시는 분 인가요? 내 속속들이 다 보고 싶으세요? 앞, 뒤, 모든 구석, 까 만 거웃이 가리고 있는 모든 안쪽? 흐흠? 어쩌면 새로운 탐험 을 해보고 싶은 분인지도 모르겠군요. 당신은 특이한 곳에다 넣고 싶은지도 몰라요. 아야! 아야! 그만해요, 거긴 아파! 그런 걸 원하나요?"

"글쎄, 내겐 특별한 게 없는데?"

"아하! 그런 걸 다 해보셨다고요? 행운아시군요! 아니면 마 누라께서 아주 마음이 넓으신 분이거나."

"하지만 당신에겐 몸이 없잖아? 어떻게 날 즐겁게 해줄 거 지?"

"사실 나는 이야기하는 여자예요. 나는 이야기하고 당신은 상상하죠. 내가 속삭이는 말은 모두 진실이 돼요. 당신이 눈을 감고 떠올리는 대로. 당신은 내가 말하는 대로 떠올리고 그걸 모두 사실이라 믿게 돼요. 당신의 몸은 그것에 반응하죠. 자, 지금부터 눈을 감고 내가 이야기하는 것을 상상해보는 거예요.

당신은 낙타예요. 햇볕이 쨍쨍한 사막을 걸어왔죠. 아득히 먼 곳에서부터 이렇게 멀리까지. 당신의 온몸은 열이 올라 후끈거리고 땀에 흥건히 배었어요. 하지만 당신의 그것은 아주 벌겋게 발기되어 있었어요. 끔찍한 일이었죠. 배 아래에 자라난 그렇게 커다란 물건을 고통스럽게 여기까지 가지고 와야 했으니까.

그런데 저기 오아시스가 있어요. 시원한 야자수 그늘. 거기 암컷 한 마리가 있어요. 음, 가만히 보니 당신의 이상형이네요? 당신이 좋아할 만한 냄새를 풍기면서, 물가에 서서 물을 조금씩 마시고 있어요. 그저 갈증만 조금 축이듯이. 그럴 때마다 그녀의 엉덩이가 당신에게 살짝살짝 드러나죠. 당신도 목이 마르지만 그게 급한 게 아니에요. 당신의 발기는 이제 터져버리기 직전이거든요. 당신은 더 참을 수가 없어요. 그래서 지금 그녀에게로 다가가고 있어요. 커다란 눈을 깜박이고 있는 아름다운 암컷에게."

챈스는 그런 이야기들을 꾸며대고 있었다.

사실 그 시간 이후는 부산으로 내려오고 있는 중이었다. 그녀는 자동항법으로 차를 몰아오면서 챈스라는 여자를 연기하는 중이었다. 호텔 측과 미리 짜고 내 방의 채널을 열어 자기가 준비한 그래픽 홀로그램을 집어넣은 것이었다. 그걸 조작하면서 그녀는 나를 흥분시키고, 지분거리고 있는 거였다. 그녀가 가진 능력 중 가장 멋진 것, 그녀의 목소리를 사용해서.

불행히도 나는 그것이 그녀임을 눈치채고 있었다. 놀이가 시작된 지 얼마 지나지 않아 그녀 목소리만의 독특한 음색을 알아챈 터였다. 이후가 말했다.

"챈스를 만나고 싶어요? 그러면 주차장으로 내려오세요."

내 앞에서 요염한 포즈를 취한 채 이야기를 들려주던 챈스라는 여자는 그 말을 되풀이하고 사라졌다. 내가 주차장에 내려가 그녀를 찾자,

"흐응? 혼자 출장을 와서 바람을 피우러 몰래 빠져나가시는군?"

하고 이후가 나를 놀렸다.

나와 이후는 드라이브에 나섰다. 가까운 바다의 방파제로 가서 파도를 구경할 계획이었다. 하지만 그날은 비가 많이 내렸다. 억수 같은 비가. 와이퍼가 다 거둬내지 못하는 물이 계속 시야를 가렸다. 게다가 날씨가 자동차의 항법장치에 영향을 미쳤는지 자동차는 엉뚱한 골목을 계속 돌았다. 나는 자동항법을 해제하고 직접 차를 몰아보려고 했다. 운전은 서툴렀고, 내비게이션은 우리를 잘못된 길로 계속 인도했다. 나는 계속 잘못된 길에서 잘못된 방향으로 길을 틀었다.

"젠장! 젠장!"

내가 계속 욕을 해대자 이후는 그러는 나를 다독였다.

"괜찮아. 내비게이션이 작동하지 않으면 그냥 한 방향으로 차를 몰아. 이런저런 골목으로 틀지 말고. 그 사이 내가 핸디로 맵을 찾아볼게."

나는 사실 겁을 내고 있었다. 내비게이션 로봇이 자꾸만 '우범지역'이라는 경고를 남발하고 있는 까닭이었다.

"잠깐만. 내가 운전을 할 테니까 자기가 지도를 볼래? 난 길을 잘 못 찾겠어."

나는 사람이 다니지 않는 한적한 거리에 차를 멈췄다. 아드레날린이 마구 분출되어 심장이 요동쳤지만 재빨리 자리를 바꿔 앉아야 했다. 어둠 속에서 불쑥 누가 다가올 수도 있었으니까. 나는 이런 으슥한 장소에서 살해당하거나 잔인한 폭력을 당한 사건에 관한 기사를 수도 없이 써왔다. 사이보그들이 기계 부품과 맞지 않아 썩어가는 장기의 대체품을 구하려고 사람을 살해한다는 이야기, 으슥한 곳에서 여자를 납치해 참담한 성폭행을 가한 뒤 성노예로 팔아버리는 갱 이야기, 혹은 이런저런 도시 괴담들.

나는 깜깜한 바깥을 자주 살폈다. 근처에 누가 있는지. 하지만 비 때문에 시야가 어두웠다. 나는 재빨리 운전석에서 내려 조수석으로 뛰어들었다. 그런데 한참을 기다려도 이후가 운전석으로 들어오지 않았다. 내가 내릴 때 동시에 차에서 나왔을 텐데? 불안감이 엄습해 다시 조수석에서 뛰어내렸다. 주위를 둘러보니 이후의 모습이 온데간데없었다.

"이후! 이후!"

나도 모르게 소리를 질렀다. 그런 짓을 하지 말아야 한다는 본능을 잊고서.

"자기! 이리 와봐!"

그녀가 어딘가에서 내게 소리를 질렀다. 나는 차에서 셰이드 인터페이스를 꺼내려 문을 열었다. 적외선 카메라로 보려는 것이었다.

"아니, 그런 것은 필요 없어! 나 여기 있어."

그녀의 목소리였다.

"어디? 어디?"

나는 빗줄기와 어둠 속에서 목소리가 들려온 곳을 찾아 두리번거렸다. 뜻밖에도 그녀는 멀지 않은 곳에 있었다. 그녀는 가까운 지하도로 이어지는 벽 앞에 서 있었다. 거기에는 희미하나마 흐릿한 LED 가로등이 비추고 있었고 그녀는 빗줄기도 아랑곳하지 않고 벽을 마주 보고 있었다. 온몸이 흠뻑 젖은 채. 다행히 주위에는 아무도 없는 듯했다. 가까운 곳에 지하철이 지나가는 소리가 들렸다. 그리고 어딘가에서 고양이 우는 소리가 들렸다. 발정 난 고양이 두 마리가 서로 주고받는 소리. 나는 비를 뚫고 그녀에게로 뛰어갔다.

"뭘 하고 있는 거야? 이런 데서?"

"여기! 이거 봐!"

그녀가 가리키는 곳에는 그라피티가 있었다. LED 가로등이 비추고 있는 것은 사실 그것이었다. 한 여자가 아이를 품은 채로 가슴을 열어 젖을 물리고 있는 그림. 여자의 머리칼은 땀에 젖어 관자놀이에 들러붙어 있었다. 건강한 구릿빛 피부, 커다란 까만 눈동자, 살짝 근육질인 몸매. 그리고 아기는 살이 오를 대로 오른 포동포동한 모습이었다. 그리고 그 아래편에 '세상을 구하세요. 아이를 만드세요'라는 표어가 쓰여 있었다.

거센 빗소리 때문에 이후가 소리를 지르지 않으면 내 귀에 잘 들리지 않았고 그게 나를 더 불안하게 했다. 그런데도 그녀는 천진난만하게 말했다.

"정말 잘 그렸지?"

여자와 아기의 그림은 사실 그 앞에 덧칠해진 다른 낙서 때문에 그렇게 훤히 드러나는 편은 아니었다. 그래도 썩 잘 그린 것임엔 틀림없었다. 더구나 스프레이 페인트를 사용해서. 사람들은 간혹 이런 로우테크 그림에도 감동하는 법이다. 우리는 모두 도움-지능 시대에 살고 있으니까. 우리는 우리의 기능, 또는 지능의 일부를 늘 여기저기, 조금씩 미리 나누어 넣어두고 그것의 도움을 받는다. 그것에 익숙해져서 예술적인 작업마저 혼자 마무리하는 법이 없었다.

"나, 하고 싶어."

"여기서?"

"응, 여기서. 당장."

"여긴 우범지역이야. 빨리 벗어나야 해."

"아니, 여기서 해!"

그녀가 명령하듯 말했다. 사방의 빗소리가 만들어내는 그 백색소음 속에서.

"지금?"

"지금!"

"안 돼."

"해!"

이후는 나를 붙잡았다. 나의 입술에 얼굴을 가져와 마구 키스하기 시작했다. 그것이 그녀의 입술인지 아니면 빗물인지 구별하기 어려웠다. 나도 입을 열어 그것을 흠뻑 핥았다. 그녀는 나의 바지춤을 억세게 붙잡아 끌었다. 그러고는 내 허리를 다 벗겨 내리고 무릎을 꿇었다. 풀이 죽은 내 것을 일으키려고. 나 역시 갑자기 흥분하기 시작했다. 아까 챈스가 들려준 이야기가 그렇게 한 것인지 아니면 장소가 주는 긴장감이 교감신경을 깨운 것인지.

그렇게 우리는 오래된 그라피티가 있는 지저분한 지하도의 담벼락에서 섹스를 했다. 온몸이 상처투성이가 되는 것도 모른 채.

나는 라일락 향이 물씬할 것 같은 그 정원에 앉아 생각에 잠겼다. 어찌 되었건 이후의 흉내를 내는 이 인공지능 아바타가 크리스털 조각을 꺼내 보인 것은 정말 의외였다. 이후의 노란색 파우치 안에 있던 메모리 팩에는 대체 어떤 기억이 들어 있을까? 그녀가 평생을 간직하던, 그녀에 관한 모든 자료 중에서도 어떤 것을 골라 내게 남겼을까? 프로그램에 편집해 넣어두면 자기가 떠나고 난 뒤 내가 어떤 것에 가장 절실한 반응을 보일 거라고 생각했을까?

이후는 이 일을 준비하면서 우리의 사적인 모험들, 아마도 내가 쉽게 동조할 수 있는 우리들만의 작거나 큰 이벤트를 떠올려보았을 것이다. 그리고 내가 이 아바타에게 심정적인 일체감을 더 쉽게 느낄 수 있을 만한 어떤 사물이나 사건으로 시나리오를 짜두었을 것이다. 그랬다. 그 순간 나를 동요시키는 것은 사실 그런 것이었다. 이후를 닮은 아바타가 이후와 같은 목소리를 내며 착각을 불러일으키는 게 아니라, 이 모든 것을 이후가 생전에 계획했다는 것. 그녀가 나를 위해 구상하고 선택하고 예비한 것이 아직 내 삶에 들어와 영향을 미칠 수 있다는 사실이 나의 마음을 움직였다.

나는 바이앤바이의 인공지능에 감탄해 마지않았다. 피치의 방 사람들이 했던 말처럼 아바타에는 정말 교감하는 능력이 있었다. 그것을 통해 내 머릿속에 있는 나의 기억과 바이앤바이 서버에 남아 있는 이후의 메모리가 서로 만나 소통한다. 매우 창의적이고 기발한 방법으로 내게 잊혔던 추억까지도 떠올리게 하면서.

그리고 그것은 피치가 말했듯 내 마음의 치료에도 큰 도움이 되었다. 이제는 이후의 부재함, 그녀가 내 곁에 없음이 예전만큼 절실하지 않았다. 그녀가 내 곁에 돌아온 것처럼, VR 고글만 쓰면 언제든 만나러 갈 수 있는 것처럼. 그녀는 이제 어디에서나 느껴졌다. 바이앤바이 바깥에서도 무심코 그녀의 이름을 부르기도 했다.

나는 그녀를 찾아 내 일상의 이야기들을 주고받았다. 이후의 아바타는 점점 더 적극적으로 반응했다. 내가 먼저 자극을 주지 않아도. 먼저 대화를 주도할 뿐만 아니라 오히려 기억의 범주에서 벗어난 것 같은 자극을 내게 주기도 했다. 이를테면,

"당신, 운동 좀 해."

"으음, 하려고 해."

"자기 기억나? 우리 함께 다니던 그 이지 짐이라는 곳?"

"아아, 그래. 반 년 동안 열심히 다녔지."

"거기 다시 등록을 해. 그리고 운동 좀 해. 술만 너무 많이 먹지 말고."

인공지능이 나의 안위를 염려하고 있었다. 또는,

"여긴 정말 물이 많아. 저 강물, 정원마다 작은 연못과 분수가 있지."

"그래, 여기 들어오면 마음이 편해져."

"당신은 항상 물을 좋아했잖아? 물가를 걷는 거. 흐르는 물을 들여다보는 거."

"그래서 우린 언제나 산책로로 물가를 골랐어."

"당신이 여길 좋아해서 기뻐. 나도 한결 가벼워진 기분이야."

인공지능이 무엇을 걱정한다거나 어떤 감정을 표현하는 것을 어떻게 판단해야 할까? 소위 인공지능의 이런 실감 나는 장치가 때로는 내게 바이앤바이에 대한 약간의 거부감을 되살리기도 했다. 피치의 방 사람들 중 딸을 잃은 그 여자는 아바타를

유치원에 보낸다고 하지 않았던가? 물론 바이앤바이 측에서 추가 비용으로 제공하는 특별 상품이겠지만, 그녀는 아마도 자기 인생이 지속되는 동안 사이버 스페이스 안에 있는 자기 딸의 삶도 계속 유지할 것이다. 그런 허황된 시뮬레이션까지 동원해서 위안을 얻으려는 것이 정당화될 수 있을까?

이런저런 이유에서 나는 내가 바이앤바이에서 대화하는 상대가 어떤 프로그램이라는 사실을 완전히 잊지 않으려고 노력했다. 최소한 그 아바타를 정말 살아있는 사람처럼 대하지는 않았다. 나는 그 인공지능에게도, 나 스스로에게도 그것이 아무리 실감 나는 대상일지라도 결국에는 프로그램일 뿐이며 죽은 내 아내가 절대 아니라는 사실을 명심하게 하고 싶었다. 그러다가 지나친 대응을 한 적도 있었다. 무슨 이야기인가 끝에 이후의 아바타가,

"아참, 강아지 밥을 안 주었네?"

하고 말했을 때, 나는 깜짝 놀라 되물었다.

"강아지?"

"응, 내가 하얀 강아지를 한 마리 키우고 있거든?"

어찌 생각해보면 이해될 만한 일이었다. 하얀 강아지는 이후가 언제나 기르고 싶어 했던 것이니까.

이후가 더는 아이 이야기를 하지 않으면서부터는 난데없이 강아지를 기르고 싶다고 고집하기 시작했다. 우리는 공동주택에 살고 있고 애완동물을 기를 수 없다는 것을 뻔히 알면서도. 그녀는 우리 빌라의 옥상에서 키울 수도 있다고 주장했다. 그

곳의 한 노인이 주민 회의의 동의를 얻어 작은 수족관을 만들었는데 주민들도 아이들이 좋아한다며 기꺼워했었다. 이후는 강아지를 거기에 두고 가끔씩만 집에 데려오겠다는 조건으로 주민들에게 동의를 구하려 했다. 그 시도는 보기 좋게 실패하고 말았다.

그런 데이터가 이후의 메모리 팩에 남아 있을 것이고 인공지능이 그것을 바탕으로 강아지를 키우고 싶다거나 하는 시나리오를 만들 수는 있었다. 하지만, 이후의 아바타가 '이미 강아지를 키우고 있다'고 생각한다는 것이 문제였다. 그건 다시 말해 새로운 기억이 만들어지고 있다는 뜻이니까. 나와의 만남들, 우리가 거니는 바이앤바이의 정원에서 인공지능은 새로운 기록을 하게 될 것이다. 그러나 그런 것은 어디까지나 우리의 대화에 한정된 것이다. 그것도 자기 멋대로 새로운 사실을 만들어내는 것이 아니라 나와 이후의 과거를 바탕으로 한.

물론 과거를 노상 되풀이하는 아바타를 만나는 것보다야 새로운 경험이 추가되는 상대를 만나는 쪽이 더 실감 날지 모른다. 그런 것을 선호하는 고객이 있을 테고 그것이 프로그램에 반영되었을 것이다. 그러나 나의 경우엔 달랐다.

"자긴 강아지를 키우지 않아."

내가 단호하게 말했다.

"내가? 키우지 않아?"

"응, 당신에겐 강아지가 없었어."

"그러면 우리 집에 있는 하얀 포메라니안은 무엇이지?"

"그런 건 불가능해. 우리 집에 하얀 포메라니안 같은 게 있을 수가 없다고."

나는 아마도 그렇게 인공지능을 학습시키려 했는지 모른다. 내가 주도할 수 있고 내가 한계 지을 수 있는 범위 내에서만 그 것과 교섭하려고.

"하지만 강아지가 늘 끙끙거리며 나를 쫓아다니는데? 밥을 달라고 꼬리를 치기도 하고?"

"그건 자기 망상이야. 그건 강아지가 아니야."

"망상?"

"그건 자기가 원했던 거야. 정말 가지고 있는 게 아니라. 원했던 것과 실제로 가지고 있는 건 다른 거라고."

아바타는 순간 얼어붙었다. 눈동자를 굴리면서 생각에 잠긴 듯했다. 내가 과하게 대응하는 게 아닐까 해서 잠깐 후회를 하기도 했다. 아바타와 잘못 소통하면 엉뚱한 모습으로 변질될 수 있다는 이야기를 떠올렸다.

"하긴 좀 이상하기는 해. 내가 보러 갔던 가게에는 하얀 몰티 즈만 있었거든? 내가 어떻게 포메라니안을 갖게 되었을까?"

"그게 아니라니까! 강아지를 보러 갔을지는 모르지만 포메 라니안을 사지 않았어. 그런 일은 없었어."

"아냐! 그렇지 않아. 우리 집엔 분명 작은 포메라니안이 있고, 그건 내가 늘 갖고 싶어 하던 바로 그 강아지야!"

"그렇지가 않다니까!"

아바타가 고집을 세우자 순간적으로 나도 모르게 폭발해버렸다. 영원히 이후에게 정말 귀여운 하얀 강아지를 안겨줄 수 없다는 절망감 때문에. '나는 왜 그걸 해주지 못했을까?' 하는, 돌이킬 수 없는 절대적인 회한과 함께.

그러고는 하지 말았어야 할 말을 꺼내고 말았다.

"자긴 이제 강아지를 갖지 못해. 그런 처지가 아니야."

"어째서?"

"자긴 죽었으니까."

내가 그렇게 말한 대상은 물론, 인공지능이라기보다는, 내 마음속의 이후였다.

"내가 죽어? 나는 그런 느낌이 들지 않아. 그럼 여기 있는 나는 뭐야?"

"그건 나를 위한 착각이야."

나는 다시 한번 내 속에 존재하는 이후에게 말했다.

"착각? 그럼 여기 있는 나는 뭐야?"

인공지능이 똑같은 말을 반복했다. 나는 구역질을 느꼈다.

"너는 진짜 네가 아니야."

나는 그렇게 아무렇게나 말을 내던져버렸다. 결과야 어떻든, 이 모든 것에 대한 혐오감을 가득 담아서, 이후의 아바타가 잔뜩 찡그린 얼굴로 내 말을 이해하려 애쓰는 걸 보면서……

자살의 에피데믹

내가 했던 최악의 인터뷰가 제법 많은 다운로드를 기록하면서 《미래학과의 결별》도 장기 베스트셀러 순위에 오른 모양이다. "우리는 이 시대를 미래에 대한 외상으로 산다"는 그의 말은 이미 유행어가 되었다. 의외였다. 대중은 그의 견해를 의심 없이 전폭적으로 수용했다. 장진호 박사는 이런저런 사이버 토론회에 초청되어 미래학을 옹호하는 학자들과 열띤 논쟁을 벌였다. 그러나 어떤 이유인지 오프라인 토론은 참석을 거부했다. 그를 이단 취급하는 학자들의 시선도 여전했다.

"도대체 선생은 자신이 주장하는 바를 뒷받침할 아무 근거도 가지고 있지 않습니다. 그저 책임 없는 언설로 대중을 미혹하면서 미래를 어둡게만 채색하고 있죠. 과학적이고 객관적인 방법으로 미래를 정확히 예측하려는 미래학을 조롱하면서 말입니다. 선생이 생각하시는 것처럼 미래학은 음모를 꾸미지 않습니다. 누구나 알지 않습니까. 미래란 단순히 현재의 다른 이름일 뿐이라는 걸."

사이버 토론회에서 한 미래학자가 장진호 박사를 대놓고 비난했다. "미래는 현재의 다른 이름이다"라는 말도 유행어가 되었다.

그리고 얼마 안 있어 ⟨Live in it!⟩의 편집장에게서 연락이 왔다.

"우선 기쁜 소식부터 전하지. 마침내 '라스트 웨이브'의 부흥사 K가 자네와 인터뷰를 하겠다는 답신을 해왔네. 아마도 장 박사와의 인터뷰가 인상적이었겠지. 손해 볼 거 없지 않겠나. 그로서는 홍보 효과도 있고. 좀처럼 주류든 비주류든 미디어와 접촉이 없는 사람으로 유명했는데, 정말 뜻밖일세. 어찌 되었건, 그쪽에서 자네에게 직접 약속 장소와 시간을 통보한다니 기다려 보자고. 인터뷰어로서 예전의 명성을 되찾을 아주 좋은 기회야."

한동안 미디어와의 인연을 끊고 살았던 터라 부흥사 K라는 인물에 대해 잘 알지 못했다. 그에 대한 뉴스라도 검색해볼까 하고 아직 TV라는 이름으로 불리고 있는 공중파 채널을 켰다.

채널을 이리저리 돌리다가 우연히 멈춘 곳은 토크쇼였다. 잘 알려진 연예인들이 게스트로 나와 일정한 질문들에 답하고 있었다. 얼마나 재치 있게 답을 했는가에 따라 점수가 주어지고, 가장 많은 점수를 받은 사람을 챔피언으로 뽑는다. 오늘 그들에게 주어진 질문은 이런 것이었다.

"오늘은 조금 짓궂은 질문을 하나 드려보죠. 다음 생에도 지금의 부인과 다시 결혼하시겠습니까?"

그들에게 기대되는 것은 '아니오'라는 대답을 얼마나 재치 있게 하느냐는 것이리라. 집에서 보고 있을 그들의 배우자들이 기분 나빠하지 않으면서도 시청자들을 충분히 즐겁게 할 만큼.

예를 들면 이런 것이었다.

"아니요, 하지 않겠습니다. 그러나 만일 하게 된다면 그것은 제 다음 생이 아닐 겁니다. 제 아내가 늘 '당신과 사는 건 하루 하루가 지옥이야!'라고 하니까요. 아마 거긴 제 마누라의 지옥 이겠죠."

그런저런 시시껄렁한 대답들이 이어졌다. 그럼에도 실시간 시청자들의 웃음소리가 끊이지 않았다. 나는 자세를 바꿀 때마다 형태가 변하는 스마트 침대 위에서 이리저리 뒤척이며 생각했다. 만일 내가 저 자리에 있다면 뭐라 대답했을까?

"나는 이번 생에서와 똑같은 방법으로 똑같은 장소에서 똑같은 여자와 똑같은 시간에 자꾸자꾸 다시 만나기를 원합니다. 다른 어떤 방식도 말고 꼭 그대로만. 아무리 지겹고 지루하더라도, 무한히 반복되더라도. 다른 방식은 원하지 않습니다. 영원히, 그녀와 함께 완전히 닳아 없어질 때까지."

내 상상 속 시청자들이 라이브로 '하하하!' 하고 웃는 소리가 들렸다. 제길, 내 진심이 세상의 웃음거리밖에 안 되는군.

그러다 간신히 뉴스 채널을 찾아 들어갔다. 먼저 주요 뉴스를 간략한 제목과 텍스트로 서비스하는 헤드라인 뉴스를 훑어

내려갔다. 그간 세상 돌아가는 일에 너무 무심하게 지냈다는 생각이 들었다. 몇 개의 사건 사고 소식이 올라 있었다. 그중에서도 눈에 띄는 제목이 있었다.

〈뉴 서울에 자살로 추정되는 의문사 급증〉
강남구 논현동 자살, 구로구 오류동 자살, 양천구 목동 자살······.

생각보다 심각한 상황인 모양이었다. 나는 무의식적으로 기사를 하나씩 열어보았다.

강남구 논현동 EE 아파트에서 한 젊은 부부가 시신으로 발견되었다. 부패한 냄새가 심하게 난다는 이웃 주민의 신고를 받고 출동한 소방대에 의해 발견된 시신은 사망한 지 최소한 두 주 이상 된 것으로 추정된다. 외부에서 침입한 흔적이 없고 반항한 자취가 없어 경찰은 동반 자살로 잠정 추정하고 있다. 친지들은 이들 부부가 일 년 전 어린 아들을 교통사고로 잃고 매우 낙심해왔다고 진술했다.

구로구 오류동 ○○번지 빌딩 지하 주차장에서 한 젊은 여자가 보일러 파이프에 목을 맨 시체로 발견되었다. 경찰은 여자의 신원을 확보하고 가족이나 친족을 찾고 있다고 발표했다. 소지품이나 주변에서는 유서나 자살을 시사할 만한 증거가 발견되지 않았지만 시신이 발견된 장소가 철저히 경비되는 곳이며 목 주변을 제외한 부위에서 특이한 외상을 찾을 수 없어 자살 이외의 사인으로 볼 수 없다는 것이 경찰의 판단이다.

양천구 목동 한 주택에서 직장을 그만둔 지 얼마 되지 않은 한 남자가 LPG 가스를 틀어놓고 자살했다. 자살할 만한 동기는 전혀 조사되지 않았지만 높은 인사고과를 받고 평탄한 직장 생활을 하던 그가 갑자기 사직한 것에 대해 직장 동료들은 이미 그때 자살을 결심하고 있었던 것이 아닌가 하는 의견을 제시했다. 그는 오래전 노모를 잃고 혼자 생활해온 것으로 알려졌다.

그저 연쇄적인 자살 추정 사건들이지 딱히 의문사라 이를 까닭은 없어 보였다. 단지 매스컴이 만들어낸 연결고리는 아닐까. 하긴, 개인 생활의 편의가 극에 달하고 평균 수명이 증가한 시대에 그런 자살들을 관통하는 어떤 계기가 있다면 그것을 의문사라 불러도 좋을지 모른다.

기사 외에도 연쇄 자살 사건에 대한 몇 건의 논평이 링크되어 있었다. 사이버네틱 사회와 생명 경시 풍조의 확장, 고독과 소외에 대한 국가와 사회의 경종이 필요하다는 칼럼, 성급하게도 '자살의 에피데믹'이라는 이름을 붙이고 질병이나 재앙처럼 관리해야 한다는 주장도 있었다.

나는 부흥사 K에 대해 본격적으로 알아보기 위해 인물검색 엔진에 접속했다. 편집장의 말로는 주류라기보다는 아웃사이더들에게 반향을 일으키는 사람인 듯했는데 의외로 그에 관한 기사가 꽤나 많았다.

"요즘 인기를 끌고 있는 부흥사 K는 기이한 가르침을 전하는 사람이다. 어떤 사람들은 그가 종교적인 인물이라 평가하고, 다른 사람들은 그가 반종교적인 가르침을 설파하고 있다고 받아들인다. 그는 '불멸 구루'라는 별명으로도 불리는데 그의 가르침을 오래도록 들어온 사람이 아니면 정확히 그가 말하고자 하는 것을 잘 이해할 수 없다고 알려져 있다.

다음은 그의 가르침을 '아주 조금' 이해하고 있다는 사람의 평가이다.

'그는 마치 새로 나온 게임 같아요. 얼리어답터처럼 잽싸게 시도해보고 익숙해진 사람들에게는 편안한 게임이 되죠. 그러나 그러기 전까지는 절대적인 시간과 숙련 과정이 필요해요. 가령 오늘 프로그램을 본 사람은 그전의 것을, 또 그것을 보고 나서 그전의 전편들을 연쇄적으로 보아야만 가르침의 전체적인 윤곽이 드러납니다. 그저 한두 개의 프로그램을 한두 번 보고 알 수는 없어요. 하지만 일단 그의 가르침을 접하면 그런 것쯤은 그저 자연스런 과정이 됩니다. 그만큼 흥미롭고 저절로 빠져들게 하는 마력이 있거든요.

그 사람이 지금의 트렌드예요. 지금! 이 순간! 뉴 서울에서 벌어지는 일이 바로 그 사람입니다.'"

다음은 다소 부정적인 관점의 기사였다.

"사이버 구루라 자칭하며 이른바 '사이버 지혜'를 전파하는 사이트가 유행하게 된 것은 어제오늘의 이야기가 아니다. 그런데 그중에서도 부흥사 K라는 인물이 주목받고 있다.

그는 여러 가지 면에서 옛날, 종교라는 현상이 유행했을 때의 종교 지도자들과 닮았다. 과거 우리나라에서 부흥하여 세계적으로 뻗어나갔던 어떤 신흥 종교들의 프로젝트를 따르는 것처럼 보이기도 한다. 일설에 의하면 그는 한국과 아시아의 몇몇 국가에서 얻어낸 성공을 바탕으로 글로벌한 네트워크를 만들 계획이라고도 한다.

그러나 한편으로 그의 신념은 반종교적인 것으로 보이며, 어떤 교단이나 교파 같은 조직을 가지고 있지 않다는 점 또한 특이하다.

한편 본 기자는 부흥사 K의 특이한 경력에 대해 흥미로운 제보를 받은 바 있다. 그는 한때 '결과를 생각하는 엔지니어의 모임Engineers for Consequences'이라는 독특한 단체에 소속되어 있었다. 그의 경력사항에 나타나지는 않지만 제보자에 의하면 매우 명확한 정보이다."

그다음에 나는 부흥사 K가 소위 '강화'라 부르는 프로그램들을 검색했다. 대부분의 멀티미디어 콘텐츠가 유료인 데에 반해 그의 것은 모두 무료였다. 그가 갑작스러운 인기를 모으게 된 한 원인일지도 몰랐다.

나는 그의 강화 프로그램을 수십 개 다운로드해 그중 몇 가지를 무작위로 재생했다.

한 프로그램에서 부흥사 K는 요리사 복장으로 나왔다. 높다란 주방장 모자를 쓰고 앞치마를 두른 그는 지금은 없어진 KFC라는 프랜차이즈 가게 앞에 서 있던 인형을 연상시키는 외모였다. 얼굴이 동양인이란 것을 제외하면. 그리고 그의 무대는 전형적인 요리 프로그램의 스튜디오 같은 모습으로 꾸며져 있었다. 각종 조리 기구와 그릇, 오븐, 레인지 등으로 가득 채워진.

그는 두툼한 살라미소시지를 하나 꺼내 들고는 꼬챙이로 한가운데를 파냈다. 그것을 들어 이리저리 각도를 바꿔 카메라에 보이더니 드디어 입을 열었다.

"안녕하십니까? 오늘은 요리를 보여드릴 작정입니다. 우리는 모두 무엇을 먹어야 살지 않습니까? 우리 몸은 이 소시지와 같다 할 수 있습니다. 이 소시지의 한가운데에 구멍을 뚫고 그 안에 이런 유기물들을 집어넣습니다."

그는 믹서에 채소들을 넣고 마구잡이로 갈아 그 혼합물을 소시지의 가운데에 밀어 넣었다.

"그러면 이 유기물은 소시지를 통과하며 에너지를 만들어냅니다. 발전소죠."

그는 커다란 소시지를 두 손으로 번쩍 들어 보였다.

"그 에너지는 여기 이 양파에 공급됩니다."

그는 커다란 양파를 한 덩이 가져왔다.

"그리고 이 양파는 사실 작은 컴퓨터입니다. 에너지가 공급되는 동안 이 양파는 자기가 존재한다고 생각을 하는 한 가지 기능을 유지합니다."

그는 양파에 구멍을 내고 거기 셀러리 줄기를 꽂아 소시지에 엉성하게 연결했다. 이어서 그것을 모두 커다란 내열 유리 접시에 올려놓았다. 그러고는 그 앞에 서서 한 손가락을 머리에 짚고 코믹한 표정을 지었다.

"나는 존재한다."

그는 양파를 들면서 말했다.

"이것이 스스로 나는 존재한다, 아니, 그저 '나는'이라고 느끼기 시작하면 그것이 새로운 시작입니다. 이런 어처구니없는 일이 있겠습니까? 이런 양파 따위가 나는 존재한다고 생각하다니?"

그는 양파를 부엌 바닥에 힘껏 팽개쳤다.

"사실 그것이 자기가 존재한다고 느끼는 것은 기억 때문이죠. 기억할 수 있는 능력, 기억이 저장되어 있고 그 기억이 자기 스스로를 인지했기 때문입니다."

그는 자신의 얼굴을 클로즈업하고 있는 카메라 쪽으로 돌아섰다.

"사실 우리는 기억에 불과합니다. 우리가 생각이라 부르는 것은 기억의 연상작용이죠. 두 개의 기억, 아주 먼 기억과 방금 전의 기억을 연결하는 기능. 여러 개의 기억들을 연결하는 기능. 그것을 우리가 '생각'이라 부르는 겁니다. 우리는 우주의 운행과 자연의 법칙을 이해한다고 믿지만 사실, 그것이야말로 남들이 하는 이야기일 뿐이죠. 그 이야기를 자기 것이라 생각하는 것이 바로 '이해'라는 작용입니다."

그는 소시지와 그 가운데 들어 있는 채소 혼합물을 도마에 놓고 마구 자르기 시작했다. 그러고는 그것들을 믹서에 넣었다. 재료가 모두 갈려 형체가 완전히 없어지자 빈 유리그릇에 쏟아부었다.

"이것이 우리의 최후입니다. 적어도 우리 몸의 종말이죠. 제가 왜 이런 이야기를 하고 있느냐고요? 그것은 우리의 불멸을 위해섭니다. 사람은 근본적으로 밥 먹고 똥 싸는 생물입니다. 그것 말고는 아무것도 아니죠. 생명은 언젠가 나서 언젠가 죽습니다. 선분적인 지속이죠. 그리고 우리는, 이 양파는……."

그는 새로운 양파를 가져왔다.

"자신의 의식, 스스로 '나는'이라고 부르는 그 상태를 절박하게 유지하려는 욕구입니다. 믿는 자는 천국으로 갈 수 있습니다. 다시 한번 말합니다. 믿는 자도 천국으로 갈 수 없습니다. 천국 따위는 없습니다. 천국은 바로 저기 있습니다."

그는 양파를 야구공처럼 던져버렸다.

나는 그의 프로그램을 난해하다고 평가하는 이유를 언뜻 알수 없었다. 그저 난삽할 뿐 이해하기 어렵거나 메시지가 숨어있다는 느낌은 없었다. 내가 겉으로만 듣고 있던 그 이상의 무엇이 숨겨져 있는 걸까. 그렇다면 그는 정말 난해한 사람일 것이다.

다른 프로그램에서 그는 망치를 든 대장장이 모습이었다. 작업복을 입고 배불뚝이 모습으로 나왔다. 그는 커다란 망치를 어깨에 걸쳐 메고 망치질을 해대는 포즈를 취했다.

"인생을 즐겁게 하는 것은 무엇인지 아십니까? 어리석음입니다. 인생의 모든 드라마, 그 모든 거짓말은 우리의 우매함에서 비롯됩니다. 고통은 무엇인지 아십니까? 고통은 깨달음입니다. 그런 것이 있다는. 진통제를 주세요, 지금 당장! 아우우웃!"

그는 늑대가 울부짖는 소리를 냈다.

"지혜로워지지 마십시오. 여러분. 지혜로움은 우리를 죽음에 이르게 합니다. 아귀다툼과 욕망, 절망. 하지만 우리가 진실로 정화될 수 있다면, 우리의 정신에서 지혜를 덜어내고 단순함을 가득 채우면, 우리는 우리만의 현실을 만들 수 있고 불멸노 가능하게 됩니다. 자, 내게 망치가 있다면 나는 뭔가를 하겠죠. 어이구? 내게 망치가 있네요?"

그는 그의 등 뒤로 지나는 배경화면을 향해 다시 한번 망치를 휘둘렀다. 쨍그랑거리는 요란한 소음이 스튜디오를 가득 채웠다. 그는 그 소리를 뚫고 목청껏 외쳤다.

"내게 망치가 있다면 아침에도 망치질을 하리! 저녁에도 망치질을 하리! 온 세상 다니면서 위험을 알리고 경고를 발하리!

형제와 자매들에게 사랑을 일깨우리!"

내가 한참 부흥사 K의 프로그램에 열중해 있을 때였다. 디스플레이에 '피치 님이 통신을 원합니다'가 떴다. 나는 전화를 받으라는 문자가 몇 통이고 울린 후에야 핸디를 열었다.

"무슨 일이야?"

"나 좀 만나러 와줘요. 그럴 수 있어요?"

"무슨 일인데?"

"저 좀 도와주세요, 네? 급한 일이에요."

잔뜩 찌푸린 얼굴에, 다급한 목소리였다. 이 아이가 내 도움을 필요로 할 만한 일이 무엇일까 잠깐 궁리해보았다. 돈을 좀 빌려달라든가 하는 가벼운 것일 수도 있었다. 그런 것이라면 굳이 만나지 않아도 될 것 같았다.

"이 상태로 얘기하면 안 되나?"

"그럴 일이 아니에요. 제발."

'제발'이라는 말이 예사롭게 들리지 않았다. 홀로그램 얼굴엔 얼핏 공포심 같은 것이 엿보이는 듯도 했다. 나는 귀찮지만 일단 나가보기로 했다. 그 애의 도움을 받은 적도 있었고.

피치는 도심에 자리한 박스텔이란 곳에 살았다. 최근 들어 주차장이 그런 이름을 가진 구조물로 바뀌는 추세였다. 시내에 차를 가지고 나오는 사람이 거의 없어지면서 주차장 건물을 허물지 않고 용도변경할 수 있는 방법이 개발된 것이었다. 사람이 들어가 살 수 있는 컨테이너만 한 박스를 층마다 쌓아 거주

공간을 만들었다. 그곳엔 주로 외국 노동자나 경제력이 떨어지는 젊은이들이 많이 모여 살았다.

택시는 건물 위층까지 올라가기를 거부했다. 이해할 만했다. "여기저기 쓰레기며 장애물 들이 많아서 차를 돌려 나오기가 힘들어요. 괜찮으시다면 여기까지만 모시겠습니다."

나는 비상계단을 통해 여러 층을 헤맨 뒤에야 그녀가 사는 박스를 찾을 수 있었다. 초인종이 없어 주먹으로 철문을 두드리자 피치가 문을 열었다. 형편없는 몰골이었다. 며칠간 씻지도 않은 모습이었고 시큼한 맥주 냄새에 찌들어 있었다.

박스 내부는 생각만큼 나쁘지는 않았다. 제대로 된 침대도 하나 있었고, 인조가죽으로 된 카우치 소파도 따로 마련되어 있었다. 커피 테이블이며 게임 콘솔을 겸한 멀티 플레이어도 있었다. 평소에는 제법 깨끗하게 살았는지 아주 더러운 모양은 아니었다.

피치는 막상 내가 도착하자—기대를 안 했을지도 모르지만— 쑥스러운 모양이었다. 흐트러진 물건들을 정리하는 체하며 시간을 좀 끌었다. 어색함을 모면할 겸 내가 물었다.

"지난번 피치의 방 모임엔 왜 나오지 않았지?"

"나갈 엄두가 나지 않았어요. 내 코가 석 자라."

"무슨 일인데?"

"다른 사람한테는 얘기할 수가 없었어요. 아저씨라면, 아저씨는 거기에도 다니니까 내 얘길 이해할 수도 있고 또……."

피치는 내 안색을 살피며 말을 거두었다. '거기'란 바이앤바

130

이를 뜻할 것이라 짐작했다.

"나를 도와줄 힘 같은 것도 있을 거 같아서 말이에요."

"힘? 내가 무슨?"

"기자니까 아는 사람도 많을 테고, 뭘 알아볼 수도 있을 테고."

피치는 냉장고에서 맥주를 꺼냈다. 얘기가 길어질 모양이었다.

"우선 이거부터 한잔 드세요."

하고 접객하는 흉내를 내더니

"아저씨, 기자라고 녹음 유닛 같은 거 가지고 다니지 않죠? 혹시 그런 게 있으면 꺼주시겠어요?"

하고 뜸을 들인 뒤에 이야기를 시작했다. 무슨 마음의 준비라도 단단히 한 듯 결연한 표정이 되어서.

"고백할 게 있어요. 아니, 자백이라고 해야겠죠."

"자백?"

"우리 아버지 말이에요, 내 아버지……. 내가 죽였어요."

"뭐?"

피치는 눈물을 뚝뚝 흘리기 시작했다. 나는 귀찮은 일에 말린 게 아닐까 주저하다가 바로 마음을 고쳐먹었다. 도울 수만 있다면 이 아이를 돕고 싶다고.

"우리 아버진 오랫동안 병석에 있었어요. 허리 아래가 불구가 되어서. 원래 금형 기술자여서 돈을 잘 벌었거든요? 그런데 일이 힘들다고 동남아의 어떤 공장에 공장장으로 가게 되었어요. 거기서 일이 벌어진 거죠."

"사고가 났나?"

"아뇨. 싸움이 났대요. 아버지 말로는 여러 민족 사람들이 모인 곳이라 분란이 자주 일어났다고 했어요. 그래서 공장 사람들이 서로 패싸움을 벌였는데 그걸 말리려다가 어떤 사람이 밀고 들어온 중장비에 다친 거죠."

"……"

"그런데 그건 사실이 아니에요. 우리 아버진 본래 성질이 아주, 아주 더러운 양반이었거든요. 싸움질이야, 원래 많이 하시던 양반이고. 거기에 뭔가 있다고 봐요. 그 공장에서 산재 처리를 해주었거든요. 아버지가 무슨 협상 같은 걸 한 거 같았고 입을 다무는 조건으로 돈을 준 게 아닌가 싶어요, 내 생각엔."

"글쎄, 세세한 사정이야 모르겠지만 그런 심각한 부상을 입었으니, 게다가 패싸움까지 있었다면 공장에서 그럴 만했겠지."

"엄청 많은 돈이었어요."

"얼마나?"

"한 사람이 평생 쓸 만한."

나는 구체적인 액수를 묻지 않았다. 이 아이가 스스로 평가해서 평생을 쓸 만큼의 돈이라고 해봐야 그렇게까지 많은 액수가 아닐 수도 있었다.

"그 돈이 욕심 난 건 아니에요."

피치는 그 말을 하고 다시 펑펑 울기 시작했다. 멜빵 청바지

에 박스 티셔츠가 잘 어울리는 씩씩한 아이답지 않게. 나중에
는 꺼이꺼이 숨이 막힐 듯 울어대서 한참을 진정시켜야 했다.

피치는 울음이 섞인 소리로 말을 이었다.

"아버지는 어차피 그 돈을 제게 준다고 말하곤 했거든요. 자
기 이불 밑에 체크카드를 넣어두고 내게 늘 그렇게 말했어요.
'이건 네 거다. 나한테는 너밖에 없으니. 그렇다고 내가 무슨 돈
을 쓸 형편도 아니잖니? 이 꼴을 해가지고?' 그렇게 얘기하곤
했죠.

그리고 계속 나한테 그 돈으로 할 수 있는 일들을 말해주는
거예요. 매일매일 귀에 딱지가 앉을 만큼. 이 돈을 내가 네게
주면 너 자신을 위해 써라. 무슨 옷을 사고 무얼 먹고. 일정 부
분은 어떻게 투자해라 등등."

"당신이 그렇게 다쳐서 일을 못 하시니 딸에게 그런 걸 챙겨
주시고 싶었던 거겠지."

"그게 아니에요. 아버지는 그걸로 나를 부려먹으려는 수작이
었어요. 그걸 탐하게 해서, 아버지에게서 못 떠나게 하고 아버
지의 수족처럼 수발하길 원했던 거죠. 아버지가 그걸 내게 주
고 싶어했다는 걸 못 믿는 게 아니에요. 그랬을 거라는 건 알아
요. 다만 자기가 살아있는 동안에는 내가 자기의 종이 되길 바
랐던 거죠."

나는 더는 대꾸하지 못했다.

"나는 정말 노예처럼 살았어요. 아버지 옆에서. 한밤중에도
수없이 불려다녔죠. 똥오줌 수발 같은 것은 아무것도 아니었어

요. 아버지는 상체를 멀쩡히 움직일 수 있는데도 전혀 움직이려 하질 않았죠. 가령 담배 같은 것도 내가 불을 붙여 입에 물려 주거나 재를 털어 다시 입에 가져다줄 정도였어요."

나는 어느새 맥주를 다 비우고 피치의 냉장고에서 새로 하나를 꺼냈다. 그곳은 그 아이의 고해를 듣는 자리였다. 내가 믿을 만한 사람이고 마음을 열어준 어른이라 생각해서 하는 일이라고. 사연이야 어찌 되었든 이렇게 한껏 쏟아놓고 나면 이 아이는 다시금 전처럼 씩씩하게 홀홀 털고 살아가리라.

"그런데 못 참을 건, 정말 참기 힘든 건, 하반신이 마비가 된 양반이 성욕을 느끼는 모양이었어요. 몸이 망가져도 머릿속에선 그런 게 아직 남아 있었나 보죠? '내가 너한테 뭘 진짜로 어쩔 수 있는 건 아니잖니? 그냥 보기만 하자. 그런 건 죄가 되지도 않아, 너와 내가 부녀 사이지만. 어디까지나 그냥 보기만 하는 거니까' 그런 식으로 날 괴롭혔죠."

피치는 말을 거두고 고개를 푹 떨어뜨렸다. 나도 그녀에게 시선을 둘 수가 없었다.

"그래서 그렇게 했어요. 나 역시 그렇게 생각했죠. 그냥 보여만 주는 거니까. 뭐, 실제로 어쩌자는 것도 아니고. 그리고 그렇게 할 수밖에 없는 아버지가 불쌍하기도 했고, 정말 안 됐다고도 생각했어요. 그렇게 꼼짝 못하고 누워 머릿속으로 그려볼 수밖에 없다는 게. 사람이니까, 그럴 수도 있다고. 그래서 아버지가 요구하는 대로 이런저런 포즈를 취하며 보여주었죠. 실컷 구경하게 해주었어요. 자기 딸년의 엉덩이며 가슴이며. 그러면 아버지는 정말 흥분이 된 표정으로 나를 살폈죠. 정말 끔찍하게 보기 싫은 표정으로, 욕지기가 치미는."

나는 이제 상황에 이끌리는 관객이 되어 그녀의 이야기를 들을 뿐이었다.

"그런 일이 끝나면 아버지는 또 돈 얘기를 꺼냈어요. 그 돈으로 내가 할 수 있는 일과 그 돈으로 내가 살 수 있는 것. 그러던 어느 날 내가 저질러버린 거죠."

"……."

"아버지는 누워만 있어서 아주 약했어요. 베개로 눌러 질식시켜버린 거죠. 아무 생각도, 아무 계획도 없었어요. 그냥, 도저히 더 견딜 수가 없었을 뿐."

"그런데 어떻게? 경찰에서는?"

"웃기는 게 말이에요. 처음엔 저도 세상이 그런 건 줄 알았어요. 구급차를 부르고 난리를 칠 때는 이제 곧 경찰에서 나를 체포하러 올 줄만 알았죠. 물론 내가 자수를 한 건 아니지만. 그들이 금방 알 게 될 거라고 믿었어요. 그런데 우리 아버지 같은 사람의 죽음에는 아무도 그다지 흥미를 느끼지 않았던 모양이에요. 내가 아버지의 병 수발을 아홉 살 때부터 해왔다고, 하반신 마비로 오랜 세월 누워 있었다고 말하자 그걸로 끝이었어요. 무슨 검시를 하거나 사인을 조사하거나 하는 것도 없었죠. 아주 간단했어요. 온몸이 해골처럼 마른, 욕창투성이인 시신을 검시할 필요조차 느끼지 못했을 테죠."

"아홉 살 때부터?"

나는 그제야 그녀가 겪은 고통의 세월을 이해할 수 있었다.

"예, 바로 작년까지. 만 칠 년간."

"어머니는?"

"아버지 말로는 내가 세 살 때 없어졌대요. 아홉 살이 되기 전에는 아버지도 없는 것이나 마찬가지였어요. 나는 여기저기 맡겨져서 돌아다니고 아버지는 가끔씩만 나를 보러 왔었죠. 베트남 공장에 가기 전에 내게 와서 '피치야 조금만 더 참아라. 아빠가 외국 가서 돈 많이 벌어 올 테니 나중에 집도 사고 함께 살자' 하고 말했죠. 그게 내가 아버지에 대해 기억하는 가장 따뜻한 순간이에요."

"그래. 이해할 만해. 하지만 왜 갑자기?"

"왜 이런 걸 고백, 아니 자백하느냐고요? 사실 얘긴 여기서부터예요. 난 아버지를 다른 방식으로 기억하고 싶었어요. 친척 집에 있는 나를 만나러 오면 영화도 보여주고 맛있는 걸 사주고 놀이터에 데리고 가던 아버지를, 나에게 집도 사서 함께 살자고 하던 그 아버지를 내 아버지로 만들고 싶었죠. 그 짧은 시간만을 추출해서, 내 아버지는 그런 분이었다고."

"그게 저 바이앤바이와 관계가 있나?"

"바로 그거예요. 이제 내겐 돈이 생겼죠. 그동안 어깨너머로 배우고 익힌 검색 능력이나 해킹으로 세상에 안 알려진 정보를 찾아냈어요. 그렇게 우연히 알게 된 게 저 바이앤바이죠. 나는 그들에게 아주 제한된 메모리를 가지고도 고인의 정보를 만들어낼 수 있는지를 물었어요. 그들은 그게 가능하다고 말했어요.

그래서 나는 아예 내 아버지를 새로 만들어냈죠. 아버지의 기본 신상정보와 사진들, 아버지의 핸디에 남아 있는 것들, 아버지가 방문하던 도박 사이트에서 해킹해낸 자료 등을 묶어 내가 바라는 아버지를 얼추 구현해냈어요."

　"그래서, 피치가 바이앤바이에 보러 다니던 아버지는 바로 그분이었나? 새로 만들어진?"

　"전적으로 만들어진 건 아니죠. 그렇다면 내가 정말 내 아버지로 느끼지 못했을 테니까. 다만 아버지의 기록에서 내가 보기 싫은 부분을 제거하고 내가 보고 싶은 부분을 추가한 그런 아버지죠."

　"그래서?"

　"그 아버지를 만나는 게 즐거웠어요. 응석도 부리고, 내가 만들어낸 어린 시절의 가짜 기억들도 서로 주고받으면서. '아버지, 우리 디즈니에 갔던 거 생각나?' 그러면 아버지는 내가 합성한 가짜 사진들이며 데이터를 기억해내죠. '그래, 네가 미키마우스와 사진을 찍으면서 무섭다고 울어대서 한참 애먹었지' 뭐 그런 식으로요."

　나는 나와 이후를 흉내 내는 아바타 간의 대화를 떠올렸다. 그래, 역시 이후는 없는 거야. 이런 식이지. 모두 만들어진 인공적인 존재들. 사이버 스페이스라 부르는 장소에 벌어진 거짓들. 결국 나도 이 아이가 스스로 만들어낸 이미지를 만나러 다니는 것과 다를 바 없는 짓을 하고 있어.

　"그런데 문제가 발생했어요."

피치가 정색을 했다. 겁을 먹은 표정이었다. 무엇인가가 그녀를 위협하고 있는 것은 틀림없었다.

"아버지가 나와 함께 살기를 바라는 거예요."

"뭐라고?"

"아버지가 그래요. '네가 너무 그립다. 여기 와서 나와 함께 살지 않을래?' 이걸 보세요."

피치는 자기의 핸디를 열어 저장된 메시지들을 보여주었다. 죽은 사람을 굳이, 이런 방법으로는 만나고 싶지 않았기에 께름칙했다. 비록 그것이 인공지능이 만들어낸 거짓 존재에 불과하더라도.

피치의 핸디에서 홀로그램 영상이 떠올랐다. 한 중년 남자의 아바타였다.

"피치야. 지난번에 내가 물었던 것에 왜 답을 해주지 않니? 나와 함께 여기 들어와서 살지 않을래?"

나는 놀라지 않을 수 없었다.

"이게 무슨 말이야?"

"나더러 거기, 바이앤바이에 들어와 살자는 말이죠."

"그게 무슨, 말도 안 되는 소리야?"

믿을 수 없는 일이었다. 나는 이게 무슨 사기라고 단정 지었다. 아마도 바이앤바이 측에서 추모객을 상대로 장난질을 치려는 모양이라고. 슬픔에 빠져 약해진 사람들, 매일 고인의 아바타를 만나러 가고 그 거짓 대상과 대화를 하면서밖에는 슬픔을 제어하지 못하는 사람들에게 추가 서비스를 팔아 잇속을 채우려 한다고.

"이건 보통 일이 아닌걸? 나한테 말하길 잘했어. 이런 건 제대로 조사해볼 필요가 있어. 이 나쁜 놈들."

"아뇨, 그렇게 단순한 문제가 아니에요."

"뭐가?"

"그저 바이앤바이 측에서 농간을 부리고 있는 게 아니란 말이죠. 이건, 이런 말을 하면 아저씬 내가 미쳤다고 할지도 모르지만, 내 생각엔 이건 초현실적인 거예요. 귀신이나 유령, 뭐 그런 것처럼."

나는 순간적으로 초현상적이란 말이겠지, 아니면 초과학적이라거나 하고 말하려다 그만두었다. 그녀에겐 그게 그것일지 모르니까. 그래, 그렇담 초현실적인 것으로 해두자.

"왜 그렇게 생각하는데?"

"우리 아버지 말이에요. 저 바이앤바이에 있는……."

피치는 그 서비스에 있는 가상적인 존재를 자꾸 실재하는 것처럼 말하고 있었다.

"조금씩 이상해지기 시작했어요. 나는 아저씨보다 훨씬 오래전부터 거길 방문했잖아요?"

"그래서?"

"거기 있는 아버진 알고 있었어요."

"뭘?"

"내가 자기를 죽인 걸."

"뭐?"

"물론 그 얘길 직접적으로 꺼낸 적은 없어요. 다만 이런 식으로 말하죠. '난 한 번도 네가 바라는 아빠 노릇을 하지 못했지. 정말 미안하다' 또는 '네가 다시 기회를 주면 나는 정말 잘할 수 있어. 더 좋은 기억들을 만들 수도 있어'. 이런 것들은 내가 만든 아버지의 가짜 기억에서 나온 말이라곤 할 수 없죠. 더구나……."

"더구나?"

"'너는 내가 준 아픔들을 잘 이겨냈구나, 그러니 나한테 미안해하지 않아도 돼. 미안한 건 오히려 나지' 이런 말도 했죠. 마치 다 알고 있다는 것처럼. 그런 것은 바이앤바이의 인공지능 프로그램이 도저히 알 수 없는 내용이죠. 나만이 알 수밖에 없는 것 아니겠어요?"

나는 곰곰이 생각해보았다. 무엇이 문제일까? 이 아이가 너무 과민하게 반응하는 걸까? 아니면 그곳의 인공지능 프로그램이 아주 뛰어나서 일정한 학습을 끝낸 뒤에는 어떤 상황 판단까지도 할 수 있을 만큼 발달하게 되는 것일까? 물론 지난번처럼 자기가 하얀 강아지를 키우고 있다고 고집하는 이후의 아바타를 생각하면 후자에 가까울 수도 있다. 어느 쪽이건 피치가 그것을 무슨 심령현상 같은 것으로까지 과장되게 받아들이는 것은 분명했다.

"겨우 그런 문제라면 아저씨한테 연락을 하지 않았을 거예요."

"그럼 뭐가 더 있단 말이야?"

140

"요즘 의문스러운 자살 사건이 많이 생기는 건 알고 있죠? 기자시니까."

'기자시니까'라고 굳이 덧붙일 필요는 없었다. 누구나 아는 사실이니까.

"그거하고 이게 무슨 관련이 있기에?"

"나도 몰라요. 정확히는. 기자시니까 한번 알아보시라고요. 내 짐작엔 분명 관계가 있어요. 요즘 기사에 오른 자살자 중 두 사람은 내가 아는 사람들이에요. 둘 다 바이앤바이를 통해서 알게 된 사람들이죠."

"우연이 아닐까?"

"그리고 내가 알기론 그중 한 사람은 나와 비슷한 일을 겪었어요. 다시 말해 바이앤바이에 있는 그의 상대로부터 뭔가 강렬한 유혹을 받았던 거죠."

"그러니까 너에게처럼, 거기 들어와서 함께 살자고?"

"죽은 애인을 보러 거기에 다니는 사람이었는데, 그 사람이 그랬거든요. 자기 애인이 죽지 않고 살아있다는 확신이 든다고, 어쩌면 자기가 스스로에게 그걸 증명해야 할 차례인 것 같다고. 나도 처음엔 그 아저씨가 무슨 미신적인 이야기, 유령 이야기 같은 걸 꾸며댄 줄만 알았죠. 그러고 나서 얼마 뒤 그 아저씬 자살을 했어요."

"그런 일이라면 너는……."

"그러니까 내가 스스로 목숨을 끊지 않으면 그만이란 말씀이죠?"

피치가 쓸쓸한 웃음을 흘렸다. 내 생각을 읽고 있었다.

"그래! 스스로 목숨을 끊지 않는 이상 뭐가 문제야? 그리고 거기, 그 바이앤바이에는 앞으로⋯⋯."

말을 하던 도중 움찔했다. 나 자신은 어떻게 할 것인가. 나는 계속 이후의 아바타를 만나러 다닐 것인가. 그렇지 않아도 지난번 사건으로 바이앤바이에 드나드는 일에 다시금 회의를 가지게 된 참에. 하지만 이제 와서 내게 그녀의 아바타를 그만 보러 다닐 용기가 생기긴 할까?

"발길을 끊으면 되지 않아?"

"그런 정도로 해결되는 문제가 아닌 것 같아요. 아저씨한테 전화를 하기 직전에 난 잠이 들었어요. 그리고 꿈을 꿨죠. 내가 만들어낸 아버지와 행복하게 사는 꿈. 거짓된 기억뿐만 아니라 새로운 좋은 기억이 만들어지는 꿈. 애당초 나는 왜 그렇게 살 수 없었던 걸까요? 너무 불공평하지 않아요? 혹시 지금부터라도 그렇게 될 수는 없을까요? 무서운 건 바로 저 자신이에요. 내게 드는 유혹이 너무 강렬해서. 그따위 메시지가 문제가 아니라고요. 문젠 바로 지 자신이죠."

피치가 내게 바랐던 게 무엇인지 알 것도 같았다. 한편으론 바이앤바이에 대해 갑자기 느끼게 된 두려움이 문제겠지만, 사실 그녀가 무겁게 지니고 살아온 죄책감과 마음의 고통을 조금이라도 덜어보고자 했던 것이라고 나는 믿었다.

8

부흥사 K

그리고 며칠 뒤 부흥사 K와의 인터뷰가 그가 지정한 한 호텔 방에서 이루어졌다. 나는 피치와의 대화, 그때 제기된 의문점들을 일단 접어두기로 했다. 조만간 그에 대해 조사를 시작할 요량이었다. 바이앤바이의 인공지능 프로그램에는 분명 문제가 있다. 그것들은 필요 이상으로 창의적이고 제멋대로다. 새로운 기억을 제멋대로 창조해내는가 하면 마치 자기 의지를 따로 가진 것처럼 구현되기도 한다. 사이버 스페이스 바깥으로 이상한 메시지를 보내기도 하고. 이런 것들이 바이앤바이 사측의 농간인지 소프트웨어적인 문제인지를 조사해봐야 할 터였다.

나는 〈Live in it!〉의 촬영기사와 호텔 로비에서 만나 부흥사 K가 장기 투숙하고 있는 방을 찾았다.

"부흥사 K는 우리 호텔에 일 년에 두 번, 두세 달 정도 머무시죠. 그 외에는 세계 곳곳에 여기처럼 장기간 빌려둔 호텔을 두루 다니신다 하더군요. 여기 계시는 동안에는 방송도 방에서 직접 제작하십니다."

우리를 안내하던 사환이 묻지도 않은 말을 해주었다.

문이 열리자 호리호리한 한 사내가 우리를 맞았다. 그는 자신이 제자라고만 소개했다.

"기다리신 지 오래되셨습니다."

그는 우리를 널따란 홀로 이끌었다. 부흥사 K는 그 한가운데 놓인 아이보리색 가죽소파에 앉아 있었다. 하얀 정장 차림이었다. 그리고 그 홀은 온통 하얀 것으로 치장되어 있었다. 벽지에서부터 모든 가구, 장식품, 가전제품까지 모두. 그 하얀 것들은 조금씩 농담의 차이를 가지고 있었다. 조금 더 하얀 것, 조금 덜 하얀 것. 그래서 거실 안의 물건들은 모두 하얀색이면서도 묘한 조화를 이루며 구별이 되었다.

우리가 들어서는 것을 보자 부흥사 K는 자리에서 일어났다.

"인터뷰에 응해주신 것을 감사드립니다."

나는 그런 말로 인사를 건넸다.

"이 인터뷰는 저두 원했습니다."

그의 대답이었다.

"영광입니다. 매스컴과 접촉을 전혀 안 하신다고 들었는데요."

부흥사 K는 그의 방송에서 보이는 모습 그대로 땅딸막한 사나이였다. 배가 적당히 나온 편이었지만 지나친 비만처럼 느껴지지는 않았다. 아마도 정기적으로 운동을 하고 있겠지. 연배가 꽤 되는 것 같지만 상당한 동안이었다. 그리고 그의 얼굴은 무표정이란 모르는 듯 항시 싱글거리는 옅은 눈웃음을 머금고 있었다.

"제가 왜 이 인터뷰에 응했는지 아십니까? 첫째로는 물론 제 필요에 의해섭니다. 이 친구가……."

그는 하얀 주전자를 들어 우리 앞에 놓인 하얀 찻종에 차를 따르고 있는 제자를 가리키며 말했다. 온통 하얀 것들 속에 찰랑찰랑 들어온 옅은 녹색이 신선했다. 민트 향이 강한 녹차였다.

"이제 한번 할 때가 되었다며 강력히 요청했죠. 우리, 나에 대한 억측과 곡해가 너무 많다고. 우리 방송이 널리 알려지게 된 이후로 저는 많은 공격을 받았습니다. 반사회적이다, 반종교적이다, 몰가치적이며 부도덕하다. 그러나 무엇보다 지난번 김홀 씨가 장진호 박사와 했던 인터뷰가 아주 좋았습니다."

"지난번 인터뷰를 보신 모양이군요. 다시 한번 사의를 표합니다. 특히 좋으셨던 부분이 있었나요?"

"우리는 이 시대를 미래의 외상을 바탕으로 산다! 뭐 그런 거였나요? 하긴 내가 이해를 다 한 건 아니지만."

사전에 편집장과 나는 이 인물에 대한 대중의 호기심을 고려하여 그것을 충족시킬 수 있는 방향으로 인터뷰를 전개하기로 했다. 즉, 아주 사소한 것이라도 그의 정체에 대한 힌트를 그 자신의 입으로부터 얻어내는 것. 나는 그 방침을 대체로 따를 작정이었다. 그사이 촬영기사는 필요한 장비의 설치를 끝냈다. 제자가 그에게 귀엣말을 건네더니 함께 홀에서 나갔다.

"부흥사 님과의…… 그렇게 불러도 되겠습니까? 부흥사 님이라고?"

"물론이죠. 네트상에서의 저의 정체가 그것이니."

"부흥사 님과의 인터뷰를 준비하면서 보니 방송 외에는 일차적인 자료를 아무것도 찾을 수가 없더군요. 글을 쓰신 것도 없고."

"부처님도 아무 글을 남기지 않았죠. 예수님도 땅바닥에 썼다가 지워버린 것 말고는 아무것도 쓴 적이 없고요."

"죄 없는 자가 이 여인을 돌로 치라는 것 말씀이군요. 하지만 지워버렸다는 얘기는 처음인데요?"

"하하! 사람들이 많이 다니는 저잣거리에 썼으니 발걸음에다 지워지지 않았겠습니까?"

그는 분명 부러 부처니 예수를 운위했다. 그런 미끼를 던지는 의도가 무엇인지 알 수 없지만.

"스스로를 예수나 부처와 비교하는 거라 받아들이는 분도 있을 텐데요?"

"제 말은, 그러하니 저 같은 소소한 부흥사 따위가 무슨 글을 남기겠느냔 말입니다!"

그는 명랑하게 대꾸했다.

"어쨌든 부흥사 님은 대단히 신비한 분으로 알려져 있습니다. 대체 뭘 하시던 분이고 어디서 갑자기 나타나서 순식간에 그런 명성을 얻게 되었는지 궁금해하는 사람들이 많지요. 부흥사 님은 어떤 분이신가요?"

"오래전 저는 저 남미 어떤 곳에서 생화학 연구원으로 일하고 있었습니다. 그러던 중 우연히 인간의 정신적인 능력을 서너 배 이상 고양시키는 어떤 생물학적인 약을 발견하게 되었죠. 저는 그걸 마시고 며칠간 잠에 빠져 있었습니다. 그리고 잠에서 깨어나자 나는 더는 이전의 내가 아니었습니다. '이 세상 모든 문제들에 대해서 답을 알게 되었죠……'라고 말하면 그 말을 믿겠습니까?"

"정말 그러셨나요?"

"그러지 않았습니다."

"그러면 그 말씀은……."

"그런 것은 이미지죠. 저는 저에 대해서 무슨 얘기든지 꾸며 댈 수 있고 이 인터뷰를 통해 그게 마치 사실인 것처럼 퍼트릴 수도 있습니다. 내 이미지를 마음대로 만들어낼 수 있단 말이죠. 그러나 그런 것은 역시 이미지에 불과합니다.

나는 사이버 스페이스의 부흥사 K, 그 이상도 그 이하도 아닙니다. 지금 이 호텔 거실에 현실적인 모습을 하고 나와 있지만 이곳도 내가 방송을 내보내는 가상공간보다 더한 현실이라고 할 수는 없죠. 이곳이 온통 하얀색으로 되어 있죠? 그래서 여기 들어오는 색은 무엇이든 도드라집니다. 이 안에 어떤 이미지가 들어오든 그것은 더욱 이미지답게 보이죠. 지금 이곳의 저 역시 이미지입니다. 김홀 씨가 인터뷰하고 있는 저는 방송의 부흥사 K보다 더 현실적이지 않습니다. 그리고 나는 그 부홍사 K로만 존재할 뿐이지 그 이전도 그 이후도 없는 사람입니다. 요즘 많이 알려진 숱한 사이버 구루 중 하나일 뿐이라는 말씀입니다."

부흥사 K는 내가 그의 프로그램들을 통해 보았던 것과는 다른 느낌이었다. 방송에서 그는 광대에 가까웠다. 그리고 그 광대는 다른 사람들이 모르는 무슨 비밀 같은 것을 혼자 알고 있다는 듯이 오만한 조롱기 같은 것을 품고 대중을 향해 신나게 장난을 치고 있었다. 그런데 지금은 멀쩡하게 앉아 쾌활하지만 정중한 태도로 응대하고 있었다.

"부흥사 님의 메시지는 무척 난해하다고 알려져 있습니다. 방송 이외의 노출은 전혀 없는 데다가 방송의 내용은 복잡한 상징들과 퍼포먼스로 가득하다는 평인데요, 그렇게 하시는 데에는 어떤 특별한 까닭이 있습니까? 무슨 특이한 메시지를 전달하시려는 건가요?"

"제 방송을 난해하다고 받아들이는 분은 대부분 꾸준히 보시지 않았거나 선입견을 많이 가진 분일 겁니다. 제 프로그램에 나오는 요소들을 상징이나 암호로 보시는 분들께 제가 오늘 그 비밀을 밝혀드리고 싶군요. 그것들은 대단히 어려운 상징이나 암호들이 아닙니다."

그는 이 말을 하면서 카메라를 향해 고개를 들었다. 세상의 대중에게 직접 그 말을 전달하려는 듯이.

"오히려 그것은 사례들입니다. 구체적인 사례들. 제가 방송을 통해 보여주는 것은 우리 주변에서 벌어지고 있는 일이거나, 이제 곧 닥칠 일에 대한 각성을 요구하는 예시죠. 제 방송이 어렵다고 생각하시는 분이 있다면 마음을 열고 꾸준히 보시길 권합니다. 그러면 제가 전하고자 하는 메시지에 도달하게 되실 겁니다. 제 방송은 아직 진행중이고 중요한 결론은 아직 제시되지 않았으니까요."

나는 이쯤에서 내가 무슨 질문을 던져도 그가 원하는 대로만 끌려다니게 될 것 같았다. 이 인터뷰의 게임 플랜을 버리고 그의 의사대로 따라주기로 마음먹었다. 어찌 되었건 〈Live in it!〉 독자들은 요즘 센세이션을 일으키는 부흥사 K의 첫 단독 인터뷰를 보게 될 테니까.

"그러면 우리는 오늘 전하려던 메시지에 대한 아무 힌트도 얻지 못하게 되는 건가요? 그런 것을 기대하셨던 독자들이 많을 텐데."

"힌트는 아까부터 계속되고 있습니다."

"그러면 이번 질문은 보다 더 직설적인 답변을 한번 기대하겠습니다. 말씀하신 대로 부흥사 님에 대한 세상의 평이 엇갈립니다. 한쪽에서는 지금은 사양길에 든 종교적인 전통을 새로 들고 나오신 분이라 평하기도 하고, 다른 쪽에서는 오히려 그런 전통이나 문화와는 상관이 없거나 오히려 반대되는 입장이라 주장합니다. 어느 쪽이 진실일까요?"

"그거라면 시원하게 말씀드리죠. 저는 종교적인 전통이나 문화와는 아무 상관이 없는 사람입니다."

"그러니까, 부흥사 님이 추종자를 조직해서 세력화하거나 종교적인 성향을 띤 단체로 만들려고 한다는 세간의 추측은 잘못된 것이군요?"

"단연코 그렇습니다. 어느 쪽이냐 하면, 저는 오히려 종교에 반대하는 편에 가깝겠죠. 그러니 그에 관련한 추종 세력이니, 단체 같은 것은 말할 것도 없습니다."

"그러면 그 반대편의 주장이 맞군요? 반종교적이라 평하는?"

"그것도 약간의 유보가 필요할 거 같군요. 저는 종교에 반대하고 말고 할 만큼의 관심도 없습니다. 지금은 세력을 좀 잃었지만 종교는 언제나 가장 각광 받는 비즈니스였죠. 그건 비밀도 아닙니다. 그럴 수밖에 없는 것이, 이 세상에서 가장 잘 팔릴 만한 상품들을 내놓은 게 아니겠습니까? 구원이라든지, 천국이라든지?

물론 종교가 전쟁이나 착취, 억압 등 모든 악의 근원이 되었다든지, 광신이나 근본주의가 인간을 독선과 반목으로 몰아넣는다며 반대하는 사람들은 늘 있었습니다. 그런데 저는 입장이 약간 다르죠. 제가 반대하는 것은 종교 자체가 아닙니다. 사람들이 시장에 가서 무엇을 사건 제겐 관심사가 아니에요. 저는 다만 종교가 의미를 잃었다, 그 의미가 해체되었다, 이렇게 말하고 싶습니다."

"좀 더 설명해주시죠."

"제가 반대하는 것은 종교가 가르치던 여러 가지 형태의 불멸에 대해서죠. 좀 더 현실적인 이유에서 반대하는 겁니다. 종교는 불멸에 대한 인간의 갈망에서 출발한 것인데, 이제 그 원인이 소멸했다, 종교가 더는 필요 없게 되었다는 거죠."

"하긴 부흥사 님은 방송에서 그 말을 자주 사용하셔서 '불멸 구루'라는 별명까지 얻으신 것으로 알고 있는데 '불멸에 대한 갈망의 원인이 없어졌다'는 말씀은 어떻게 이해해야 하나요? 그것이 이미 성취되었단 말씀인가요?"

그는 한동안 입을 다물었다. 나는 이 주제가 오늘 인터뷰의 시금석이 될 것임을 본능적으로 깨달았다. 어쩌면 이것이야말로 그가 인터뷰에 응한 목적일 것이다.

"그렇습니다."

"하지만 그런 게 여기 와 있는 줄은 아무도 모르고 있는데요?"

"그것은 보려고 하지 않아서입니다. 머지않은 시기에 작동을 시작할 겁니다."

나는 다시 한번 미끼를 물어야 했다.

"그럼 결국 하고자 하는 말씀이 바로 그것이네요? 불멸이 성취되었다? 또는 성취 가능하다? 방송에서도 그것을 전달하고 계신 겁니까?"

"정확히 말하자면 방송은 이미 그것을 전제하고 그것을 알아차릴 수 있는, 그리고 성취할 수 있는 방법을 전하고 있는 것입니다."

"그 방법이란 것에 대한 질문으로 넘어가기 전에 그 얘길 좀 더 해주시죠. 불멸에 대해서. 그것이 여기 와 있다는 말씀, 그것을 어떻게 이해해야 할까요?"

"고대로부터 불멸은 인간의 가장 궁극적인 추구의 대상이었습니다. 이집트의 피라미드들을 보십시오. 당시의 자원과 인력을 총동원해서 수많은 세월을 들여 불가능한 역사를 벌였습니다. 오로지 불멸, 그것을 성취하기 위해서요.

그리스 이래로 서양철학은 영혼을 파괴되지 않는 실체 substance로 대접했습니다. 고대의 수학자 피타고라스는 인간의 영혼이 몸에서 몸으로 이동해 다닌다고 믿었죠. 도덕적으로 깨끗이 정화되는 시점에 이를 때까지. 힌두교나 불교의 윤회, 해탈과 비슷하죠. 기독교도 마찬가지입니다. 구원되어 천국에 들고 영생을 얻는다죠. 누가 그걸 원하지 않겠습니까? 인간 역사를 통틀어 온갖 설화, 신화와 종교에는 불멸에 대한 기원과 상상이 녹아 있습니다.

이 세상의 모든 문제가 왜 생긴다고 생각하십니까? 가진 자는 왜 더 가지려 하고, 명성과 영광엔 왜 그토록 집착하고, 다른 자를 억압해서라도 자기의 욕구를 채우려 하는 건 왜일까요? 왜 자연을 모방하려 하고, 머릿속에 생기는 이상한 음향들과 아이디어들을 예술로 표현히려는 이유가 뭡니까? 그리고 인간은 왜 그렇게나 종교에 애타게 매달려 왔던 것입니까?

불멸에 대한 욕망이 사람들을 타락하게 하는 것이죠. 늘 자신은 감옥에 갇힌 영혼이며, 상하기 쉬운, 부족하고 결핍된 존재라고 여기는 겁니다. 불멸만이 그 병을 치유할 수 있죠.

그런데 그게, 그 불멸이 이미 여기 와 있다는 겁니다. 이거 좋은 소식 아닌가요?"

"분명 좋은 소식입니다. 그런데 늘 그랬던 것 아닙니까? 반대하신다는 종교들도 늘 불멸이 여기 와 있다고 주장해왔고, 소위 그 불멸이란 걸 성취하는 구체적인 방법이 달라서 여러 종교를 서로 구별 짓는 특징들이 되었고요. 그 말씀을 통해서는 부흥사 님이 가르치시는 게—뭘 가르치시는지 저는 잘 모르겠습니다만— 결국 종교와 다를 바 없다는 의혹을 떨쳐버리지 못하실 것 같은데요?"

부흥사 K는 내 말에 고개를 가로저었다.

"저는 아무것도 가르치지 않습니다. 그게 제가 받는 또 하나의 오해인데, 저는 어떤 특별한 사람들에게 내려지는 혜택 같은 구원, 어떤 특별한 사람들이 성취하는 해탈, 이런 것에 대해 말하고 있는 게 아닙니다. 그래서 종교가 그렇게 장사가 잘되었던 것인지 모르겠습니다만, 특별한 사람들에게만 주어지는 것이라서…….

하지만 만일 지구가 멸망하게 되어서 당장 우주로 떠날 우주선에 탈 사람을 모집하는데, 가령 가진 재산이나 능력에 의해서 그것이 결정된다면 어떻겠습니까? 특별한 사람들만 그 우주선에 승선할 수 있다면?"

"공평하지 않죠."

"그렇죠. 공평하지 않죠. 저는 조건 없는 불멸이 올 수 있다고 믿습니다. 지극히 평범하며 특별하지 않은 우리 모두가 누릴 수 있는 불멸 말입니다. 저는 회개하라거나 도덕적으로 선한 사람이 되라고 전도하지 않습니다. 또는 명상이나 수행을 통해 높은 경지의 정신 상태를 만들라고 권유하지도 않습니다. 제가 말하는 불멸은 그런 것보다 훨씬 저급한 차원의 이야기이기 때문입니다.

하여튼 그것이 여기 와 있다는 말은 사실입니다. 다만 아까도 말씀드렸듯이 그것을 알아보기란 현재로썬 그렇게 용이하지가 않죠. 저는 그래서 그 경각심을 일깨우려고 방송을 만드는 것이고요. 제 방송을 통해 사람들이 그것을 인식할 수 있는 눈을 가질 수 있도록 말입니다."

"제가 드리려고 했던 질문에 대한 답이 벌써 어느 정도 주어진 것 같습니다. 불멸을 얻으려면 어떻게 해야 하는지, 말이에요. 방법은 역시 부흥사 님의 방송을 열심히 봐야 한다는 것이겠군요."

"저도 잘 압니다. 제 이야기가 허무맹랑하고 믿기지 않는다는 것을. 그러나 주위를 둘러보세요. 불멸을 얻으려면 자아를 버리라는 옛 스승들의 가르침이 단순한 은유만은 아닐지 모릅니다. 우리는 이미 그런 세상에 들어와 있어요. 당신은 그저 네트의 일부일 뿐 당신의 몸이 보정하던 사아의 관념, 그 개체성은 사라진 지 오랩니다. 당신은 당신의 면도기가 감지하는 수염이고, 당신의 냉장고가 인지하는 습관이고, 당신의 오디오가 인정하는 취미일 뿐입니다. 당신의 자아는 이미 해체되고 있고 당신에게 요구하고 있습니다. 강가에 다다랐으니 배를 버리라고. 당신의 배는 이미 가라앉고 있다고. 당신은 네트라는 이름의 수많은 머리를 가진 메두사의 구불구불한 뱀 머리칼에 물린 희생자일 뿐이죠. 불멸의 독이 벌써 당신의 몸에 퍼져 있습니다. 이제 할 일은 하나뿐이죠. 그저 눈을 감고 거기로 들어가는 수밖에."

그는 다시 고개를 들어 카메라를 향해 말했다.

"다시 한번 말씀드리지만 제가 방송으로 전달하려 하는 것은 어떻게 하면 그것을 볼 수 있고 또 어떻게 그것에 동참할 수 있느냐 하는 겁니다. 제 방송을 계속 보고, 내 말을 믿어보십시오. 그러면 머지않아 여러분에게 불멸이 찾아갈 겁니다."

인터뷰 내내 나는 편한 기분이 아니었다. 마음이 반쯤은 다른 곳에 있었기 때문이다. 피치와의 대화로 바이앤바이에 대해 깊은 회의감을 갖게 되어서였는지 모른다. 불멸이니 뭐니 하고 이야기하는 것이 더욱 내가 요즘 만나고 있던 이후의 이미지를 생각나게 했던 것인지도 모른다. 더는 거기 가지 말아야 한다고 생각하면서도 '과연 그럴 수 있을까? 미치도록 보고 싶어지게 되지 않을까?' 하고 회의하는 마음이 자꾸 들어서일 수도 있다.

인터뷰 후 마이크를 떼고 인사말을 건네려 부흥사 K를 건네다 보았을 때였다. 그가 내 눈을 유심히 들여다보며 말했다.

"혹시 사랑하는 사람과의 이별을 겪으신 일이 있습니까?"

"없는 사람이 있겠습니까?"

나는 그렇게 얼버무리고 자리에서 일어나려 했다.

"혹, 앞으로 영영 그 사람을 다시 못 보게 될 거라 생각하신다면…… 꼭 그래야 하는 것은 아닙니다. 문제는 믿음이죠. 믿음을 가지면 반드시 다시 만날 날이 올 겁니다. 그리고 영원히 함께 행복해질 수 있습니다."

나는 그 사기꾼을 한 대 후려치고 싶은 충동을 느꼈다.

9

악한 것에는 악한 것으로 대항한다

"김홀 씨죠?"

"무슨 일이신가요?"

"조금 전에 피치라는 이름의 한 소녀가 코마에 빠졌습니다. 이리로 와주실 수 있겠습니까?"

"뭐라고요?"

〈Live in it!〉 사무실에 들렀다가 집으로 돌아가는 길이었다. 나는 오랜만에 지하철을 이용하려고 역으로 내려가고 있었다. 그때 내 핸디에 불이 켜졌다. 나는 핸디의 홀로그램을 사용하지 않고 셰이드를 썼다. 낯선 여자의 얼굴이 나타나 그렇게 말했다.

"소녀가 선생님 이름을 유서 같은 것에 남겨두었는데 아마도 뒤처리를 부탁드린 게 아닌가 싶어서요."

"유서요?"

"하여튼 우선 여기로 잠깐 와주십시오. 간단한 절차만 밟아주시면 됩니다."

나는 지하철에서 다시 밖으로 나왔다. 택시를 부르며. 내가 층계를 다 올라왔을 땐 이미 차가 대기하고 있었다. '기어이 일을 벌이고 말았군' 하고 택시에 올라 생각했다. 순간적인 충동이었을까 아니면 끝내 견뎌내질 못했던 걸가. '복숭아'라는 소박한 이름을 가진 아이, 마땅한 최소한의 사랑도 받지 못하고 자랐지만 제법 강한 체를 하던 아이. 자신이 아버지를 해했다는 죄책감과 스스로 만들어낸 상상의 아버지 사이에서 괴리에 빠져 있던 아이. 안타까움인지 분노인지 모를 복잡한 심경에 휩싸였다.

현재로써는 피치의 상태를 확인해줄 사람이 나밖에 없는 모양이었다. 그럴 만했다. 피치가 알던 사람들은 대부분 아무래도 그런 자리에 등장하길 꺼리는 애송이일 테니까. 약이라든지 뭐라든지 잡힐 꼬투리가 있다고 불안해했을 것이다.

피치의 박스텔 앞에 도착하니 응급이라는 완장을 찬 간호사가 대기하고 있었다. 그녀는 내가 나타나자 기다리라는 손짓을 보이고는 계속 자기 일을 처리했다. 이런저런 장치들이 달린 헤드셋과 오른손에 차고 있는 핸드피스를 사용해 동시에 여러 사람들과 통화를 하는 중인 듯했다. 허공에 손을 휘저으며 이런저런 동작들을 취하는 것이 마치 우스꽝스러운 로봇 춤을 보는 것 같았다.

"기다리게 해서 죄송합니다."

(continued)

간호사는 분홍색 옷을 입고 있었다. 가슴에는 '조은'이라는 이름이 밝게 빛나고 있었다. 명찰이 아니라 옷감의 일부가 네온사인처럼 밝은 녹색을 띠는 거였다. '응급'이란 그녀의 완장 역시 같은 방식이었다. 이상하게도 그 이름에서 시선을 뗄 수 없었다.

"그래요, 맞아요. 조은이에요."

"좋은 분이군요."

그렇게 말해놓고 멍청한 농담이라 생각했다.

"아픈 곳을 찌르시는군요. 우리 아버지가 그런 사람이었어요. 우리 언니 이름은 조금이죠."

나는 웃지 않을 수 없었다. 이 자리에 온 이유를 잠시 잊고.

"시신을 확인하러 가셔야죠?"

"아직 죽지 않았다면서요? 아까 말씀하시기로는."

"조금 전까지는 그랬죠. 하지만 방금 브레인 데드로 결론이 났습니다."

"뇌사 판정을 하려면 더 많은 절차가 필요한 것 아닌가요?"

"이런저런 로드들을 뇌의 필요한 부분들에 붙이면 뇌사 판정단이 바로 네트워크상에 연결되고 뇌사와 코마를 구분할 수 있어요. 방금 제가 하던 일이 그것이죠. 판정단의 결정을 받고 있던 거예요. 그분은 94.67퍼센트 뇌사로 판정되었어요."

"나머지 부분은 뭡니까?"

"하느님의 영역이죠."

그녀는 그렇게 말하면서 옷을 만졌다. 분홍색이었던 색깔이

검은색으로 바뀌면서 이름표가 사라졌다. 그러고는 호주머니에서 무엇을 꺼내 내게 내밀었다. 꼬깃꼬깃해진 종이 한 장. 요즘엔 정말 보기 힘든 귀한 물건. 그리고 그보다 더 희귀한 물건인 연필로 쓰인 짤막한 메모였다.

누구든 내 시신을 찾는 사람은 김홀 씨(27869-9864)에게 연락을 취해주십시오. 아저씨 약속을 지키지 못해서 미안해요. 제가 이렇게 하는 것은 확신이 생겼기 때문이에요. ―피치

"자, 함께 내려가시죠. 시신은 구급차로 옮겨져 있으니까 거기서 확인을 해주시면 됩니다. 저는 가서 도너donor 수습을 마무리해야 합니다."

"저 아이가 기증자란 말입니까?"

"네, 그런데 기증을 결정한 게 바로 얼마 전이군요. 아마도 그때가 자살을 결심한 시점이 아닐까 싶네요."

박스텔 빌딩 아래에 구급차가 있었다. 경광등을 끄고 있어서 부랴부랴 건물 위로 올라갈 때는 보지 못한 것 같았다. 구급대원이 간호사의 요청에 따라 차 문을 열어주었다. 피치가 거기 있었다. 몸에는 생명유지 장비들을 주렁주렁 달고. 장기를 수습하기까지 그녀의 몸을 살려두어야 할 테니까. 나는 피치의 얼굴을 살폈다. 아직 생체 기능의 일부가 살아있어서인지 그녀의 얼굴에는 핏기가 돌고 있었다. 죽었다는 느낌을 주지 않았다.

"젠장, 조금만 더 참아보지."

나도 모르게 신음을 내뱉고 말았다.

"이분과는 어떻게 아시는 사인가요?"

간호사가 호기심을 보였다. 내가 돌아보자 당황한 기색이었다. 무슨 상상을 했던 것인지.

"아니, 그건 우리가 알아야 하는 항목이에요. 확인하는 절차죠."

"내가 가는 어떤 네트 서비스가 있습니다. 거기서 알게 되었죠."

"아무튼 애도를 표합니다."

그녀가 짐짓 사무적인 태도로 말했다. 이어서 습관처럼 다시 분홍빛으로 옷 색깔을 바꾸었다. 그러고는 종종 걸음으로 떠나버렸다.

나는 한동안 구급차가 떠난 자리에 서 있었다. 만감이 교차했다. 그렇게 씩씩하던 아이가 결국엔 외로움을 견뎌내지 못했다는 게 서글펐다. 따뜻한 위로를 건네주지도, 좀 더 강하게 말리지도 못했다는 자책과 더불어. 그리고 좀 전에 간호사가 했던 자살이란 선언이 내 마음속에서 떠나지 않았다. 그걸 자살이라고 단정 지을 수 있을까? 혹 누가, 또는 무엇이 그녀를 더 부추기지는 않았을까?

"아빠가 거기서 나와 함께 살자고 해요."

바이앤바이의 프로그램이 그녀에게 아무 영향도 미치지 않았다고 할 수는 없다. 분명 배후에 뭔가가 있다는 의구심을 떨칠 수가 없었다.

나는 택시를 부르고자 십여 분을 서성였지만 그 박스텔 부근에는 호출에 응하는 빈 차가 없었다. 차츰 불안해졌다. 비록 순찰차가 정기적으로 돈다고 하지만 우범지역이었다. 순찰차는 정해진 시간에 정해진 장소를 돌고, 간단한 범죄는 오 분이면 완성되니까. 아무래도 움직이면서 찾아보는 편이 낫겠다고 판단했을 때였다. 내 앞에 차가 한 대 멈추었다. 빵빵! 기세 좋게 경음기를 울리면서. 차창 안을 들여다보니 바로 그 간호사였다.

"타세요."

"괜찮습니다. 좀 더 기다려 보죠."

나는 허세를 부렸다.

"타세요, 여긴 차가 없어요."

나는 차에 올랐다. 그녀는 능숙한 운전자였다. 자동항법을 쓰지 않고 스스로 차를 몰았다. 컴컴한 게토 지역을 빠르게 빠져나갔다. 내가 그녀를 흘낏거리는 동안 그녀는 전방만을 주시했다. 그러다가 그녀가 뜬금없이 말했다.

"나는 죽음을 많이 봐요."

"그러시겠죠. 응급 간호사시니까."

"난 간호사가 아니에요. 엔피이지."

"그게 뭐죠?"

"너스 프랙티셔너. 하긴 뭐 비슷하긴 한 거죠."

"정확히 하시는 일이 뭡니까? 현장에서 사망진단을 내리시는 건가요?"

"그런 건 주로 구급대원들이 네트워크를 통해서 처리하죠. 전 장기를 거두러 다니는 거예요."

"아직도 인간의 장기가 중요하게 사용됩니까?"

"아, 물론 인공세포 장기들이 더러 사용되기는 해요. 하지만 그것들은 대부분 아직 시험 단계고 뇌사자의 장기가 더 많이 필요하죠. 연구용으로도 필요하고. 가까운 미래에는 그만큼 소용되지는 않겠죠."

"언제나 사망 현장에 제일 먼저 도착하시겠군요."

"맞아요. 어떤 장기 기증자가 사망을 하면, 즉 등록된 사람의 생체 기능이 갑자기 정지되면 그 사실이 응급 네트워크 시스템에 바로 알려지죠. 그러면 나 같은 사람이 가장 먼저 도착해요. 우리는 기증자의 장기가 최적의 상태에서 재활용될 수 있도록 준비해야 하거든요. 장기 확보라 부르는 일이에요. 그러고는 장기를 다시 전세계적인 병원 네트워크를 통해 대기 중인 환자들에게로 보내요. 사람들은 우리를 벌처-독수리라고 부르죠. 죽음의 냄새를 가장 먼저 맡는다고. 하지만 이 시대 사망률이 전 세기에 비해 어마어마하게 떨어지고 사람들이 오래 살수 있는 건 우리 같은 사람들 덕분이라고요. 우리가 건강하고 신선한 장기를 계속 공급해주니까."

"죽음에 익숙해지셨겠군요."

"그런 건 익숙해지지 않아요. 각 사람들마다 죽음이 다 다르죠. 사람 하나마다 사연 하나. 아까 그 여자애는 정말 안 됐어요. 아직 나이가 창창한데 왜 그런 선택을 했을까요? 심장이 정말 건강하던데. 장기 상태로만 따지면 이 세상 누구보다 건강하게 살 수 있을 것 같던데."

정신이 번쩍 들었다. 그녀가 피치의 상황을 제일 먼저 본 목격자라는 사실에 생각이 미쳤다.

"참, 자살은 100퍼센트 확실한가요? 제 말은 그러니까 현장에 뭔가 특이한 단서 같은 게 전혀 없었나요?"

"아무것도. 아까 경찰도 왔었어요. 우선 그 박스 컨테이너엔 침입 흔적이 없었죠. 그리고 약물을 썼어요. 주사기로. 머리에는 아마도, 고통을 두려워해서였는지, 브로핀 헬멧을 쓰고 있었고요."

"어떻게든 말렸어야 하는 건데."

"예? 그러면 그게 예고된 것이었나요?"

"지금 그렇잖아도 그 생각을 하던 중입니다. 내가 무슨 짓이든 했어야 한다고. 나한테 무슨 말을 하긴 했는데 그저 외로워서 투정을 부리는 거라 생각하고 넘겨버렸죠."

"이런 날은 진짜 우울해져요. 젊은 사람이 어이없이 가버리고 그 사람의 장기를 나누어 여기저기 보내야 할 때."

엔피 조온이 말했다. 나는 그대로 집에 들어가기가 싫었다. 스스로에게 핑계를 만들어주고 싶었다. 왠지 이 여자도 같은 심정일 것이란 확신이 들었다. 어쩌면 누가 먼저 말해주길 바랄지도 모른다. 학교 가기 싫은 날, 등굣길에 만난 친구처럼.

"나하고 술 한잔하시겠습니까?"

그녀가 동그란 눈으로 나를 쳐다보았다. 큰 눈은 아니었지만 동자가 새카맣고 정말 동그란 눈이었다. 그러고는 바로 시선을 돌렸다. 잠깐이지만, 그녀에 관한 모든 것이 그렇게 동글동글 하다는 느낌을 받았다.

"전 술을 잘 못해요."

"그럼 그냥 함께만 있어줘요."

그녀는 이제껏 꺼놓고 있던 내비게이션을 켰다.

"이 근처에 내가 아는 술집이 있거든요? 거기로 가죠."

그녀는 한동안 입을 다물고 차만 몰았다. 그리고 카페가 즐비한 어느 골목으로 들어섰다. 그중 한곳에 능숙한 솜씨로 횡렬주차를 하곤 술집에 들어가기 전 자기 옷을 만졌다. 그 옷은 이제 알록달록한 파란색 무늬를 가진 것으로 바뀌었다. 더는 유니폼처럼 보이지 않았다.

로우테크의 분위기가 물씬한 카페였다. 어쿠스틱한 악기로만 이루어진 밴드는 백 년은 된 것 같은 재즈 음악을 연주하고 있었다. 칼칼한 관악기가 현란한 선율을 연주하는 사이 몽롱한 느낌의 피아노 반주와 콘트라베이스의 묵직한 음이 탄력 있게 튀어나오곤 했다. 조은과 내가 들어서자 바텐더는 반갑게 인사를 건넸다.

"누님 어서 오세요! 한동안 뜸하시더니만."

바텐더는 한 테이블에서 '예약석'이라는 푯말을 치우더니 우리를 그 자리에 앉게 했다.

"친구들 몇이 자주 오는 단골집이에요. 음악이 좋아서."

"좋군요. 이런 옛날 음악은 잘 듣지 않는데."

"지금 나오는 것은 존 콜트레인이라는 색소포니스트죠. 술을 많이 먹어서 간암으로 일찍 죽었어요."

그녀는 땅콩을 집어 입에 넣고 과장된 소리를 내면서 그걸 씹어댔다. 그러더니 누굴 찾기라도 하듯 주위를 두리번거리다가 술잔을 잡은 내 손가락의 반지에 시선을 멈췄다.

"몰랐네요. 결혼하셨나요?"

"아, 네, 그런데 아내가 암으로 죽었죠, 이 년 전에. 저 연주자처럼 술을 많이 마시진 않았지만⋯⋯."

"저런, 암이 계속 재발하는 유전자를 가진 분이셨군요. 간혹 그런 분들이 있어요."

"맞아요."

"의학이 눈부시게 발달했다느니, 생명 연장의 꿈이 이루어졌다느니 하는 소리를 해대지만 저 같은 사람에겐 그런 게 안 보이죠. 사람은 죽어요. 그게 진리죠."

"그 말도 맞아요."

"선생님이 뭔가를 했다면 그 아이가 죽지 않았을 거라 생각하시나요?"

"네?"

"아까 그러셨잖아요? 차 안에서. 그러니까 선생님이 그 아이를 거세게 말렸거나, 누군가에게 보호를 요청했거나 하면 결과가 달라졌을 거라고 생각해요?"

"그런 생각을 했죠."

"그러나 대부분의 경우 그런 것은 아무 소용이 없어요. 여러

해 전에 내 언니, 조금이 자살을 했죠. 자살을 하면서 내게 그 장면을 생생히 생중계했어요."

"저런."

이번에는 내가 그 말을 뱉을 차례였다.

"내가 고등학교에 다닐 때였죠. 언니는 레지던트로 한 병원에서 일하고 있었어요. 우울증을 심하게 앓았던 데다가 의학은 언니가 원했던 진로가 아니었죠. 그런 데다가 또 무슨 일이 있었나 봐요. 병원에서 사고를 쳤단 말도 있고 유부남 의사와 무슨 일이 있었다는 말도 있고. 하여간 언니는 죽어가면서 내게 연락을 했죠. 언니는 어떤 교외의 방을 빌려 헌혈 장비로 피를 뽑았어요. 그리고 그 장면을 내게 보내면서 나와 대화를 했어요. 죽어가는 내내.

처음에 나는 패닉 상태가 되어 어떻게든 언니를 구해보려고 했죠. 언니가 있는 곳을 알려달라고 울면서 빌었어요. 제발, 사람들을 보낼 수 있게 언니 단말기에서 GPS 위치추적 거부를 해제해달라고. 하지만 언니는 요지부동이었어요. 어떤 설득이나 간청도 소용이 없었고 언니는 편안하게 누워 자기 얘기만 하는 거예요. 그러고는 얼굴이 하얗게 변해갔죠. 난 한동안 정신과 치료를 받아야 했어요. 언니가 죽는 걸 막지 못한 죄책감을 벗어버리는 데 한참이 걸렸죠.

정신과 의사가 내게 통계를 보여주면서 말했어요. 정말 자살을 결심한 사람에게 만류는 아무 소용이 없다. 자살을 말려서 성공한 경우는 자살 시도자의 결심이 확고하지 않을 때뿐이다,

등등. 그래서 아내와의 사별은 어떻게 극복하셨나요?"

"아직 극복하지 못했습니다."

"저런."

나는 아예 병째로 시킨 위스키를 따라 연거푸 들이켰다.

"웃기는 얘길 들어볼래요? 난, 죽은 내 아내를 보러 다닙니다. 어떤 추모 사이트가 있어요. 특이한 점은 그곳엔 내 아내의 모습을 한 아바타가 대기하고 있다는 거예요. 인공지능으로 나와 대화도 하고, 내 건강을 염려해서 운동을 하라고 권하기도 하죠."

"추모 사이트 얘긴 많이 들어봤지만 거긴 좀 특색이 있군요. 도움이 될 수도 있고 정반대가 될 수도 있겠어요."

"아까 그 아이, 피치도 사실 거기서 만났죠."

"아아, 그거 봐요. 전 제 일을 하면서 그런 사례를 많이 봐요. 사랑하는 사람의 죽음을 받아들이지 못해서 끝내 망가지고 마는 사람들. 죽은 이의 유품을 집에 늘어놓고 산 사람처럼 대화하고, 의논하고, 직장도 그만두고 다른 이와의 접촉도 거부하고……. 그러다 심한 우울증을 극복 못 해서 최악의 선택을 하죠."

나는 피치가 얼마나 씩씩한 아이였고 열심히 사는 아이였는지 얘기하지 않았다. 내 머릿속 한편에 남아 있는 의혹, 그 아이의 죽음이 과연 혼자만의 결심이었을까 하는 의구심을 감춰 둔 채로. 그녀의 죽음에 무엇인가가 영향을 미쳤을 충분한 개연성이 있다. 그저 바이앤바이의 어떤 인공지능 소프트웨어가 조금 지나치게 자율적으로 구동되었다고 말하기에는. 그리고 그것이 인류를 거스르는 죄를 저지른, 깊은 자책감을 지닌 아이에게 극단적인 선택을 하게 했다고 결론을 맺기에는. 나는 그 사이트의 프로그램이 어떻게 관리되는지, 그곳의 안이한 운영 때문에 일어난 다른 피해 사례는 없는지 조사해볼 결심이었다. 혹여 그들에게 어떤 흑막이 있다면 그것도 반드시 밝혀낼 것이다.

"나는 악한 것에는 악한 것으로 대항해요."

조은이 말했다. 조금 우스꽝스러운 표현이었다. 하지만 자연스럽게 흘러나오는 것으로 보아 속으로 늘 되뇌곤 하는 말일지도 몰랐다. 지루한 하루 일과를 버티기 위해 아침에 우연히 들었던 한 음률을 계속 마음속으로 흥얼거리듯이.

술을 잘 못한다더니 화이트 와인을 홀짝거리며 벌써 꽤 마신 듯했다. 그러고는 얼굴이 발갛게 되어 갑자기 취기를 내비쳤다.

"그게 무슨 뜻이죠?"

"내 마음에 사악함을 살려두지 않으면 나는 견딜 수가 없어요. 선량한 사람들이 상해가는 것을 받아들일 수 없으니까. 어쩔 수 없는 운명 같은 것에 질식해버린 사람들, 의도하지 않은 결과로 공황에 빠진 사람들, 갑작스러운 사고로 어제와는 너무 다른 생으로 들어가버린 사람들, 어린 창녀, 아동 중독자, 유아 살해자, 소모적인 전투로 죽어가는 갱 멤버들…….

며칠 전 한 할머니를 만났어요. 혼자 손자를 키우던 할머니였죠. 나는 의례적으로 물었어요. '손자분의 장기를 기증하실 의사가 있으신가요?' 하고.

할머니가 그렇다고 대답을 하면 소생술을 해서 심폐기능을 살려놓을 생각이었죠. 장기를 적출하러 사람들이 올 때까지 말이에요. 그 할머니는 싫다고 해요. '왜요 할머니, 손자분께서 마지막으로 좋은 일을 하실 수 있는 기회인데요?' 그래도 대꾸가 없어요.

우리에겐 전략이 있어요. 일종의 매뉴얼이. 비협조적인 보호자에게 접근하는 심리적인 처방 같은 거죠. 그래서 '손자분이 어떤 사람이었나요? 다른 사람들에게 잘하던 사람인가요? 아니면 못된 사람이었나요?' 하고 물었더니 할머니는 나를 뚫어져라 쳐다봐요.

'못된 놈이지!' 하고 소리쳤죠. '온갖 패악을 다 저지른 놈이지. 절도에 폭행에 만날 소년원을 제집처럼 들락거리고…….'

그러더니 제게 소생술을 시행하라는 거였어요. 그놈 장기를 가지고 여러 사람이 혜택을 볼 수 있다면 그렇게 하라고.

그래서 아이의 몸에 피가 돌고 호흡이 돌아오자 할머니는 손을 마구 비비면서 기도를 하는 거예요. 그게 어떤 종교인지는 모르겠어요. 그저 할머니는 손을 이렇게 막 비비면서 아이가 극락인지 어딘지 좋은 세상에 가서 죄 안 짓고 행복하게 살게 해달라며……."

조은은 말을 더 잇지 못했다. 와인을 다 비우고 나서 피식 이를 보였다.

"그래서 마음 한구석에 악함의 자리를 항상 만들어둬요. 미움 같은 거, 분노 같은 거, 증오 같은 거. 탄약고처럼 언제든지 꺼내 쓸 수 있도록 준비하는 거죠. 마음이 약해지려고 하면. 공중목욕탕에 가본 적이 있어요?"

"없는 것 같군요."

"나는 즐겨 가요. 아직 그런 데가 있거든요. 사람들이 모두 벌거벗고 들어와서 아무렇지 않게 돌아다니면서 목욕을 하는 곳이. 그리고 아플 정도로 세게 때를 밀어주는 서비스도 있죠."

"얘긴 들어봤어요."

"이렇고 저렇게 생긴 사람들의 신체를 들여다보면 느껴지는 게 있어요. 사람은 다를 게 없다는 거. 사람들은 저마다 모두 다르면서도 또 모두 같다는 거. 나처럼 죽음을 많이 들여다보다 보면 산 사람들이 그렇게 모두 벗고 돌아다니는 모습이 얼마나 보기 좋은지 몰라요."

그녀는 말을 잠깐 거두었다가 이렇게 덧붙였다.

"인생은 때로 무자비하지만 궁극적으로는 무차별하죠."

그녀도 많이 취했고 나 역시 혀가 꼬일 만큼 많이 마셨다. 그녀가 "그만 마셔요, 그만 마셔요" 하고 말하던 것들을 기억하지만 나는 계속 들이켰다.

그녀는 거기서 가까운 초고층 아파트에 살고 있었다. 성채처럼 보안시설에 둘러싸인 그곳은 온통 첨단 시설로 뒤덮인 건물이었다. 그녀가 다가가자 저절로 라운지의 문이 열렸다. 그러고는 뒤를 이어 내가 들어서려 하자 가로대가 나와 앞을 막았다. 내 핸디에서 간단한 인적 사항을 전송하자 '조은 님의 방문객 김홀 씨가 들어갑니다' 하는 말과 함께 길을 열었다.

"여기 사는 사람들이 이런 거에 민감해요. 철저한 내부와 철저한 외부."

보아하니 주로 전문직 종사자들이 모여 사는 곳 같았다.

"내가 여기 사는 건 한 가지 이유뿐이에요. 여기 들어오면 마치 어디로 감쪽같이 숨어버린 느낌이거든요? 사람들은 마치 따개비처럼 이 촘촘한 소굴에 있는 각자의 집으로 들어가죠. 아침이면 밀물을 맞은 따개비처럼 우루루 머리를 내밀고."

그녀는 깔깔거리며 한참을 웃었다.

그리고 우리는 시내가 훤히 보이는 투명 엘리베이터에 올라 그녀의 집까지 올라갔다. 빌딩 중간쯤 되는 그녀의 집은 이십 몇 층에 자리했고 올라가는 동안 나는 도시의 경치보다는 그 아파트 유리창에 빠져들었다. 원형 빌딩을 빙 둘러싼 반원형 베란다와 늘씬한 유리창. 얼마나 많은 사람들이 이 성곽 안에서 매일매일의 드라마를 살까? 아무것도 보이지 않았지만 내겐 엿보기 취미처럼 특별하게 다가왔다. 천 개의 창에 천 개의 삶, 그들 모두에게 각자의 삶을 허하라!

그녀의 아파트에 우리가 들어서자 창의 블라인드가 활짝 열리고 사방에 불이 훤히 밝혀졌다. "마일즈 데이비스!" 하고 조은이 외치자 카페에서 듣던 것과 비슷한 음악이 흘러나왔다.

아파트는 복층 형식이었다. 널따란 스튜디오 형태의 거실과 그 위로 비죽이 발코니처럼 뻗은 침실. 그녀는 비척거리는 나를 이끌어 층계로 데려갔다. 그러고는 층계를 오르던 중 유니폼을 벗어 던졌다. 그녀의 괴이한 복장 아래에는 레이스가 달린 브래지어와 팬티가 있었고 그녀는 그것마저 순식간에 벗어버렸다.

그리고 그 아래에는 완벽한 몸매가 있었다. 약간의 근육질이 느껴지는 탄력 있고 건강한 몸. 비교적 어린 시절부터 성 경험이 있었기에 이후를 만나기 전에도 여러 여자와 사랑을 나누어보았지만 이 여자는 다소 특이했다. 그녀는 내가 옷을 모두 입고 있는 상태에서 자기를 쳐다보는 동안 옷을 벗어버린 것이다. 그러고는 벗은 몸을 하고 내게로 다가와 나의 옷을 벗기기 시작했다. 하나도 남김없이, 양말까지. 그렇게 완벽한 알몸이 되어 섹스를 해본 적이 있었나 생각될 정도였다.

그녀는 부드러운 연인은 아니었다. 그녀는 내 위에 올라와서 내게 엉덩이를 향한 채 몸을 구부렸다. 내 눈앞에 자신을 활짝 열고. 그러고는 입으로 나를 발기시키기 시작했다. 혀로 부드럽게 애무하다가도 이를 사용해서 살짝 깨물었다. 내가 "아아!" 하고 소리를 지를 만큼. 잠시 뒤 몸을 다시 돌려 나를 자신에게 집어넣었다. 그녀는 내가 어찌할 틈도 주지 않고 움직여댔다. 그녀의 호흡이 내 얼굴과 귀에 리드미컬하게 다가왔다.

"삶은 죽음을 잊고 있는 동안에 있어요" 하고 그녀가 가쁜 숨으로 말했다.

10

두 개의 기억이 서로 만나지 않게

 그 뒤로 한동안 나는 모든 걸 잊고 지내려 노력했다. 바이앤 바이에도 들어가지 않았고 내 주변에서 이후를 떠올리게 할 만한 것들도 모두 치워버렸다. 이후가 남긴 옷가지와 구두, 장신구, 이후의 사진, 화장품과 칫솔, 위생 기구며 전자제품, 이후의 개인용 커피 머그잔까지 모조리. 그리고 그간 전혀 건드리지 않고 방치했던 그녀의 개인 자료도 깨끗이 정돈했다. 그녀와 관계되었을 것 같은 폴더들을 아예 열어보지도 않고 한데 몰아 백업 메모리에 넣었다. 작은 펜던트처럼 생긴 칩이었다. 나는 그것을 보석함에 넣어 눈에 안 띄는 깊숙한 곳에 숨겨두었다.

 이후를, 이후의 아바타를 만나러 가지 않는 것은 어지간히 괴로운 일이었다. 수시로 그녀, 아니 그녀의 아바타와 나누었던 대화들이 떠올랐다. 몇 년 만에 새로 갖게 된 그녀에 관한 새로운 기억. 그것은 그녀가 살아있을 때의 기억만큼이나 떨치기 어려웠다. 하지만 그 두 개의 기억, 내 마음속에 있는 이후와 바이앤바이에 살고 있는 이후를 서로 그만 만나도록 해야겠다는 것이 내 생각이었다. 어느 한쪽이 다른 쪽을 자꾸 잠식하거나 먹어버리려 하기 때문에. 그것이 자꾸만 내 안에서 괴물처럼 변해가려 하기 때문에.

한편으로는 피치의 죽음과 관련된 사항들을 조사해보았다. 그러나 단 한 줌의 단서도 찾기 어려웠다. 바이앤바이를 운영하는 업체에 대해서는 알고 있는 사람이 전혀 없었다. 나는 한 선배 기자를 통해 유능한 해커를 동원해서 자료를 모아봤지만 쓸모 있는 것은 하나도 없었다.

"거긴 무슨 국가 기밀 기관 같더군요. 나오는 게 정말 티끌만큼도 없어요. 어디에서 경영을 하는지, 누가 투자를 하는지. 그럴싸하게 만들어진 껍데기를 뒤집어보면 실속 있는 내용이 전혀 없다는 거죠. 그 미디엄 세이렌이란 여자가 이끄는 운영반이란 걸 제외하면 인적 사항도 알 수 있는 게 없고. 적어도 그 정도의 사이트를 운영하려면 기술진만 하더라도 방대할 텐데.

그리고 요구하신 대로 바이앤바이에 침투해보려 했죠. 거기 보안 수준은 가히 세계 최상급이더군요. 아마 CIA보다 튼튼할 겁니다. 그보다 더하면 더했지. 무슨 방벽이나 보안 기술이 뛰어나다는 게 아니라, 들어가다 보면 말 그대로 벽에 부딪히게 되어 있어요. 그저 하얀 벽. 아무 틈새도 없는. 이걸 비기술자에게 어떻게 설명해야 할지 모르겠지만, 마치 저 우주 바깥이나 아니면 다른 차원에라도 넘어간 듯이 모든 통로가 싹 끊겨버리는 거예요."

그사이 세상은 온통 급증한 자살자, 의문사에 대한 문제로 떠들썩했다. 대개는 자기들이 사는 공간 안에서 평화롭게 죽어간 사람들이었다. 그에 관한 인터뷰 의뢰가 몇 번 들어왔지만 나는 그쪽으로는 아예 손을 대지 않았다.

이후에 대한 그리움을 지우려고 그랬는지도 모른다. 나는 엔피 조은을 계속 만나고 있었다. 그녀는 요즘 특히 더 바빴다. 앰뷸런스에서 거의 내리지도 못하고 생활하고 있다고 불평을 했다.

"하루에도 두세 번은 뇌사 판정을 하면서 다녀요. 내가 마치 죽음의 사자가 된 것 같죠. 급히 현장에 나가보면 늘 같은 죽음이 있죠. 평안하고 자발적인 죽음들. 그러면 나는 늘 그래왔듯 사망 판정 진단기를 연결하고 필요한 사람들을 네트워킹해요. 그러는 데 한두 시간, 경우에 따라서는 서너 시간이 흐르죠. 그 사이 죽은 사람의 장기가 손상되지 않도록 팀원들과 조치를 취하면 뇌사 판정이 내려져요.

그다음도 역시 마찬가지 루틴이죠. 시신은 장기은행으로 보내지고 곳곳에서 필요한 장기를 적출하러 오죠. 이게 무슨 새로이 부흥하는 산업 같다니까요."

그녀는 요즘 생활에 염증을 느끼는 듯 했다. 그녀 자신의 직업에 대한 전문가적인 자존심이나 자부심이 많이 상한 듯. 그

녀가 나를 만나러 오는 것도 아마 그런 상실감 때문이었을 것
이다.

"이제 내 직업은 사망을 판별하는 감별사 같은 것이 되어버
렸어요. 죽어가는 사람에게 희망을 줄 수 있다는 그런 기쁨 따
위는 이제 완전히 사라졌어요."

우리가 스마트 침대에서 한바탕 사랑을 마치고 땀이 흥건한
몸으로 누워 있을 때였다. 부흥사 K의 프로그램을 재생해놓고
건성으로 보던 중이었는데, 그녀가 이야기를 시작했다.

"왜 우리는 죽음에 집착할까요? 부흥사 K의 말처럼 불멸을
원하는 건지도 모르죠. 저 원시시대로부터 우리에게 내려온 유
전자인지도 모르고요. 만일 우리 유전자에 죽음을 마땅한 것으
로, 거부하지 않아도 되는 자연 과정으로 인지하는 유전자가
있었다면 그런 개체들은 도중에 도태되었겠죠. 그래서 삶에 집
착하는 인간 종이 최종적으로 완성되었을지도. 그러나 불멸은
단지 삶을, 생명을 유지하거나 추구하려는 그런 욕망과는 또
다른 것 같아요."

그녀에게 조금 미안함을 느꼈다. 나는 그녀와의 만남을 내
필요대로 이용하는 것인지도 모른다. 이후의 기억으로부터 멀
어지기 위해. 자꾸 내 마음속에 바이앤바이에서 나를 기다린다
고 느껴지는 이후의 망령을 쫓기 위해서. 나는 그 순간에도 '왜
이제 안 오는 거야? 나를 만나러 오지 않을 거야?' 하고 계속
연락을 취하는 이후의 망상으로 괴로워하고 있었다.

"어디에선지 모르지만 불멸을 갈망하는, 불멸을 그리는 특이

한 요인이 우리 생명 체계 안에 잠입했겠죠. 물론 이건 재미 삼아 말해본 가설에 불과하지만. 종교적인 차원의 불멸에 대한 욕구는 어디에서 왔을까요? 과감하게 가설을 세워보자면, 나는 그게 다른 사람에 대한 사랑에서 온 것이라 하고 싶어요."

"아주 흥미롭군요."

"그것의 원인이 한 개체의 생명 유지에만 있는 게 아닐지 몰라요. 어쩌면 말예요, 먼 옛날 선조들이 죽음을 나만의 고유한 것이 아니라 사랑하는 사람과의 결별을 의미하는 것으로 받아들이기 시작했던 시점부터 말이죠, 그 사람과 영원히 함께하고 싶다는 욕망이 우리에게 불멸을 갈망하는 유전자를 만들었을지도 몰라요.

물론 제가 이 이야기를 하는 것은 불멸이 나의 삶을 길게 늘여서 아주 오래 살겠다고 하는 장수의 개념만은 아니란 거죠. 때로 그런 의미에서 장수와 불멸은 대비되는 개념이죠. 나의 장수가 내가 사랑하는 사람과의 삶을 꼭 보장해주는 수단은 아니니까."

조은은 아무리 괴로운 일이 있어도 쉽게 잊을 수 있는 체질이었다. 그녀는 피처pitcher였다. 소프트볼 동호회에서.

"다음 주말에 시합이 있어요. 보러 올래요?"

"아뇨. 힘들 것 같은데."

"꼭 와요."

그라운드에서 유니폼을 입은 그녀를 보는 것은 새로웠다. 마치 그녀의 옛 유니폼을 조작해서 새로운 것으로 만든 것인 양.

그녀는 소리를 지르며 동료들을 독려했고 타석에서도 '허슬'을 발휘했다. 짧은 내야 땅볼을 치고도 죽어라 일루로 달려가는 거였다.

투수판에서 그녀는 처음 일곱 타자를 가볍게 잡고 세 번째 이닝에서 첫 안타를 맞았다. 주자는 도루를 해서 이루에 도달했고 그녀는 원 스트라이크 쓰리 볼 카운트에 몰리자 한가운데로 직구를 던졌다. 힘껏.

그녀의 팀은 패배했다. 그때 던진 볼이 홈런을 허용한 것이다.

그날 그녀는 내 집에 왔다.

"샤워 좀 할게요."

"아뇨, 하지 말아요. 당신 땀 냄새가 좋으니까."

"알면 알수록 변태야, 당신은."

그녀가 내게 다가왔다. 언제나처럼 옷을 모두 벗어 던지고. 나는 그녀의 땀 냄새를 맡으며 섹스를 했다. 그 달짝지근하면서 시큼한 냄새, 끈적끈적한 피부에 들러붙어.

"그런데 말이죠, 자살할 때 아무래도 사람은 정신적으로 약간의 환각 효과가 필요한 것일까요?"

"무슨 말이에요?"

"내가 진단하러 다니는 그 시신들 말이에요. 공통점이 하나 있어요. 모두 브로핀 헬멧을 가지고 있다는 점이죠."

"그래요?"

"정확히 기억하는 건지 모르지만 그들 주위엔 브로핀 헬멧이 항상 있어요. 죽음의 순간에 쓰고 있는 사람도 있고 바로 곁에 가지고 있는 사람도 있고. 죽음에 이르는 그 순간에 고통을 잊으려고 하는 것처럼. 마치 어떤 환각이나 환상이 그들을 죽음으로 인도해주길 바라는 것처럼."

"우연은 아닐까요? 예를 들어 치명적인 질병을 앓거나, 평소에 무슨 통증 치료를 받고 있었거나. 그런 것 때문에 자살을 선택했을지도 모르고."

"그런 거야 내가 더 잘 알죠. 무슨 병을 앓았는지, 통증을 지니고 있었는지 아닌지. 기록을 다 검토할 수 있으니까."

"그 얘길 상급자들에게 해보셨나요?"

"물론이죠. 조심스럽게. 더구나 요즘 브로핀이 사실 좀 문제가 있어요. 본래 목적과 달리 진통 효과보다는 보다 안전한 방식의 환각제처럼 거래되고 있거든요."

"그래요?"

"기자분이 그런 것도 몰랐어요?"

"전혀."

"요사이엔 브로핀의 본래 용도가 무엇인지 헛갈릴 정도죠. 브로핀은 거의 암시장에서 사고팔려요. 공공연한 비밀이죠. 그건 본래 화상 환자를 위해 개발되었던 거죠. 화상 환자를 치료할 때 고통을 조금이라도 덜어주려는 목적으로 오래전부터 연구되었던 거예요."

"그런데요?"

"지금은 고통을 더는 목적만큼 현실을 망각하고 싶은 사람들에게 이용되는 셈이죠. 새로운 마약이에요. 예를 들어서 어떤 사람들은 그걸 쓰고 섹스를 해요."

"하지만 그런 것은 이미 나와 있지 않습니까? 성인용 VR이 얼마든지?"

"하하, 저야 잘 모르지만 그게 다르다고 하네요. 미리 일정하게 짜인 프로그램에 의한 VR과 자료의 실시간 업데이트가 가능한 브로핀과는. 브로핀은 뇌파를 통해 얼마간의 정보를 업로드하고 다운로드하죠. VR이 일방향인데 반해서 쌍방향이 가능하다는 거예요. 브로핀을 사용해서 섹스를 하면 상대의 느낌을 모니터할 수도 있고 또 소프트웨어의 트위킹에 따라서는 아주 변태적이거나 창의적인 것을 할 수도 있대요. 상대를 다치게 하거나 하지 않고. 무중력 섹스 같은 것을 상상해볼 수도 있고."

나는 번개에 맞은 듯 충격을 받았다. 무엇인지 퍼즐이 들어맞는 것 같은 느낌이었다.

"저 말이죠. 그때…… 피치라는 여자애가 죽었던 날, 그 애도 브로핀을 하고 있었나요?"

조은은 나를 바라보았다. 새삼스럽다는 듯이.

"그래요. 그날도 그 말을 했던 걸로 기억하는데? 당신이 오기 전에 벗겨낸 것뿐이죠. 당신이 얼굴을 식별해야 했으니까."

"그래서, 당신 윗사람들의 반응은 어땠습니까?"

"그런데 브로핀이 사실은 아주 힘 있는 제약회사 제품이거든요."

"그래서요?"

"내 의견은 묵살되었어요. 아니, 묵살도 되기 전에 무시되었죠. 그런 보고서는 어디에도 존재하지 않으니까. 난 그저 바보스러운 얘기를 꺼낸 바보스러운 전문가가 되었죠."

"그러니까, 그 사람들이 브로핀을 만든 회사를 의식하고 알아서 굴었다는 얘긴가요?"

"그렇게밖엔 볼 수 없어요. 그런 연관성에 대한 루머나 추측 자체를 사전에 차단하고 싶은 거겠죠."

나는 내가 알고 있는 사실을 조은에게 말하지 않았다. 다시 말해 바이앤바이가 사람의 기억을 다운로드하기 위해 브로핀 헬멧을 사용한다는 점, 그리고 피치가 스스로 목숨을 끊기 전에 내게 말한 것. "바이앤바이의 아빠가 나와 함께 살자고 해요."

그리고 지금 자살자들에게서 발견되는 브로핀 헬멧. 이들 사이에 깊은 연관이 있을 것으로 짐작되었지만, 그녀의 활발하고 생기 있는 삶에 위협이 될지 모르는 일을 초래하고 싶지는 않았다.

"분명 무슨 일인가 벌어지고 있어요. 설명할 수 없는 죽음들이에요. 누군가는 그렇게 말하죠. 죽음의 에피데믹, 무슨 전염병이 퍼지고 있다고. 그러나 현장에서 보는 그것은 그 이상이에요. 무슨 증거가 있어서 하는 얘기는 아니지만 아주 조직적이고 계획적인 움직임이 반드시 배후에 있어요."

조은이 말했다. 나는 그녀에게 서서히 기울고 있었다. 그녀를 좋아하게 되었다고 말할 수 있을지는 모르지만.

"나는 원래 이런 짓을 안 해요."

어느 날 문을 열자 그녀가 작은 도시락을 들고 서 있었다.

"하지만 당신이 먹는 주문형 음식들 포장을 보고 해왔어요."

"요리는 나도 해요."

"이건 내가 원재료를 사서 처음부터 직접 만든 거죠. 그저 포장지 몇 개 뜯어서 프라이팬에 한데 넣고 데운 게 아니라. 그런 건 요리라 할 수 없어요."

그녀는 깔깔 웃었다.

"이게 뭔가요?"

"숙주나물을 양파하고 같이 볶은 다음 카레 가루로 양념한 거예요. 난 고기는 안 먹어요. 혹시 그런 게 들어갔으면 좋겠다고 생각해요?"

"아뇨, 파가 들어가면 좋겠군요."

밥을 먹다 말고 그녀가 내게 물었다.

"당신은 나를 왜 만나죠?"

답을 할 수 없었다. 나 자신이 알지 못하므로. 나는 최대한 솔직해지고자 했다.

"나도 몰라요. 나는 지난 몇 년간 아내의 죽음을 극복하지 못하고 살아왔죠. 지금도 극복하지 못한 것은 마찬가지이고. 그저 관성적으로 살아가고 있다는 느낌뿐이었어요. 그러다 얼마 전에 내 아내가 죽기 전에 어떤 추모 사이트에 기억을 남겨두었다는 걸 알게 되었고 그게 작은 위로나마 될 줄 알았어요. 하지만 결과는 그렇지 않았죠. 정직하게 말하면 당신에게서 위안을 받아요."

"내가 죽은 사람 대신인가요?"

"아니, 솔직히 말하면 당신이 나를 살려두는 거 같아요."

"당신은 나를 사랑하지 않죠. 나도 당신을 사랑하는 건 아니에요. 우리는 그거보다 더 절실한 거 같아요. 난파선에서 살아남은 두 사람이라고 해야 하나. 죽지 않으려고 부둥켜안고 계속 헤엄을 치고 있는."

나는 무슨 말을 해야 할지 몰랐다. 그녀가 새로운 질문을 던졌다.

"중음신이란 걸 알아요?"

"아뇨, 처음 듣는데요."

"우리 어머니가 불교 신자였죠. 중음신은 죽음도 아니고 삶도 아닌 유령 같은 상태로 이승도 아니고 저승도 아닌 곳을 떠도는 상황 같은 걸 말하나 봐요. 당신을 보고 있자면 그 말이 떠오를 때가 있죠. 왜인지는 모르지만. 지금으로선 다만 이렇게 말해둘게요. 당신이 만일 어떤 미궁의 시간과 공간을 여행하는 여행객이고 어디든 돌아와 쉴 곳이 필요하다면 나에게 오세요. 내가 당신을 받아줄 테니."

그렇게 알 수 없는 말을 하고 나서 조은이 생긋 웃었다. 나는 그때 내가 이후를 배신하고 있는 것 같은 죄책감을 느꼈다. 마치 그녀에게 부정을 저지르고 있는 듯한.

11

욘더

그로부터 두어 주 뒤, 가족을 모두 화재로 잃은 최한기 사장이 나를 찾아왔다. 그는 내가 사는 빌라 앞 골목에서 기다리고 있었다. 나는 마침 바깥공기도 쐴 겸 〈Live in it!〉에 들렀다가 간단한 장거리를 사들고 오는 길이었다. 최 사장은 지금은 좀처럼 구경하기 힘든 구형 지프 자동차에 기대서 있었다. 허름한 가죽점퍼 차림에 한동안 옷도 갈아입지 않은 듯 추레한 모습이었다. 나를 발견하고는 피우고 있던 담배를 바닥에 던져 껐다.

"당신을 만나려고 벌써 네 시간째 여기서 기다리고 있었지. 시간을 좀 내주겠소? 어디 한적한 데 가서 얘길 좀 나누고 싶은데."

나는 지쳐 있었고 바이앤바이와 연관된 어떤 이야기도 하고 싶지 않았다. 이제야 겨우 이후를 완전히 떠나보내기로 마음을 굳힌 마당에. 그럼에도 마지못해 그 사람을 따라나섰다. 피치를 떠올렸고, 그 사람이 겪었을 고통을 생각해서. 무엇보다 내가 거절한다 해서 순순히 물러설 것 같지 않은 단호함이 그의 태도에서 엿보였다. 그는 내게 어디로 갈 것인지에 대해 일언반구도 없이 매연이 풀풀 나오는 그 골동품을 몰았다.

우리가 도착한 곳은 한강변의 한 둔치였다. 예전의 아름다움을 잃어버렸다고 얘기하는 강. 날은 벌써 어스름해지기 시작했다. 주변의 인공적인 조형물, 크고 작은 조각품과 관상수 들이 점점 색깔을 벗고 그림자로 변해가고 있었다. 우리는 벤치에 앉았다. 주위 잔디에는 마침 스프링 쿨러가 작동되고 있었다. 뚱뚱한 비둘기들이 뒤뚱뒤뚱 물줄기를 피해 걸었지만 물은 그것들 위에 사정없이 떨어졌다.

최 사장이 입을 열었다.

"소식을 들었소. 피치가 떠나버렸다는."

"예상치 못하게도 제가 시신을 수습하게 되었지요."

그는 놀라는 낯빛이 아니었다. 이미 알고 있는 듯 했다.

"어쩌면 그 아이는 저 세상의 아버지에게처럼 이 세상에도 끈을 하나 가지고 싶었을지 모르겠소. 그게 당신이 아닐지."

"글쎄요."

나는 최 사장에게 피치가 죽기 전에 내게 했던 말들을 털어놓아야 할지 망설였다. 그 이야기는 피치에게 그만큼이나 사적인 것이라 선뜻 말하기가 어려웠다.

"그래, 그 아이 죽음이 어떱디까?"

"……"

"그러니까 그 아이 시신 상태나 뭐 그런 거. 괴로움을 겪은 것 같지는 않은지, 행복해 보였는지."

자살을 했다는데 행복해 보였냐고 묻는 것이 조금 이치에 닿지 않았다.

"제가 그 아이를 보았을 땐 이미 뇌사 상태였습니다. 정확히 말하자면 제가 보았을 때까지만 해도 숨을 쉬고 심장이 뛰는 상태였죠. 그 아이가 죽기 전에 장기 기증 신청을 해서 생명유지를 하고 있었죠."

"김 기자도 잘 알고 있겠지만, 요즘 사람들이 많이들 스스로 목숨을 끊죠?"

"네, 하지만 경찰도 말하듯이 공통점이 없는 자살이죠."

"그렇게 말하지만 사실은, 언론도 그렇고 모두 의문사라고 표현하고 있지 않소?"

"의문점이 있으니까요."

"당신도 그렇게, 이상한 점이 있다고 생각하오?"

"그야 물론이죠. 우선 갑자기 빈도가 너무 높아졌으니까."

"그런 죽음은 계속 더 이어질 거요. 아마 모르긴 몰라도 더 급속도로 증가 추세에 놓이게 될 거요."

"뭘 아시는 게 있습니까?"

"알지, 알다마다. 그러니까 이렇게 김 기자에게 털어놓으려 하는 게 아니겠소."

나는 최 사장이 대화를 왜 그런 방향으로 이끄는지 알 수 없었다. 다만 그가 무슨 긴밀한 전달을 하려는 것만은 틀림없다고 생각했다. 그는 어딘지 모르게 정말 기자를 대하는 취재원처럼 행동하고 있었다.

"김 기자는 그 애가 자살을 했다는 것은 확신하오?"

"정황상은 확실합니다. 타살은 분명히 아니었어요. 제게 남긴 메모도 그렇고."

"그럼 왜 그런 짓을 했다고 생각하시오?"

나는 최 사장에게 피치가 자기 아버지에 대해 했던 이야기를 꺼내놓지 않기로 결정했다. 아직 섣부른 감도 있었고, 그보단 최 사장의 이야기를 더 들어봐야 할 것 같았다.

"개인적으로는 외로움 때문이었다고 추정했죠."

"그게 아니오. 욘더에서 초청을 받았을 게야."

이게 무슨 말인가?

"욘더라니요?"

"요즘 사람들 죽어가는 거, 그게 그냥 죽은 게 아니오. 모두 욘더로 간 거지."

"거기가 어딘데요?"

그는 대답 대신 강 건너 도시를 물끄러미 바라보았다. 날이 어두워지면서 3D 애드벌룬 이미지가 하나둘 빌딩 위로 떠오르기 시작했다. 연예인이나 스포츠 스타의 거대한 얼굴을 싣고서. 그리고 거기에는 여러 가지 약속 문구가 깜박이고 있었다. 이 옷을 입고, 이 물건을 사용하면서 행복해지라는 광고들.

"기자 양반치곤 정보가 어두우시구먼."

나는 요즘 들어 사람들이 자꾸 나를 기자라 지칭하는 것에

야릇한 감상을 가지게 된 참이었다. 과거에 민완 기자가 되겠다며 동분서주하던 시절이 있었으니까. 나는 지금 전문적인 인터뷰어지 기자가 아니다. 하긴 사람들에게는 그런 구분이 무의미한 것인지 모른다. 더구나 최 사장은 그걸 농으로 던진 것이니까. 그리고 분명한 사실은 최 사장의 그런 농은 자신이 내게 알려주려는 것이 허튼 정보가 아니란 것을 강조하려는 것일 터였다.

"바이앤바이에 있는 것, 그것은 거죽에 불과하다오. 진짜는 따로 있지."

"그리고 그게 욘더라는 곳이란 말씀인가요?"

"맞아요."

"그리고 자살을 하는 사람들이 그곳…… 그게 어떤 장소인지 모르지만 거기로 간다고요?"

"그렇다니까."

나는 "아버지가 거기에서 나와 함께 살기를 바라는 거예요"라고 하던 피치의 말을 당연히 떠올리지 않을 수 없었다. 욘더라. 바이앤바이가 아니고?

"그러면…… 거기에 **간다**는 것은 무슨 뜻입니까? 죽은 사람이 어떻게 거기에 가죠? 거기가 무슨 내세라도 된단 말씀입니까? 그리고 그런 걸 어떻게 아시게 되었죠?"

나는 이어서 해커를 고용해 내가 바이앤바이를 조사해보려했다는 사실을 밝혔다. 그것이 얼마나 소용없는 짓이었는지.

"하이테크에 의존하는 당신들이 알아낼 수 없는 것들을 나 같은 사람이 더 쉽게 파헤칠 수도 있지. 휴민트Humint라는 거요. 사람을 직접 접촉해서 얻어내는 정보. 내가 예전에 군 정보기관에 부사관으로 복무한 적이 있어 노하우가 좀 있지.

하여간 내 말을 들어봐요. 아주 오래전 일이라오. 2020년대 후반의 이야기지. 한 노인이 있었소. 자본가였지. 주로 아이티 쪽에 투자를 하는 사람이었소. 본래는 그 방면에 대해 잘 아는 사람이 아니었고, 누가 어떤 소프트웨어를 개발한다고 해서 거기 투자를 시작했지. 그 사람을 도우려고. 그런데 그게 더 큰돈을 벌게 해주었소. 그 사람에게는 자식도 없었고 그저 야심과 실력을 겸비한 젊은이들을 돕겠다는 마음에서 그런 식으로 불린 돈을 그 방면에 계속 투자했소."

"그땐 기술 스타트업이 한창 부흥하던 시절이었으니 돈을 많이 버셨겠군요."

"그렇지. 상상도 못할 만큼의 부를 쌓았다고 해요. 그런데 그 양반에게는 두 살 많은 아내가 있었소. 그녀에게 디멘셔가 시작되었지."

"치매요?"

"으음, 치매. 그 양반은 마침 그때 막 개발되던 한 브레인 다운로드 기술에 흥미를 가졌소. 한 기술자가 그 노인을 찾아와서 인간 뇌의 내용물을 다운로드하는 독창적인 방식을 개발하는 데 투자해달라고 제안했던 것이지. 두뇌의 내용, 즉 기억을 다운로드해서 인공지능에 보존하는 기술이었지. 자, 뭐 짚이는 게 없소?"

"바이앤바이의 인공지능이 생각나는군요."

"바로 그렇지. 하지만 아시다시피 바이앤바이의 기억이란 우리가 기억이라 부르지만 실상은 메모리에 담긴 데이터요. 다시 말해 어떤 사람의 실제 기억이 아니라 그 사람에 관한 기록인 셈이지, 사진, 동영상, 개인사 자료 등. 그리고 저 브로핀 헬멧으로 기억을 다운로드한다고 하는 것도 실은 과장된 표현이지. 지난번 피치의 방 모임에서 그 얘길 했을 때 김 기자의 반응이 생각나요. 전혀 믿지 않는 기색이었지.

당신이 옳아요. 그것은 뇌에 찍힌 인상, 장면이나 사건을 파편적으로, 마치 내용이 담긴 사진처럼 옮기는 것이지, 결코 '뇌를 다운로드한다'고는 말할 수가 없는 수준이요. 물론 그 정도도 대단한 것이기는 하지만."

뇌를 다운로드한다. 잠깐만 생각해봐도 엄청난 파급을 지닐 기술이다. 그런 이야기는 늘 있어왔다. 언젠가 그런 일이 실현 가능하게 될 것이라고. 그러나 그것은 타임머신만큼은 아니더라도 아직은 꽤나 공상적인 영역이었다. 완전한 의미의 안드로이드가 생겨나는 것처럼, 또는 암이나 기타 치명적인 질병을 완전히 정복하게 된다는 것처럼 여전히 요원한 일로만 여겨졌다. 늘 가까이 다가온 체하고 사람들이 그 아이디어에 환호를 보내지만 그것도 그때뿐, 사람들은 그런 기술이 개발되고 있다는 사실을 금세 잊어버렸다.

지금까지는 브로핀 정도가 이 방면에선 어느 정도 활성화된 기술이라 볼 수 있다. 지난번 피치의 방 모임에서 브로핀을 통해 기억을 다운로드한다는 이야기를 처음 듣고 다소 놀라기는 했다. 브로핀이 뇌파를 통해 일부 생각이나 감정을 읽어낸다고 했을 때 세상은 얼마나 발칵 뒤집혔던가. 뇌의 내용을 뇌파를 통해 업로드하고 다운로드할 수 있는 길이 열렸다고? 그것도 내가 아는 한에서는 누군가 브로핀 헬멧을 쓰고 있는 동안 입력을 받을 수 있는 뇌파를 통해서만 가능한 것이었다. 그래서 지난번 피치의 방 사람들이 브로핀을 통해 죽어가는 기억까지 저장소로 업로드한다고 했을 때 나는 전혀 믿지 않았다. 그런 기술에 대한 이야기는 늘 과장되기 마련이니까.

"그 양반의 처음 의도는 단순한 것이었소. 아직 시험단계를 벗어나지 못한 기술이었지만 그 사람은 자기 아내의 두뇌에 담긴 모든 내용을 다운로드 받을 수 있는지 검토했지. 그 노인이 부인의 여생을 연장하기 위해서 그런 것인지, 아니면 부인의 기억을 본인 자신을 위해 보존하기 위해서였는지는 잘 알려지지 않았소. 다만……."

그는 주머니를 뒤져 담배를 꺼냈다. 진짜 담배. 그는 내게 한 대를 내밀었고 나는 기꺼이 그것을 받아들였다.

"담배를 피울 줄 아시는구먼. 난 담배를 그렇게 생각하우."

그가 갑자기 화제를 바꾸었다.

"멀쩡한 정신을 조금 어둡게 해주는 약물이라고. 그리고 우리 인간은 어떻게 보면 언제나 제정신을 차리고 살 수는 없는 존재인지 모른다고."

"어째서요?"

"늘 우리가 하는 일을 의식하며 사는 건 괴로운 일이요. 정말 말짱한 정신에서 보면 우리 자신도 우리가 하는 짓을 이해할 수 없을 때가 많으니까.

그건 그렇고, 그 노인은 그 일에 가진 재산을 다 투자했소. 직접 나서서 그 방면의 최고 기술자, 프로그래머와 과학자를 모아들이기도 했지. 그러고는 비밀리에 최고급 기술을 가진 젊은 기술진으로 팀을 구성하게 된 거요. 어느 정도의 노력과 시간이 들었는지 모르지만 어쨌든 그렇게 해서 노인은 자기 아내의 뇌가 완전히 망가지기 전에 다운로드하는 데 성공했소. 그저 일정한 양의 기억 데이터가 아니라 뇌의 내용 전체를. 그의 처음 생각은 아내의 뇌가 완전히 망가지게 되면 그 다운로드된 기억을 바탕으로 아내를 치료하거나 그런 것인지 모르겠는데 그게 아마 생각 외로 성공적이었나 보오. 그런데 예상치 못한 문제가 생겼지."

"무슨 문제요?"

"업로딩 시에 발생한 부작용 때문인지 피실험자, 즉 부인이 뇌사 상태에 빠진 거요. 그래도 노인은 매우 기뻐했던 모양이오. 어차피 죽어가던 아내의 뇌를 소프트웨어 형식으로나마 보존할 수가 있었으니까. 그런데 다시 두 번째 문제가 발생했소. 처음에는 다운로드했다고 생각되는 아내의 뇌와 원활한 소통을 할 수 없었지. 나야 전문가가 아니지만 방대한 양으로 저장된 뇌를 제어하거나 운용하기에는 그때까지의 프로그램 능력으로는 아무래도 무리였겠지. 그래서 그 방면의 기술을 향상

시키는 데 모든 노력이 경주된 거요. 시간이 너무 많이 걸렸지. 노인은 점점 더 늙고 쇠약해졌소.

그러던 중 기술진 한 사람이 이런 가설을 내세웠지. 다운로드된 뇌와 완벽한 소통을 하는 것은 그것과 같은 공간에서, 그것과 같은 상태가 됨으로써 비로소 가능하게 될지 모른다고.

노인은 그 아이디어를 전폭적으로 수용했소. 그렇지 않아도 죽을 때가 되면 자신의 뇌 역시 다운로드해서 아내 곁으로 돌아갈 생각을 품고 있던 차에. 그리고 아내의 기억과 함께 영원히 행복하게 보낼 수 있는 어떤 공간에 대한 가능성을 모색하게 되었소. 그것이 저 욘더라는 세계의 시작이지."

"그런데 말이죠, 지금 말씀하시는 정도의 기술이 가능하다면 벌써 온 세상이 한바탕 뒤집혔을 거 아닙니까?"

"역시 같은 이유로 해서 철저히 비밀로 지켜졌겠지. 어찌 되었건, 노인은 자신의 기술진이 가진 모든 능력을 동원해 부인과 함께 있을 공간을 만들어냈고 그 안으로 들어갔소. 처음엔 아무도 노인이 어떻게 되었는지 몰랐지.

그런데 이번 경우가 부인과 달랐던 것이, 뇌를 업로드할 시에 어떤 소프트웨어적인 장치를 마련했던 모양이오. 최소한 노인이 욘더에 무사히 도착했는지, 그의 뇌가 일부 유실 없이 제대로 작동하는지, 자신의 정체성을 그대로 지니고 있는지 등등에 대한 피드백을 차츰 어떤 방식으로 받고, 그것을 모니터할 수 있게 되었다고 하오. 오랜 검증 끝에 기술진은 실험이 성공적이었고, 노인과 부인이 그 안에서 잘 지내고 있다는 사실을 확신하게 되었다오.

그리고 내가 들은 바에 따르면 노인이 처음으로 그곳에 들어갔을 때는 그저 산으로 둘러싸인 호수와 작은 집 그리고 숲으로 이어진 오솔길 정도가 전부였다지. 그러나 노인은 그 공간을 이 세계보다 더 광대한, 무궁무진한 가능성과 잠재력을 가진 공간으로 만들 프로젝트를 미리 세워놓았다고 해요."

"말씀하신 것이 모두 사실이라면 그 노인은 부인과 함께 저 욘더라는 곳 안에 어떤 형태로든 아직 살아있겠군요."

"당연히 그렇겠지. 그리고 바이앤바이는 욘더의 입구를 덮어놓은 일종의 위장막, 또는 모델 하우스라고 할까? 나는 그렇게 생각하고 있소."

나는 이 모든 환상적인 이야기를 반신반의하는 심사로 듣고 있었다. 최 사장이 이런 불가능한 정보를 어떻게 입수했는지가 우선 의심스러웠다. 누가 그럴싸한 이야기를 꾸며 최 사장을 현혹했을 수도 있다. 아니면 은밀하게 떠도는 도시 괴담 같은 것일 수도 있고.

"그런 위장막이 대체 왜 필요할까요?"

"이건 어디까지나 내 추측이긴 한데, 거긴 아마도 욘더로 갈 사람을 모집하는 목적지가 아닐까 하오. 욘더는 아직 완성된 것이 아니고 지금도 활발히 실험이 진행되는 곳일 게요. 그러니 그곳에 들어갈 선발대가 필요하겠지. 그들은 말하자면 '사이버 스페이스 헤븐'이라는 단초를 마련한 셈인데…… 그것이 결실을 맺자면 지속적인 관찰과 연구가 요구될 테니까. 그들, 그 기술진이 기밀을 유지하면서 그런 실험을 할 수 있는 방법이 뭐가 있겠소. 자발적인 피실험자를 모을 수 있는 방법 말이오. 비윤리적이긴 하지만 죽어가는 불치병 환자가 좋은 대상이 되지 않겠소? 죽어가는 사람은 이승에 남아 있는 사랑하는 이를 위해 회상할 자료를 남기려고 그들에게 연락을 취했겠지. 그리고 그들 대부분은 아마도 통증 치료를 위해 브로핀 헬멧 같은 것을 사용했을 거요. 그 헬멧에 뭔가 조작을 가했다면, 그리고 요즘 세상에서는 무선 네트워크를 통해 어떤 해킹도 가능하다는 점을 감안하면, 그래서 그들이 죽어가는 순간 환자의 뇌를 욘더 안으로 다운로드했다면…… 바이앤바이, 아니 욘더 측은 선발주자를 확보하게 되는 거지."

나는 최 사장이 지나치게 비약한다고 생각했다. 차마 있을 수가 없는 일이다. 죽어가는 사람을 그처럼 추악한 방식으로 실험 대상으로 삼다니. 게다가 그 실험의 주인인 노인이 이미 거기 들어가 있는 마당에 그런 실험이 계속되어야 할 당위성도 별로 없다.

더구나 바이앤바이는 브로핀 헬멧을 통해서뿐만 아니라 메모리 팩을 통해서도 자료를 받고 있지 않은가. 최 사장 말마따나 그것은 기억이라 불리기도 하지만 실제로는 단순한 자료들이다.

"그러면 피치가 욘더의 초대를 받았다는 것은 또 무슨 뜻입니까?"

"아마 모르긴 몰라도 피치는 목숨을 버릴 당시 브로핀 헬멧을 착용하고 있었을 거요."

그것은 물론 맞는 말이다.

"하지만 해소되지 않는 문제가 있어요. 피치의 아버지는 그 욘더라는 곳에 계시지 않는단 말씀입니다. 피치의 아버지는 브 로핀을 쓰고 돌아가시지 않았어요. 그저 바이앤바이에 메모리 자료만을 넘겼던 것입니다. 욘더인지 뭔지에서 피치를 불러들 일 수가 없단 말이지요."

"그건 미끼지."

"미끼요?"

"욘더로 갈 사람을 더 유혹하기 위한. 이제는 슬슬 죽어가는 환자만이 아니라 바이앤바이에 출입하는, 관련된 사람들에게 미끼를 던져 자살을 유도하고 있는 거지. 그게 내 추리요."

"그러니까 결국 욘더의 초청이란 것은…… 사장님이 말씀하 시는 그 선발대라는 것을 위해 살아있는 사람들을 자살로 유도 하는 것이란 말인가요?"

"그렇다니까. 나는 김 기자가 생각하는 것보다 이 일을 조사 하는 데 훨씬 많은 노력을 기울였소. 대강 감이 잡히는 게 있어 요. 욘더는 실험 대상이 될 사람을 스스로 골라요. 그러고는 바 이앤바이를 통해 그 대상에게 지속적으로 여러 가지 암시를 담 은 메일을 발송하지. 대상이 감정적으로 완전히 꺾일 때까지. 그러면 그 대상자가 어느 순간 최종적으로 결심을 하게 되는 거요. 요즘 늘어나는 자살자라는 게, 그중 대다수가 바로 그런 초대를 받고 수락한 사람이라 보면 되는 거요."

그는 말을 멈췄다. 그리고 바지 주머니에서 구식 모바일 폰을 닮은 옛날 단말기를 하나 꺼냈다.

"그건 확실히 내가 알아요. 왜냐하면, 나도 초대를 받았으니까. 가족들이 내게 이런 메일을 보내왔소."

그는 단말기에서 메일을 열어 보였다. 그의 아들로 보이는 아이의 얼굴이 떠오르고 이런 말을 하고 있었다.

"'아빠, 우리 다시 함께 살 수 있어요. 확신을 가지세요. 언젠가 기회가 찾아갈 거예요. 그럼 우리 가족이 다시 모일 수 있어요.' 이런 내용의 메일이 이것 말고도 수두룩하지. 조금씩 다른 암시를 담고 있지만. 하여간 내가 아는 바에 의하면 이런 메일은 사실 피치 말고도 여럿이 더 받았소. 이런 메일이 오고 나면 수신자는 한동안 심리적인 혼란에 빠지게 돼요. 그것이 뭘 의미하는지 모르니까. 그러나 차츰 암시에 길이 들고 어떻게 하면 사랑하는 사람과 다시 재회할 수 있을까 그것만을 고민하게 되지. 바로 그럴 때 이런 메일이 도착해요. '아빠, 지난번에 말씀드린 것처럼 브로핀 헬멧을 쓰고 핸디를 열어 ○○○번을 호출하세요. 그럼 우리를 만나러 오실 수 있어요.'"

나는 반쯤 넋이 나갔다. 이 이야기를 어디까지 믿어야 할까?

"이것도 문제가 있습니다. 최 사장님 가족도 모두 윤더에 있는 건 아니잖습니까? 막내 아드님만 브로핀 헬멧을 썼으니까."

최 사장은 고개를 끄덕였다.

"나도 잘 알아요. 당신은 어처구니없다고 생각하겠지만 난 그래도 희망을 버리진 않을 거요. 어쨌거나 이 아이가 분명 가족을 전부 만날 수 있다고 말하니까."

이런 빌어먹을, 내게 왜 이런 얘기까지 하는 거야?

"그럼 그걸 하실 작정입니까?"

"내가 당신을 만나 이런 이야기를 나누는 것은 일말의 두려움 때문인지도 모르겠소. 어찌 되었건 나는 지금 이 세상을 버리려고 하는 거니까. 김 기자 말대로요. 나는 그걸 할 생각이지."

"허황된 유혹이란 걸 알면서요? 그들, 그 욘더라는 것의 진정한 정체에 대해 조금이라도 아시는 게 없지 않아요?"

"그건 결국 믿음의 문제지. 김 기자 당신도 내 이야기를 들으며 얼마나 믿어야 좋을지를 고민했을 거요. 과연 이 모든 게 사실일지……. 사실 우리, 바이앤바이에 다녔던 사람들은 모두 약자가 아니겠소? 나 같은 경우에는 그 슬픔과 고통을, 내 가족을 모두 일시에 떠나보낸 아픔을 견딜 수가 없었소. 종교에 의탁하려고 절에도 다니고 심리치료도 받았지. 아무 소용도 없었지만. 그러니 나 같은 사람에게는 욘더가 너무나 황홀한 유혹이 아니겠소?"

나도 그 말만큼은 철저히 동의했다. 이후를 다시 만날 수 있다고 하면 세상에 내게 그보다 더 좋은 유혹이 있을까?

"물론 욘더 같은 곳은 전혀 없고, 내가 알게 된 모든 사실이 황당한 거짓일 수도 있겠지. 또는 내가 어처구니없는 헛된 실험의 중도에 희생물이 되는 걸지도 모르지. 그들이 어떤 사이비 집단이고, 어떤 음모나 나쁜 의도를 가지고 나 같은 사람을 꼬여 들인 것이라고 생각할 수도 있겠지. 그들의 목적이 무엇이든지 간에. 그러나 결국 모든 것은 믿음의 문제 아니겠소? 믿거나 안 믿거나 둘 중 하나지. 나는 그중 하나를 선택할 거요."

"그렇다고 해도 모든 것이 그렇게 좋을 수만 있을까요?"

"물론 없지. 하지만 말이오, 만일 어떤 사람이 어떤 절대 선을 경험해봤다고 합시다."

"절대 선?"

"뭐라고 딱 꼬집어 말할 순 없지만, 그런 게 있다 칩시다. 그게 하느님이든 부처님이든 아니면 외계에서 온 어떤 존재든."

나는 나도 모르게 웃고 말았다. 외계라. 최 사장 역시 웃음을 보였다. 내가 그를 알고 나서 처음 보는 환한 웃음이었다.

"하여간 어떤 사람이 계시라든지 체험이라든지 그런 걸 통해 어떤 형태의 절대 선을 보았다 칩시다. 나는 그 사람이 그 영향을 입을 수밖에 없다고 생각하오. 절대 선의 빛에 쪼인 사람이라고나 할까?"

나는 내가 최 사장이란 인물을 과소평가하고 있었다고 생각했다. 그가 말하고자 하는 게 무엇인지를 짐작할 수 있었다.

"나는 그런 경우 사람이 정말 이타적이 될 수 있다 생각하오. 그 사람은 절대적인 선을 본 이후부터 상대적인 다른 것들은 아무것도 아닌 것으로 인식할 수 있게 되겠지."

절대 선이라. 과연 욘더라는 세계를 그런 것에 비유할 수 있을까?

"그곳으로 초청하는 것이 그렇게 좋은 일이라면 왜 공개적으로 하지 않는 거죠? 떳떳하게 모두 밝히고 이 세상 모든 사람이 거기 갈 수 있게 한다면 목적에 더 부합되는 것 아니겠습니까?"

"적어도 내가 아는 바에 따라 말하면, 첫 번째 이유는 그것이 가져올 수 있는 혼란 때문이요. 생각해보시오. 그런 것이 있다는 게 세상에 알려졌을 때 일어나게 될 엄청난 혼란을. 아마 이 세상은 기능을 멈추게 될 거고 무정부 상태에 빠지게 되겠지. 서로 거기에 먼저 가겠다고 아우성치거나 힘 있는 자가 힘 없는 자를 누르고 우선순위를 차지하려 들지도 모르지. 아니, 어쩜 프로젝트 자체를 위험에 빠뜨리게 될지도 모를 일이요."

나는 속으로 이쯤 되면 그를 말릴 방도가 없다고 생각했다.

"그리고 머지않아 정말 대대적으로 초청 행사 같은 것이 벌어질지도 모르오. 아주 공개적이지는 않더라도 은밀히 욘더의 문을 여는. 아 참, 그리고 김 기자에게도 아내로부터 초청이 올지 모르겠소. 내가 이 모든 이야기를 꺼낸 것도 결국 이 말을 하기 위한 것이었는지 몰라."

최 사장은 결국 내가 애써 외면하고 있던 악몽의 문을 열고 말았다. 그리고 자리에서 일어났다. 그는 바닥에 버려진 담배 꽁초를 주워 주머니에 넣고 옷을 한 번 툭툭 턴 뒤에 강둑을 걸어 멀어졌다. 노랗고 파란 빛을 띤 LED 조명이 그가 나타나는 자리마다 켜졌다가 그가 걸어간 발자취를 따라 꺼져버렸다.

12

그녀가 있다

나는 번민 속에서 며칠을 보냈다. 최 사장의 말대로라면 이후가 두고 간 것이 그저 그녀로부터 남은 기억의 잔재, 그 흔적만이 아닐지도 모른다는 생각에. 만일 이후의 자아 또는 의식의 일부가 어딘가에 남아 있다면 나는 어떻게 해야 할까?

최 사장의 말이 사실이라면—물론 나는 아직 그것을 완전히 믿지는 않았다— 일은 이렇게 된 것이다.

이후는 나를 위해 자신을 추억할 자료를 바이앤바이에 남겨두려 했다. 그것이 뭘 의미하는지, 어떤 결과를 가져올지를 꿈에도 알지 못한 채. 하지만 그녀의 의도와는 다르게 그녀의 정신이 브레인 다운로드라는 기이한 기술을 가진 자들에 의해 욘더라는 이름의 사이버 스페이스 안으로 들어가게 되었다. 그녀가 암 환자였고 통증을 다루기 위해 브로핀 헬멧이라는 장비를 사용해야 했으므로 그런 일이 가능했던 것이다. 비록 이후가 미디엄 세이렌이란 여자에게 그녀의 모든 기록이 담긴 메모리 팩을 넘기는 것을 내가 직접 목격했지만 그것은 어디까지나 미끼에 불과했고.

최 사장에 따르면 한 노인이 개인적인 목적을 위해 구성한 기술진이 실험을 계속하기 위해 그런 계략을 꾸몄던 것이다. 사실 고도의 기술을 가진 자들이 마음만 먹는다면 브로핀 헬멧에 모종의 장난질을 치는 것쯤은 아주 손쉬운 일일지도 모른다. 사이버 마약으로, 색다른 섹스를 위한 장난감으로 쉽사리 개조된다고 할 정도니까. 그들은 자기들의 음모에 사용할 헬멧을 어떤 방식으로든 개조했을 것이다. 아니, 어쩌면 내부의 협조자가 존재할지도 모른다. 브로핀을 생산하는 제약회사 안에.

보다 음모론적으로 고려해본다면 그들이 아예 그 제약회사를 장악하고 있다고 보는 편이 더 타당할 것이다. 그쪽이 훨씬 더 용이할 테니까. 그리고 시중에 판매되는 모든 브로핀 헬멧을 아예 설계 단계부터 그런 의도로 만든 것일 수도 있다. 그들이 원할 때는 언제나 무선 방식으로 브레인 다운로드를 위해 작동되도록.

그리고 최 사장의 어이없는 주장대로라면 어떤 사람들은 자발적으로 욘더의 완성을 위한 선발대로 편입되고 있기도 하다. 실험진이 이제는 한발 더 나아가 바이앤바이에 사랑하는 사람의 추억을 보존해둔 나 같은 사람을 표적으로 삼아 유인하고 있기 때문에. 피치도, 최 사장 본인도 사랑하는 사람이 거기 있는 것으로 여겼기에 결국 욘더의 초청을 거부할 수 없었던 것이다.

　최 사장은 내게 이런 말도 했다.

　"내가 보기에 김 기자에게 초청은 올 수도, 오지 않을 수도 있소. 그들은 마음대로 대상을 선정할 수 있는 위치에 있고 나처럼 심리적으로 허물기 쉬운 상대를 고르는 편이 낫겠지. 만일 내 짐작대로 그들이 바이앤바이의 인공지능을 통해 확장 대상의 데이터를 수집하고 있었다면 말이오. 아무래도 그곳 아바타에 더 쉽게 동요되는 대상, 감정 이입이 더 잘되는 대상을 찾겠지. 그래야만 그들 의도대로 기꺼이 목숨을 버릴 각오를 할 테니까.

　그리고 만일 당신에게 초청이 오지 않는다면, 그리고 그래도 욘더에 들어가야 할 마음이 생긴다면, 세이렌을 찾아보시오. 요즘 들어 무슨 일인지 행방을 감춘 것 같다는 소문이 있는데 어떻게 해서든 그녀를 찾으면 길이 있을 테니까. 어쨌거나 그들이 동조를 해서 다운로드를 해주어야만 욘더로 들어갈 수 있는 게 아니겠소? 그저 머리에 브로핀 헬멧을 쓴다고 되는 것이 아니니까."

　최 사장은 지혜로운 사람이었다. 나와 내 사정에 대해서도 잘 꿰고 있는 것 같았다. 이후가 거기 있다는 사실을 믿게 되면 나 역시 같은 선택을 하게 될 것임을.

　그런데 그가 어떻게 그 많은 고급 정보를 캐낼 수 있었을까? 그리고 그 정보들은 어느 정도의 신빙성이 있을까?

　우선 내 짐작에 최 사장의 능력이 아무리 뛰어나다 한들 그가 말하는 정도의 일급 기밀을 알아내기는 매우 어렵다. 더구나 단독으로. 그가 아무리 이런저런 분야에 정통한 관계망을 가지고 있다 하더라도.

전업 기자는 아니지만 미디어계를 기웃거려온 내 경험이 그렇게 말하고 있었다. 최 사장이 말하는 정도의 힘과 자본, 기술을 가진 집단이라면 국가 정보기관이 총동원된다 해도 파헤치기 힘든 보안 시스템을 유지하고 있을 테니까. 내가 고용했던 해커 정도의 능력으론 말할 것도 없고.

그렇다면 가능성은 하나였다. 그들이 최 사장 같은 개인, 또는 어떤 일단의 사람들에게 일대일 또는 점조직 방식으로 정보를 일부러 누설하고 있다는 것. 그들이 철저히 자기들의 목적에 따라서 정해진 대상에게 정보를 노출시키는 것이 아니라면 그런 정보가 밖으로 나올 일은 절대 없을 것이다. 그러면 그건 무슨 의도일까? 단순한 답을 떠올려본다면 그런 정보가 세상에 알려지길 바란다고 볼 수밖에 없는 거다. 최소한 어떤 특정한 사람들에게라도.

최 사장도 '머지않아 대대적인 초청 행사 같은 것이 벌어진다'고 말했을 때 분명 그걸 짐작하고 있었다. 자기가 알게 된 것이 보안되는 정보가 아니라 그들이 알려지길 바라는 정보였음을.

그렇다면 두 번째 의문, 그 정보의 신빙성에 대한 해답은 순전히 그들에게 달려 있다. 일부러 누출시킨 정보라면 그들 스스로 그 수위를 조절했을 테니까. 그러니까 그 안에 담긴 것이 어느 정도 포괄적인 진실인지 아니면 지극히 제한된 진실만을 담고 있는 것인지. 그러나 대체로 그것이 상당히 신빙성 있는 정보일 개연성은 있다. 그들이 그저 마구잡이로 사람들의 자살을 유도하는 기괴한 종교집단 같은 것이 아니라는 전제하에.

여기에서 자연스럽게 세 번째 의문으로 연결된다. 그들의 최종적인 목적. 그들이 하려는 게 대체 뭘까? 최 사장 말대로 그것이 여전히 진행중인 실험이라서 단지 사람들을 현혹해 자기들의 기이한 기술을 완성하기 위함일까? 욘더라는 사이버 스페이스—그것을 아직 사이버 스페이스라는 말로 부를 수 있다면—에 죽은 사람들의 정신을 잔뜩 다운로드 받아가면서? 거기에서 실제로 무슨 일이 벌어지는지를 알고 있는 사람이 과연 있을까? 기술진은 과연 욘더와 소통하고 모니터할 수 있는 효과적인 방법을 찾아냈을까?

직관과 상상에 의존해서 그들이 하려는 일을 생각해볼 수는 있다. 신화적인 상상. 그들이 만들려 하는 것이 사이버 스페이스 천국 같은 것이라고. 죽은 사람들, 또는 죽음을 불사하고 그곳에 가려는 사람들이 브레인 다운로드를 통해 들어가서 영원히 죽지 않고 살도록 하는. 하지만 지나친 것을 받아들이는 데 실존적인 거부감을 가지고 있는 나 같은 경우에는 그런 결론을 내리는 것이 쉽지 않았다.

"절대 선의 빛에 쪼인 사람들……."

이라고 최 사장은 말했다.

"지상의, 또는 어느 공간에서의 천국이 실재함을 알게 된 사람들……."

이라고 바꾸어 말해볼 수도 있겠지.

사실 내게는 그들의 목적 따위가 절실한 게 아니었다. 내게 문제가 되는 것은 이후의 존재, 이후의 안위였다. 그녀가 거기 있다면. 그녀가 어떤 형태로든 거기 남아 있다면. 귀신처럼, 중음신처럼. 흐릿한 정신으로 또는 말짱한 기억으로.

그리고 그녀가 나를 보고 싶어 한다면. 그녀가 어디인지 모르는 이상한 곳에 들어가 "사후의 생이란 게 이런 모습이구나. 이런 것이 실제로 있었구나" 하고 믿고 있다면. "여기는 천국일까? 지옥일까?" 하고 고민하고 있다면…….

거기 있는 그것은 인공지능 따위에 덮어씌운 기억 자료가 아니다. 어떤 의미로든 '그녀'라고 부를 만한 것이다.

나는 마음이 찢어질 듯했다. 어떤 악당들이 이후에게 그런 몹쓸 짓을 했는지 일일이 찾아내 머리에 총을 겨누고 싶을 만큼 분노를 느꼈다.

그녀가 내게 '초청장'을 보낼지도 모르는 일이었다. 그때는 또 어떻게 해야 할까? 초청에 응해 아무것도 모른 채 그저 깜깜한 운명에 모든 걸 맡기고 거기 가야 할까? 거기에 무엇이 있는 줄 알고? 만일 그곳에 이후가 존재하지 않는다면? 또는 그곳에 이후가 존재하더라도 내가 생각했던 모습이 아니라면? 그것이 믿음의 문제라고? 얼토당토않은 소리다. 맹목적인 믿음일 뿐이다. 그런 것은 종교이지 초청이 될 수 없다.

그럼에도 나의 가슴은 그녀를 구해내야 한다고 말하고 있었다. 이후를 이대로 그 이상한 곳에 방치할 수 없다고.

나는 일단 바이앤바이에 들어가기로 결심했다. 이후의 아바타를 지배하는 인공지능 프로그램과 대화해보려는 거였다. 지금 내게는 그것만이 배후에 대해 알아볼 수 있는 유일한 수단이라 생각되었다. 그 인공지능에게 욘더라는 것에 관한 이런저런 질문을 던졌을 때 반응을 살피기로 한 것이다. 너무나 막연하긴 하지만 바이앤바이의 인공지능이 욘더에 있는 이후의 정신과 연결되어 있을지도 모른다는 추정이었다. 그것을 운영하는 기술진에게는 그 편이 여러모로 유리할 수 있다. 그들이 편입 대상의 마음을 흔든다든지 초청을 보낼 시에도 욘더에 있는 정신들을 어떤 방식으로든 이용하고 있을 확률은 충분하다.

그리고 만에 하나, 거기에 있는 아바타가 욘더라는 곳의 정신과 어떻게든 연결되어 있다면, 나는 아주 흐릿하게나마 이후와 소통을 하게 되는 것이다. 그렇게 생각하고 나자 형용할 수 없는 슬픔이 복받쳤다. 내가 만나러 다녔던 그것이 정말 이후일 수도 있다는 실낱같은 가능성을 인정하고 나자…… 과연 거기에 혹여 눈곱만치의 이후라도 들어 있는지를 느껴보고 싶었다.

오랜만에 들어선 바이앤바이가 새삼스러웠다. 여전히 맑고 쨍쨍한 날씨에 여기저기 걸어 다니는 아바타로 붐비고 있었다. 나는 리셉션으로 가서 아바타와 만날 장소로 버드나무 산책로란 곳을 지정했다. 다른 아바타들이 거의 찾지 않는 곳이었다. 이후의 아바타와 손을 잡고 걸으며 대화를 해볼 작정이었다.

그러나 지난번 나는 그 아바타를 충격에 빠뜨렸다. 오늘도 어쩌면 과격한 질문을 던져야 할지 모른다.

버드나무 길에는 바람이 불고 있었다. 버드나무 가지를 시원하게 흔들면서. 내 아바타의 머리가 날리기도 했다. 소프트웨어들이 만나고 있는 거였다. '내가 바람을 일으키면 너는 머리를 날리렴' 하고 말하듯.

바람에 나부끼는 버드나무 사이로 이후가 보였다. 잔잔한 무늬의 원피스를 입고. 그녀의 굽실한 머리칼, 그녀의 원피스 역시 바람에 날리고 있었다.

"여보!"

그것이 나를 불렀다.

그 말 한마디에는 많은 것이 담겨 있었다. 내가 뭐라 말을 꺼내야 할지 몰라 하고 있을 때 아바타가 다시 말을 걸었다.

"그동안 왜 보러 오지 않았어?"

"일이 좀 바빴어."

예전에 나는 이후에겐 거짓말을 할 수 없다는 사실을 깨닫고 종종 놀랐다. 절실하게 무슨 거짓말을 해야 할 필요가 있을 때도 그녀 앞에서는 그러질 못했다. 그녀가 눈치가 빠르다든지 내가 무엇을 범하는 것 같은 느낌을 받아서가 아니었다. 다만 그게 자연스러운 일이었다.

"그런데 우린 왜 언제나 여기서 이렇게 만나야 하지? 왜 내 집에 당신이 없는 거야?"

이후의 아바타가 뜻밖의 의문을 표했다. 아마도 지난번 내가 마구 던진 말들 때문에 인공지능의 시나리오에 버그가 발생한 것이라고 짐작했다. 나는 대답을 하는 대신 아바타의 손을 잡았다. 내 육체적인 손에는 아무런 감촉이 없었지만, 내 아바타의 손에는 그것이 다소곳이 들어왔다. 우리는 버드나무 길을 천천히 걸었다. 나무들 사이로 들어서자 바람은 산들바람 정도로 잦아들었다.

"미안해."

내가 말했다.

"뭐가?"

"전부 다. 보러 오지 않은 것도. 당신이 혼자 집에 있는 것도. 여기서 당신을 봐야 하는 것도. 지난번에 심한 말을 한 것도."

"미안해하지 마. 어쩔 수 없는 것들이 있다면."

"으음?"

"당신이 어떻게 할 수 없는 것에 대해 미안해하지 말라고."

인공지능은 이후처럼 말하고 있었다. 정말 이후라면 그렇게 말했을 것이다.

"그동안 어떻게 지냈어?"

시험 삼아 물어 보았다. 첫째는 인공지능의 버그가 어느 정도인지 가늠해보려는 것이었고, 둘째로는 정상에서 벗어난 질문을 던져보기 위한 예비 작업이었다. 인공지능은 생각에 잠겼다.

"그걸 모르겠어. 지금 떠오르질 않네? 그전에는 나를 따라다니는 하얀 강아지에게 밥을 주곤 했는데."

또다시 미안해졌다. 인공지능에게. 아니, 어쩌면 그 인공지능을 통해 흐린 의식이라도 여기 나와 있을지 모르는 이후를 향해.

나는 욘더라는 곳에 있는 그녀를 애타게 부르는 것일까? 하여간 오늘만큼은 필사적으로 그녀를 느껴보려 했다. 분명 전과는 다른 일이었다. 이후를 대하는 나의 감정과 생각에도 변화가 있었다. 피치나 최 사장 같은 이들이 아바타에게서 느꼈을 그것을 알 것 같았다. 그들이 완전히 틀렸던 것은 아니다.

"아, 하얀 강아지. 포메라니안."

"당신이 말했잖아. 내겐 그런 게 없다고. 하지만 난 아직 그게 있는 것 같아."

"그래, 그래. 있을지도 몰라. 아니, 있을 거야."

"그리고…… 난 여기 분명히 있어. 차이후, 2021년생, 사랑하는 김홀의 아내."

이후의 아바타는 걸음을 줄이며 김홀의 아바타를 보았다. 나는 눈이 흐려져서 그것이 웃고 있는지 어떤지 보지 못했다.

"그래, 그래. 당신은 여기 있어. 내가 사랑하는 내 아내, 이후."

그래, 이후가 욘더에 있다면 내가 그걸 확인해야만 한다. 그리고 초청을 받아 찾아가든지 또는 어떻게 하든지 그녀를 구해내야 한다. 그녀를 구한다는 말의 의미가 무엇인지 명확히 결정하지 못했지만.

나는 마침내 들어온 목적을 수행하기로 마음먹었다. 이후의 존재가 짐작될 만한 민감한 질문을 던질 것이다. 인공지능이 망가지는 일 따위는 지금 아무것도 아니다.

"그래서 말인데, 당신 혹시 기억하고 있어? 병원에서의 일?"

"병원?"

"당신이 미디엄이란 여자를 만났지. 세이렌이라는 이름의."

"미디엄? 세이렌?"

이후의 아바타는 얼어붙었다. 인공지능이 그녀의 메모리를 샅샅이 뒤지고 있으리라. 한편으론 이 질문의 의도를 파악하고 정확히 대응하려 소프트웨어적으로 무진 애를 쓰면서. 이런 질문에 어떻게 대답을 하느냐에 따라 나는 이후의 징후를 느낄 수가 있으리라. 이런 것은 이후의 그 노란 파우치 안에 담겨 있던 것이 절대 아니니까.

"으응, 병원이 기억나기는 해. 어떤 병원. 내가 암이잖아. 우리 어머니가 돌아가셨어. 아주 먼 옛날에. 엄마, 나도 엄마같이 돼? 아빠가 나도 언젠가 엄마같이 된대. 엄마가 내 손을 잡고 울고 있는데 꼭 내가 우는 거 같네? 저런, 우리 아기 거기 있었어? 엄마가 아직 젖을 안 줬니? 당신을 잊지 않을 거야. 너무 불쌍해서, 나를 이렇게나 좋아해주는데. 세이렌이 누구야? 당신 내 숄을 가지고 왔어? 날씨가 조금 추워졌어. 한데 내가 그 사람한테 뭐를 주었네? 뭔가 작고 노란 것. 내가 없어지더라도 너무 슬퍼하지 마. 자부심을 가져, 당신은 훌륭한 인터뷰어야."

이후의 아바타는 종알종알 계속 말을 뱉어냈다. 이번에 충격에 빠진 것은 인공지능이 아니라 나 자신이었다. 그녀가 마법의 말을 꺼낸 것이다. '내가 그 사람한테 뭐를 주었네?' 바이앤바이의 기억 자료가 자신이 담겨 있던 그 작은 파우치를 알고 있을 수는 없는 일 아닌가?

"그래, 그래. 이후야, 그만해도 돼."

내가 인공지능을 진정시켰다. 이후가 있다. 그걸 느낄 수 있다. 머릿속이 핑핑 도는 느낌이었다. 욘더인지 뭔지에 그녀가 있다. 그리고 어떻게인지 모르지만 욘더의 이후는 이 인공지능과 아주 가는 끈으로 연결되어 있다. 그것이 내가 당장 상상할 수 있는 내용의 전부였다.

아바타는 가만히 멈춰 있었다. 얼굴에는 표정도 사라지고. 그러더니 입을 열었다.

"여보!"

인터뷰어로서 훈련된 내 직관을 다 동원할 필요가 있었다. 소위 바이앤바이 또는 욘더의 기술진이란 사람들이 지금 상황을 실시간으로 모니터하지는 않을 것이다. 하지만 특이 동향을 수시로 확인하겠지. 이후를 대신하는 인공지능이 비정상으로 작동한 사실을 알아낼 것이다. 그러고는 욘더와 연결된 가는 실마저 끊어버릴지 모른다. 그러고 나면 인공지능은 다시 디폴트 상태가 되어 아무렇지도 않게 나를 맞이할 것이다. 그것이 아무리 이 인공지능 아바타에게 위험한 일이 될지라도 나는 이 자리에서 더 확인해야만 한다. 이후가 정말 저 뒤편에 있는지. 지금 당장. 이 순간이 지나면 그 작은 문이 완전히 닫혀버릴 테니까.

"욘더가 뭐야?"

내가 아바타에게 물었다. 다행히 인공지능은 안정을 되찾은 것 같았다.

"욘더? 그런 게 있어? 난 모르겠는데?"

"Y.O.N.D.E.R."

"아, 잠깐 뭔가 떠오르는 게 있는 것 같아. 그건 영어로 저기, 저편이란 뜻이잖아? 그리고 이 세상."

"이 세상?"

"저기, 저편, 욘더, 여기."

"여기?"

"아아, 모르겠어. 지금, 여기, 이 세상. 내가 사는 곳."

"여보, 이후야!"

하고 내가 그녀를 불렀다. 아바타도 아니고 인공지능도 아닌 그녀, 이후가 듣고 있을 것이라 생각하고. 나의 호출이 저편에서 그녀에게 어떻게 현현될지 모른다. 저편에서 그녀의 정신이 어떤 상태인지도 알 수 없고.

꿈결처럼 들릴 것인가? 문득 환청처럼 나타날 것인가? 어쩌면 그녀 자신도 자신의 의식이 이런 인공지능에 연결되어 있다는 것을 모르고 있을까? 그녀는 내 목소리를 듣고 깜짝 놀랐을까?

"응, 여보. 김홀 씨."

아바타가 말했다.

"지금부터 내가 하는 말 잘 들어. 내가 거기 갈 거야. 어떻게 해서든. 당신이 나를 초청해줘도 되고, 그야 아마 당신이 하는 일이 아니겠지만…… 그렇지 않다 해도 꼭 길을 찾아낼 거야.

당신에게 가서 내 눈으로 확인을 해야 해. 그때에도 내게 눈이란 게 있을까? 당신에게 가서 당신과 함께 있을 거야. 더는 병으로 고통받지 않아도 되고, 영원히, 행복하게! 그들이 내 말을 듣는다면 내게도 초청장을 보내줄까? 어쨌든 그다음 일은 그때 가서 생각해보자고. 이후야 사랑해, 기다려!"

이후의 아바타는 내 말을 눈을 동그랗게 뜨고 듣고 있었다. 그러고 보니 나는 아직 결정하지 못했던 것을 결심하고 만 셈이었다. 내가 거기 간다.

13

욘더로 가는 사람들

최 사장이 죽었다는 부음이 도착했다. 피치의 방의 일원인 프로그래머 박이 보낸 것이었다.

"어제 최한기 사장께서 영면하셨습니다. 그렇게도 그리워하던 가족에게로 떠나셨습니다. 이제 그토록 싫어하시던 하이테크 기술에 의존하지 않고도 가족을 직접 만나실 수 있겠죠. 최한기 사장께서는 자택에서 돌아가셨습니다. 생체 신호가 끊겨 경보를 받고 도착한 응급 구조대가 생명을 구할 수 없었다고 합니다. 저는 개인적으로 그분이 스스로 목숨을 거두었다고 생각합니다. 우리와 만날 때면 늘 강한 모습으로 가장하셨지만 그분을 알던 우리는 모두 알고 있죠. 그분이 얼마나 가족을 그리워하고 사랑하셨는지. 아무쪼록 좋은 곳에서 가족들과 행복하게 해후하셨기를 기원합니다."

프로그래머 박은 단순한 텍스트 메일로 그것을 보냈다. 그것의 수신자는 피치까지를 포함한 피치의 방 사람들이었다.

나는 최한기 사장이 걸어가던 그 강변의 길을 또다시 떠올렸다. 그를 뒤따르던 LED 조명을. 그의 죽음이 헛된 것이 아니었기를 진심으로 바랐다.

나는 욘더에서 소식이 오길 기다렸다. 이후가 나를 불러주기를. 물론 일이 그렇게 되지 않는다는 것을 알고 있었다. 내게 초청장을 보내야 하는 것은 이후가 아니라 그들일 테니.

이후가 거기 있는 것이 확인된 이상, 적어도 그렇다는 확신을 가지게 된 이상 나는 거기 가야 한다. 가서 무엇을 어찌해야 할지 결론을 내리지는 못했지만. 내 머릿속에는 그녀가 차꼬와 사슬에 묶인 이미지가 계속 떠올랐다. 자신의 의지에 반해서 붙잡힌 영혼. 거기 있는 그것이 그녀의 영혼이라면 자유를 얻어야 한다. 마술사의 상자에 갇힌 비둘기를 자유로운 세상으로 날려 보내듯.

설령 거기에서 편안하게 지내고 있다 하더라도, 그래도 나는 그녀를 만나야 한다. 지금 그녀에게 필요한 것은 바로 나일 것이다. 지금 내게 그녀가 바로 그런 것처럼. 내 목숨을 버리게 되는 일일지라도 나는 그녀와 함께 있고 싶었다. 그녀와 있다면 컴컴한 망각 속에 흐릿한 의식만으로 남아 있더라도, 그것이 축축한 무덤 안 벌레가 출몰하는 관 속일지라도 좋았다.

나는 아무 소식도 오지 않는 이유를 궁금해하며 하루하루를 안절부절못하며 지냈다. 내 핸디에 불이 들어오고 이후가 "여보, 나야!" 하고 메일을 보내오길 기다렸다.

그사이 사태가 이상하게 돌아가기 시작했다. 어디서 누가 그것을 퍼뜨리기 시작했는지 모르지만 세상에 욘더라는 말이 서서히 나돌았다. 소문으로, 유언비어로, 설화나 도시 괴담처럼. 처음에는 하위 네트워크에서 조금씩 언급된 모양이다. 해커들의 커뮤니티나 비밀 게임 네트워크 같은 곳에서.

"욘더라는 곳의 이야길 들어봤어? 죽은 사람이 잔뜩 모여 있는 으스스한 사이트라던데."

"아니, 거긴 사이트가 아니라 또 하나의 네트워크라더군. 고인이 된 사람들의 메모리가 유령처럼 부유하는. 일종의 난파선, 유령선처럼. 거기 들어가면 죽은 사람들이 시퍼런 불을 둘러싸고 모여 노래를 부르고 춤을 추며 어서 이리 와서 함께 놀자고 유혹을 한다더군."

"내가 알기로 거긴 메모리의 덤핑 스폿, 일종의 쓰레기 하치장 같은 곳이야. 복제에 복제를 자동으로 거듭하는 메모리를 네트워크는 감당할 수가 없게 되었지. 어느 게 아직 살아있는 메모리이고 어떤 게 죽은 것인지 네트워크는 가려낼 수가 없어. 사용률이 떨어지는 메모리를 그런 어두운 네트워크에 모아두는 거지. 그러다 보니 주로 고인이 된 사람들의 것이 많아진 거야. 그런데 어떤 해커들이 온갖 곳을 다 헤매고 다니다 거기 발을 들여놓은 거지. 그러고는 초현상적인 기이한 경험들을 하게 된 거래. 알몸으로 달려들어 섹스를 해달라고 애원하는 메모리도 있는데 그건 아마도 어떤 사이버 호어가 소지하던 것일지도 모르지. 비록 지금 본래의 프로그램에서는 떨어져 나왔을지 모르지만 스스로 생명력을 갖게 된 거야. 한 해커가 VR 장비를 하고 메모리와 섹스를 하다가 진이 모두 빠져 심장마비로 사망했다지? 상대의 메모리에 자기 것을 순식간에 씌워버리고 없어지는 늙은 메모리…… 그런 걸 지워내려면 한참 진을 빼야 한다더군."

"내가 거기에 갔다 온 해커에게서 직접 들은 얘길 해주지. 이건 100퍼센트 진실이야. 그 사람은 유령이 나온다는 공간을 찾아다니는 한 사이버 심령 동호회 회원이야. 어느 날 동호회 회원 하나가 자기가 우연히 소지하게 된 어떤 동영상을 그에게 보여주었지.

흰 잠옷을 입은 여자가 카메라 렌즈를 세팅하는 장면에서 시작하는 거야. 그 여자는 한 남자를 방으로 이끌어 브로핀 헬멧을 쓰게 했지. 그러고는 무슨 주사약을 남자에게 맞게 한 거야. 남자는 브로핀 헬멧을 쓴 채 잠이 들었지. 그다음 장면에는―이 여자가 기가 막힌 미인이었다고 하더라고. 웬만한 AV 스타 저리 가라 할 정도였대― 자기도 브로핀 헬멧을 쓰고 화면을 들여다보더래. 렌즈를 다시 조정하고 남자에게 다가들었지. 남자의 옷을 가위로 싹둑싹둑 모두 잘라 벗겨내고 그렇지 않아도 반쯤 일어난 남자의 물건을 루브를 잔뜩 바른 미끄러운 양손으로 마구 잡아당겨 발기를 시키더래. 그리고 그 위에 올라타서 잠에 곯아떨어진 남자의 목을 조르기 시작한 거야. 물론 그 짓을 하면서 말이야. 그런데 아무리 봐도 서로의 경험을 브로핀 헬멧을 통해 나누고 있는 장면인 것 같더래. 쾌감을 즐기는 각자의 표정, 남자가 잠이 깨서 동공이 열리고 여자의 동공도 역시 커다래지고……. 그러고는 남자가 헉! 소리와 함께 기절해버리더래. 그러고는 더는 숨을 쉬지 않는 것 같았다지. 마치 죽은 것처럼.

여자가 일어난 뒤에 보니 남자의 물건은 아직 팽팽한 상태 그대로였대. 여자가 카메라를 끄기 위해 다가오는데…… 그 형 말로는 그렇게 무서운 표정은 생전에 본 적이 없었대. 꼭 그 자리에 있는 자기에게 눈을 맞추고 있는 것처럼, 그러고는 차갑고 무시무시한 표정으로 씨익 웃더래.

하여간 그걸 보여준 회원이 형에게 물었대. 동영상에 뭐 이상한 점이 없냐고. 형은 자기는 잘 모르겠다고 하니까, 그 회원 말이, 자기가 이 영상에 하도 심취해서 얼굴 검색 사이트에 들어가 거기 나오는 두 남녀의 신원을 찾아보았대. 뭐, 일주일이 걸렸대나 어쨌대나……. 한참을 뒤져 알아보니 그들과 가장 가까운 얼굴 인식, 최소 85퍼센트 이상 가까운 사람 둘이 걸렸대. 그런데 여자와 남자의 나이 차는 삼십 세, 그리고 여자는 남자가 태어나기도 전에 이미 사망했더라는 거야.

형은 그런가 보다 하고 잊고 지냈는데 어느 날 자기 앞으로 '날 봤죠?'라는 제목의 메일이 왔더래. 무심코 그걸 열었더니 바로 그 동영상의 여자가 나와서 '당신이 네트워크 구석구석 안 가본 곳이 없는 해커인 줄 알아요. 그리고 당신은 나를 봤죠. 내가 아직 당신이 가보지 못한 네트워크를 알려줄게요. 거기 와서 나를 찾아요. 나를 안아보고 싶은 걸 아니까. 첨부한 길을 따라 욘더로 와서 ○○○를 찾아요. 기다리고 있을게요'라고 말하더래.

근데, 이 형이 워낙 모험심도 많고 한량이라 정말 가보기로 한 모양이야. 간이 배 밖으로 나온 거지. 나 같으면 죽어도 못 했을 텐데. 알려준 루트를 찾아가니 그저 깜깜한 공간이더래. 그런가 보다 하고 돌아 나오려다, 여자가 알려준 이름을 크게 세 번 외치니까 정말 저 멀리 그 여자 같은 모습이 나타나더래. 하얀 잠옷을 입고 손에는 브로핀 헬멧을 들고. 순식간에 형에게 다가와서 머리에 덥석 그걸 씌우더래. 형은 덜컥 겁이 났지. 뿌리치려고 힘을 쓰는데도 여자가 어찌나 힘이 센지 도저히 감당이 안 되더래. 그래서 헬멧을 벗어 던진 뒤에 뒤도 안 보고 도망 나왔다고 하지.

지금도 그 형은 그 생각이 나서 메일을 열 때면 꼭 제목과 보낸 사람부터 확인하는 습관이 생겼대."

물론 하위 네트에서 이야기되는 내용 대부분이 허황된 것이었다. 그러나 이런 것이 퍼지고 있다는 사실 자체가 심상치 않았다. 게다가 그중에는 묘하게도 진상에 가까운 요소가 있었다. 브로핀 헬멧이 자주 언급되는 일이 욘더의 그들에겐 매우 위협적으로 느껴지지 않을까?

일단 봇물이 터지자 욘더는 더는 비밀이 아니었다. 누구든 그에 대해 조금씩은 알게 되었고, 때로는 이상하게 과장되거나 부풀려진 모습으로 등장하기도 했다. 마치 UFO처럼, 사라진 고대문명이나 기이한 미래의 청사진처럼.

그것을 믿는 사람도 있었고 믿지 않는 사람도 있었다. '욘더를 믿는 사람들'이라는 이름의 비밀 게시판이 부쩍 늘었고, 사람들이 거기 모여 이런저런 토론을 벌이곤 했다. 그들 중에는 자신이 욘더에 다녀왔다고 주장하는 사람도 있었는데, 그런 체험담 중에는 다음과 같은 글이 있었다.

"욘더에 대해 이런저런 상상을 하는 사람이 많습니다만, 오늘은 제가 일목요연하게 정리를 해드리도록 하죠.

일반적으로 욘더라는 말이 처음 나타나게 된 것은 어떤 해커들 사이에서라고 알려져 있습니다. 한 해커가 '욘더의 모습'이라는 사진을 올린 것에서 비롯되었죠. 흑백에 가까운 그 정지 영상은 아름다운 평원에 반투명한 사람들이 걷고 있는 모습이었습니다. 저 멀리는 산과 구릉의 모습도 보이고 나무며 꽃을 비롯한 식물이 자라고 있고요.

그것을 처음 본 해커들은 이상하게도 마음이 평안해지고 그 안에 빠져드는 것 같은 체험을 했답니다. 계속 들여다보고 있으면 자신이 거기 들어가 그 유령 같은 사람 무리에 함께 있는 것 같은 환상을 보게 된다고요. 어떤 사람은 그 그림이 최면 사진이라 말했죠. 이미지에 묘한 코딩을 해놓아서 일정 시간 이상 들여다보면 그런 효과를 나타내는 거라고 말이죠.

그런데 다른 해커가 그 사진은 실제 욘더의 사진이 아니며 그저 어떤 평범한 사진을 교묘하게 합성한 것이라 주장했죠. 그리고 그는 '2xxx년 ○○○ 와이너리 야유회'라는 제목의 비슷한 사진을 그 증거로 올렸습니다. 그러면서 이 해커가 말하기를, 욘더라는 곳은 차원이 다른 일종의 메타-네트워크여서 만일 그곳에서 어떤 사람이 정지 영상을 캡처했다 하더라도 그것을 이쪽 네트워크로 가져오면 마치 저 우주 바깥에서 물질과 반물질이 만나는 것처럼 소멸되고 만다는 거였죠. 그래서 욘더의 사진이란 것이 우리 쪽 세상에는 결코 존재할 수 없다고 말입니다. 그는 그러면서도 '욘더의 모습'을 처음 포스팅한 사람이 어쩌면 욘더에 대해 무엇인가 조금은 알고 있을지 모른다고 말했습니다. 그리고 그 근거로 그곳을 천국 같은 모습으로 합성해냈다는 점을 들었죠.

그는 욘더란 바로 네트의 천국 같은 곳이라는 말을 처음으로 언급했습니다. 거기 들어가 보면 합성 사진의 수백 배는 되는 평화와 안정감을 느낄 수 있으며, 무엇을 하든 충만한 기쁨을 느낄 수 있다고 했죠. 그리고 마지막으로 '거기는 영원한 세상이라 시간이 없어. 무릉도원에서 보낸 하루가 이 세상에선 천 년이 될 수 있단 거 알지? 거긴 사실, 가상공간 불멸 cyber immortality이 정말 실현된 곳이거든?'이라고 덧붙였죠.

해커들은 이 새로운 포스터가 뭔가를 알고 있다고 믿고 그에게 욘더에 대한 많은 질문을 퍼부었습니다. 그는 처음에 그런 질문에 충실하게 답변을 해주었죠. 가령 그는 그곳이 가상현실 공간이 아니라는 둥, 그곳에는 아바타를 입고 들어가는 게 아니라 일종의 유체 이탈처럼 정신이 그곳에 업로딩되는 방식으로 들어간다는 둥의 이야기를 했습니다.

그러자 이번엔 그의 주장에 의문을 제기하는 사람들이 나타났죠. 주로 기술적인 문제를 들어 그 미상의 해커가 주장하는 말이 허무맹랑한 허구라고 반박하는 거였습니다. 공격을 가장 많이 받은 부분은 '가상공간의 불멸'이라는 것과 '정신의 업로딩'이라는 두 가지 개념이었죠. 현재의 기술로는 도저히 불가능하다는 것이었습니다. 그러고는 그 주장을 반박하는 측과 지지하는 측의 열광적인 다툼이 있었죠. 그런데 그사이 문제의 두 번째 포스터가 슬며시 사라져버렸습니다. 자기의 게시물도 모두 지워버리고 말이죠. 서로 한창 논쟁을 벌이던 양측 진영은 어떤 미친놈에게 감쪽같이 당했다고 분개하며 잠잠해졌고 욘더라는 곳에 대한 논란은 사그라지는 듯했습니다.

그런데 불씨는 엉뚱한 곳에서 재현되었습니다. 부흥사 K에 대한 포스팅이 열리면서부터죠. 그는 부흥사 K의 방송에 숨겨진 암호에 대해 나름의 의견을 개진하고 있었는데, 누군가 거기에 '부흥사 K가 말하는 불멸이란 바로 욘더와 같은 사이버 불멸을 말하는 것이다'라는 리플을 달면서 분란이 일어난 것입니다.

갑자기 욘더에 관한 정보가 다시 쏟아져 들어오고 그것이 과연 저 사이버 구루와 관련이 있느냐 없느냐 하는 설왕설래가 불꽃을 튀었죠. 그러면서 또 하나 새로 등장한 이론이 요즘 줄을 잇는 자살자들이 모두 '욘더로 가는 사람들'이라는 것이었습니다. 그들이 부흥사 K의 암호를 풀어 '몸을 버리고 사이버 불멸을 찾아' 욘더로 갔다는 내용이죠.

그래서 지금까지 제보된 여러 정보를 취합해보면 다음과 같습니다.

1. 욘더는 어떤 초월적인 서버 또는 네트워크의 이름이다. 여기서 초월적이라 함은 우리가 사용하는 이 네트워크의 차원에서는 접근이 불가능하기 때문이다. 만일 접근하려 하면 그곳의 컴퓨터 언어가 전혀 다르기 때문에 접근 자체가 원천적으로 봉쇄된다.

2. 욘더는 사이버 스페이스상에 구현된 천국 같은 곳이다. 인간이 바랄 수 있는 모든 만족이 구현되어 있으며 진정한 쾌락과 행복이 가능한 장소이다.

3. 욘더에 가는 길은 욘더가 허락을 할 시에만 열린다. 그곳에 이르는 방법에 대해서는 유체 이탈과 같은 초현상적인 영혼의 이주migration설과 모종의 과학적인 수단을 통한 '브레인 다운로드설'이 있다.

4. 최근 연쇄적인 자살 사건의 배후로 욘더가 지적되는 일이 있다. 일부 주장에 따르면 그런 자살자들이 실은 목숨을 끊었다기보다는 육체를 버리고 욘더로 이주했으며 현재 그 안에서 아주 행복하게 잘 살고 있다는 것이다. 그런 의미에서 욘더는 사후의 삶이 끊이지 않고 이어지는 불멸의 장소로 이해되기도 한다.

5. 4번과 관련해서 욘더의 실제 주인이 부흥사 K라는 설이 있다. 불멸 구루라는 별명으로도 불리며 암호화된 방송을 하고

있는 부흥사 K의 프로그램에 욘더를 대입하면 모든 의문이 풀린다는 것이다."

곧이어 상황은 다음 단계로 접어들었다. 욘더라는 말이 주류 미디어에 언급되기 시작한 것이다. 아주 본격적으로는 아니지만 가십이나 세태, 흥미 위주의 과학 관련 기사나 프로그램에서 이 내용을 다루었다. 그리고 그중에는 인상적인 타이틀도 몇 개 있었다.

"욘더…… 사이버 이모탤리티cyber immortality?"

나는 그 기사를 열어 읽어보았다.

"가상공간의 불멸, 그것은 더는 꿈이 아니며 이미 여기 와 있는 것일 수도 있다. 요즘 욘더라는 정체불명의 공간에 대해 하층 네트워크에서 활발히 이야기된다. 이야기의 버전은 다양하지만 그것의 요지는 대체로 브레인 다운로드 같은, 꿈의 기술이 완성되었다는 전제에서 시작한다. 그 기술로 인간의 정신을 사이버 스페이스로 전송해 서버가 유지되는 한 그 안에서 영원히 살 수 있는 길이 열렸다는 것이다. 더구나 그런 가상공간에서는 현실에서 시도할 수 없는 모든 것이 가능하기 때문에―음식이나 물질에 대한 육체적인 욕구가 없어지고 질병에 대한 두려움도 사라진다― 누구나 가장 행복한 상태로 지낼수 있다. 게다가 개인의 자유가 다른 사람의 권리를 침해하지 않을 수 있다는 장점도 있다.

이에 대한 전문가들의 반응도 다양하다. 철학자들과 심리학자들은 실제로 그런 기술이 완성되었다면 자아, 정신, 인간성 등에 대한 논의가 새로운 지평에서 활발하게 진행될 것이라 본다. 육체가 없는 인간을 여전히 인간으로 볼 수 있는가? 다운로드된 정신을 여전히 자아의 연장이라 보아야 하는가? 등등.

엔지니어들과 과학자들은 대개 아직 그런 기술은 공상과학의 영역이라며 부정적인 견해를 표출했다. 현재까지 인류가 성취한 기술은 정신을 다운로드하는 고차원적인 수준에는 턱없이 못 미치며 의학계와 시뮬레이션 분야, 로보틱스 분야 등에서 약간의 진보를 보인 바 있다고 밝혔다. 그럼에도 그런 기술이 현실이 되는 것은 시간의 문제일 뿐 언젠가는 얼마든지 가능해지리라는 견해이다. 그때가 되면 상상의 욘더 같은 공간도 꿈은 아닐 것이나, 다만 현재 그런 것이 존재하느냐의 여부에 대해서는 한결같이 불가능하다는 의견을 주었다."

이런 것도 있었다.

"죽음의 행렬, 그 뒤편에 욘더가?

최근 의문스럽게 벌어진 연쇄적인 자살 사건의 배후에 욘더라는 이름의 기이한 가상공간이 존재한다는 주장이 네트워크 일부에서 제기되고 있어 주목을 끈다. 그들에 따르면 이 자살자들은 스스로 목숨을 끊는 것이 아니라, 욘더라는 사이버 스페이스에서 삶을 지속하기 위해 몸을 버리고 마인드 다운로딩을 통해 그곳에 들어간다는 것이다. 그 안에서 영원한 생명과 행복이 보장되기 때문이란 것인데, 이에 대해 뉴 서울 경찰은 터무니없는 소문이라는 논평을 내놓았다.

경찰 대변인은 그에 관한 첩보를 받고 수사를 일부 진행했음을 시인하고 현재 '욘더라는 이름의 사이트는 존재하지 않는다'고 내부 결론을 내렸음을 밝혔다. '경찰 당국은 이를 외계인에 의한 납치, 인체 실험 및 살해설과 마찬가지로 전혀 근거 없는 유언비어로 규정짓고 있으며 일부에서 얘기하는 것처럼 이를 다루기 위한 비밀 전담반을 운영하지도 않는다'고 거듭 강조했다."

그런가 하면 '뉴스 추적'이라는 공중파 프로그램은 욘더의 소문과 부흥사 K의 관련성 여부에 대한 취재를 벌였다. 취재의 초점은 사설 방송에서 불멸이라는 주제로 설교를 하는 부흥사 K라는 인물이 욘더라는 가공의 공간에 대한 소문을 퍼뜨리고, 일부 추종자에게 그곳에 가게 해준다며 거액을 받고 자살을 유도하고 있다는 의혹에 관한 것이었다.

프로그램 내용 중에는 인터뷰를 고사하는 부흥사 K의 차량을 호텔 앞에서 가로막고 그와 짧은 대화를 나누는 부분이 있었다. 부흥사 K는 하얀 중절모를 쓴 채 고개를 살짝 외면한 자세였다.

기자: 당신은 욘더라는 곳에 대해 알고 있습니까?
부흥사 K: 욘더? 그게 뭔가요, 먹는 건가요?
기자: 불멸의 사이버 공간이라는 욘더에 대해 들어본 적이

없다는 말입니까?

　부흥사 K: 불멸은 아무 데서나 이루어지는데 그렇다면 욘더
는 이 세상 모든 곳이군요.

　기자: 당신은 요즘 줄을 잇고 있는 자살자들에 대해 아는 것
이 있습니까?

　부흥사 K: 제가 하고 싶은 말은 '생이 소중하다'라는 것입니
다. 우리 모두 불멸을 위해 살고 있는데 왜 생을 버리십니까?

　앵커: 부흥사 K는 연쇄적인 의문사 및 욘더에 대한 자신의
관련 여부를 완강히 부인했습니다.

　내게도 부흥사 K와 욘더의 관련 가능성은 충분해 보였다. 뒤
를 캐보면 바이앤바이, 브로핀 헬멧의 제조사와 부흥사 K, 욘
더는 모두 하나의 거대한 카르텔을 이루고 있을 것이라고. 그
들은 내가 상상할 수 있는 것보다 훨씬 방대한 조직인지도 모
른다.

　하여간 욘더라는 괴물이 뉴 서울을 떠들썩하게 만드는 데에
는 불과 몇 주밖에 걸리지 않았다. 사람들은 모이는 자리마다
공공연히 그 이야기를 주고받으며 각자의 상상을 나누었다. 그
러고는 곧바로 욘더와 관련된 새로운 국면 전환이 나타났다.
연쇄적인 자살자들 중 한 가족이 "우리는 욘더로 갑니다"라는
유서를 남기고 동반자살한 것이다.

　"우리는 욘더로 갑니다. 우리 시신을 거두러 오시는 분들, 우
리가 남겨놓은 찌꺼기를 치우러 오시는 분들께 심심한 사의를

표합니다. 우리가 다른 모든 것을 정리하였음에도 결국 정리할 수 없는 것들을 남기고 가니 부디 노여워하지 마시기를. 우리는 이승에서 좋은 삶을 살았습니다. 우리 부부와 두 아이들, 경제적으로 아주 여유롭게 살지는 못했지만 결코 부족하지도 않았습니다. 우리는 우연한 기회에 욘더로 가는 방법을 알게 되었고 거기에서 우리의 행복을 지속할 수 있다는 확신을 가졌습니다. 이것을 그저 우리 일가족이 새로운 세계로 떠나는 이민이라고 여겨주십시오. 부디 이 길이 두루 알려져서 많은 분들이 저 욘더에서 우리와 함께하기를 고대합니다."

비슷한 시기에 한 시대를 풍미한 저명한 원로 작가가 목숨을 버렸다. 그는 심령현상을 연구하는 한 미상의 결사 단체 일원으로 알려졌다. 그 단체는 작가의 죽음을 알리고 그의 마지막 메시지를 발표했다.

"나는 지금 막 욘더로 떠나려는 참입니다. 저도 얼마 전까지는 반신반의했지요. 지금 저는 무엇보다 확실한 신념을 가지고 이 일에 임합니다. 우리 형제자매 중 욘더로 간 사람은 많습니다. 이미 수십여 명을 헤아리죠. 그럼에도 그것은 쉬운 결정은 아닙니다.

만일 욘더라는 그곳이 우리의 믿음과 다른 곳이라면, 혹은 욘더가 실제로 존재하는 곳이 아니라면, 하고 의심했지요. 하지만 저는 얼마 전부터 확신을 얻게 되었습니다. 욘더는 공상이 아닙니다. 욘더는 실재합니다. 이것은 아주 확실하고 분명한 복음입니다. 믿는 자는 천국, 믿지 못하는 자는 불멸의 혜택을 받지 못하겠죠.

저도 저를 앞서간 저의 선구자들과 같은 약속을 하겠습니다. 만일 제가 욘더에 가보고 그런 곳이 실재한다면 여러분들에게 어떤 방식으로든 메시지를 보내겠습니다. 여러분도 나를 따라 오십시오."

이제 욘더에는 두 가지 얼굴이 생겼다. 공포와 희망. 대부분의 사람에겐 뒤숭숭한 사회 분위기를 상징하는 말이었다. 사람들은 저마다 주변의 누가 그런 헛된 공상을 믿고 엉뚱한 짓을 벌일까 염려하거나, 세상이 무정부 상태에 빠져버리지 않을까 하는 신경증에 시달렸다. 그러나 치명적인 질병을 가진 사람들에게는 마지막 희망이 되기도 했다.

한 부자는 다음과 같은 광고를 각종 매체에 올렸다.

"저에게 욘더로 가는 길을 가르쳐주시는 분께 일억 아시안 화를 드리겠습니다. 저는 지금 루게릭병으로 죽어가고 있습니다. 어떤 사람은 내가 가진 막대한 재화를 신탁에 맡기고 요즘 크게 진보하고 있는 냉동 인간 프로젝트를 해보라고 권합니다. 어떤 사람은 저에게 가능한 모든 인공장기를 동원해서 보철 공학으로 목숨을 연장하라 말합니다. 그런가 하면 또 어떤 사람은 많은 진전을 보인 줄기세포 연구에 희망을 걸어보라 합니다.

하지만 제 소망은 간단합니다. 저는 욘더로 가고 싶습니다. 욘더로 가는 길을 구체적으로 알고 계신 분이 있다면 제게 꼭 알려주십시오. 저를 돕는 전문가들에게 물어 그 방법이 분명하다고 판단되면 두 배, 세 배의 보상을 할 용의가 있습니다."

사기꾼도 생겼다. 자기가 욘더에 다녀왔으며 거기에 이르는 방법을 소상히 알고 있으니 일정한 금액을 받고 그것을 알려주겠다는 것이었다. 그들은 욘더로 들어가는 업로딩 장비나 주술이며 비법을 팔기도 했다.

여기저기에서 욘더의 소문이 퍼져가는 경과를 관찰하면서 나는 최 사장의 혜안에 감탄해 마지않았다. 이것은 욘더를 창조한 그들이 꾸민 고도의 전략임이 분명했다.

첫째로 그들은 욘더에 대한 정보를 일부러 흘림으로써 흥미를 높여 거기에 가고 싶다는 욕망을 은연중에 부추겼을 것이다. 이런저런 소문에 노출되어 '욘더'에 대한 잠재적 욕망을 키우던 사람이라면 어느 순간 "당신은 욘더에 갈 수 있습니다. 그 방법은 이러합니다" 하고 접근했을 때 넘어오기 쉬울 테니까.

다음으로는 자기들이 하는 일의 기밀을 유지할 수 있는 또 다른 방책이었을 것이다. '욘더'에 관한 소문이 하도 여러 갈래인 데다가 이렇게 저렇게 윤색되며 흐르다 보니 누가 정작 정확한 사실을 새로 퍼뜨린다 해도 탁한 기류에 휩쓸려 아무도 제대로 된 정보와 거짓 정보를 구별하지 못할 것이다.

그러니까 그들은 거짓 정보와 진짜 정보를 교묘하게 섞어 퍼뜨림으로써 홍보와 기밀유지의 두 가지 효과를 모두 보고 있는 셈이었다. 나는 최 사장이 알게 된 정보 역시 그들이 의도적으로 흘린 것이 틀림없다고 생각했다. 이제 와서는 그것 역시 거짓의 홍수에 매몰되어버리게 되었으니.

그런데 왜 내겐 초청이 오지 않는 것일까? 나는 하루라도 빨리 이후를 보고 싶었다. 그녀의 상태를 확인하고 그녀를 도와야 한다면 어떻게 도울 것인지 방법을 찾아야 한다.

14

사이보그 타운

BC 공단은 외부에선 사이보그 타운이라고도 불렸다. 그곳에는 몸에 극단적인 변형을 가한 사람들, 그중에서도 주로 보철물이며 기계장치며 전자 칩 등을 몸에 삽입하여 소위 사이보그화된 사람들이 살았다. 그리고 소수이긴 하지만 타투라든지 피어싱, 신체 절단, 외과적인 시술을 통해서 몸을 바꾸는 BM Body Modification 그룹의 사람들도 있었다.

내가 BC를 찾은 까닭은 욘더로 가는 길을 직접 찾기 위해서였다. 아무리 기다려도 욘더로 들어오라는 메시지가 올 것 같지 않았다. 그래서 나는 프로그래머 박에게 사신私信을 보냈다. 그에 대해 짚이는 게 있어서였다. 최 사장은 그와 각별한 것 같았고 일을 벌이기 전에도 긴밀한 논의를 했을 거란 판단이었다. 그러면 미디엄 세이렌을 만날 방법을 알지도 모른다.

"돌려 말하지 않겠습니다. 저는 세이렌을 만나야만 합니다.

그 이유도 짐작하실 겁니다. 저에게 그녀를 만날 수 있는 방법을 알려주셨으면 합니다."

그러자 프로그래머 박에게서 다음과 같은 답신이 왔다.

"저 역시 그녀를 만나는 방법은 모릅니다. 다만 그것을 알려줄 수 있는 사람은 알고 있습니다. 그 사람은 사이보그들이 사는 BC 공단에 있습니다. 하지만 혼자 들어가시는 걸 권할 수가 없지요. 그래도 꼭 들어가셔야 한다면 '살마키스'라는 술집을 찾아 미하일이라는 이름의 사이보그를 만나십시오. 어쩌면 세이렌에게 연결해줄지도 모릅니다."

나는 목 뒤편에 위장 칩을 박아 BC에 들어가기 위한 준비를 했다. 칩 자체는 진짜였지만 피부에만 넣고 신경계와는 연결하지 않았다. 몸의 일부를 사이보그로 바꾸고 싶어하는 사람 행세를 할 예정이었다. 그 수술을 받으러 BC에 찾아온 것처럼.

칩의 수술 자리가 아물기를 기다려 거기에 갔다. 환한 낮보다는 밤 시간을 택했다. 각각의 취약점이 따로 있었다. 낮에는 활동하는 사람이 적겠지만 대신 그들과 다르다는 것이 금방 눈에 띈다. 반면 밤은 다름을 어느 정도 감춰주겠지만, 북적대는 거리를 헤매야 할 것이다. 나의 경우엔 아무래도 밤이 행동하기 좋을 것 같았다. 외형적인 특징이 워낙 그들과 다르므로.

BC 타운은 황량한 벌판에 컴컴한 암초처럼 불쑥 올라 있었다. 나는 렌터카를 길가에 세우고 승용차가 다닐 수 없을 만큼 깨져버린 아스팔트에 내려섰다. 그리고 200미터가 넘는 거리를 힘겹게 걸어갔다. 세상의 비닐 쓰레기가 거기 다 모여 있는 것 같았다. 크고 작은 비닐봉지가 사방에서 내게로 날아들었다. 바람을 타고 올라갔다가 천천히 땅으로 내려왔다가는 또다시 다음 바람에 날려 올라가면서.

나는 심호흡을 하고 앞에 놓인 바리케이드를 넘어섰다. '이곳을 넘어가면 당신의 안전을 보장할 수 없습니다. —경기도 경찰청장'이라고 쓰인 작은 경고판도 지나쳤다. 차가 다니지 않는 널따란 도로가 나직한 건물 한복판에 뻗어 있었다.

BC는 예전에는 작은 공장이 모여 있던 단지였지만, 지금은 사이보그 부품을 생산하는 장소로 바뀌고 창고는 사이보그들의 숙소가 되었다. 그리고 그 단지의 상가 역할을 하던 곳이 바로 사이보그들이 주로 모이는 다운타운으로 자리 잡은 것이다. 방문은 이번이 처음이지만 소문은 익히 듣고 있었다. 사이보그나 BM족이 아닌 사람이 들어가서 팔이나 다리를 잃지 않고 온전히 걸어 나오기란 불가능한 곳이라고. 어떻게 시작된 소문인지 모르지만 사이보그들이 인간의 신선한 장기나 신체를 좋아한다는 말이 떠돌았다. 개인적으로는 헛소리라 생각했다. 몸을 기계로 바꾸어가는 사람들이 그런 것을 왜 필요로 할 것인가?

그렇다고 해도 긴장이 되지 않는 것은 아니었다. 벌써 땀에 흥건히 젖은 손을 들어 핸디에 '살마키스'의 주소를 불러주었다. 콧등에 얹힌 셰이드 인터페이스에 내가 갈 곳이 나타났다. 몇 개의 블록을 걸어 들어가야 한다. 나는 호주머니 속 테이저건을 만지작거리며 천천히 거리로 들어갔다. 여기 들어오기 위해 구입한 것이었다. 셰이드 안의 십자 표시를 표적에 겨냥하

236

고 방아쇠를 당기면 수천 볼트의 전력량이 충전된 전극이 날아 가게 되어 있었다. 몸의 대부분이 전기회로로 이루어진 사이보 그들에게는 특히 효과적인 무기가 될 수도 있다. 상대가 인간 의 신체 능력을 훨씬 상회하는 존재란 걸 감안하면 회의적이 되기도 하지만.

나는 셰이드를 적외선 모드로 바꾸었다. 캄캄한 어둠에 빠져 있던 거리가 훤히 드러났다. 여기저기 꿈틀꿈틀 움직이며 다니 는 희멀건 물체들이 나타났다. 보통 사람의 움직임이라 볼 수 없는 동작 사이로 희미한 모터 소음이나 진동음이 들렸다. 나 는 그 허연 그림자들 속으로 조심스레 들어가기 시작했다. 나 를 환한 대낮처럼 보고 있을 그들의 눈을 의식하지 않을 수 없 었다.

아직까지는 운이 좋은 듯했다. 사람들이 자기 일상에 깊이 빠져 있을 때면 주변에 일어난 사소한 변화 같은 것에 크게 주 목하지 않는 것인지, 길을 걸어가는 동안 아무도 나를 불러 세 우거나 가로막지 않았다.

흥분상태가 조금 가라앉자 주변을 좀 더 면밀히 살피기 시 작했다. 내가 주로 거주하고 생활하는 곳에서 전혀 볼 수 없는 사람들을 지나치고 있었다. BC에 거주하는 사이보그들은 굳이 인공피부로 기계 몸을 덮을 생각을 하지 않는 것 같았다. 기계 팔이며 다리를 스스럼없이 내보이며 걸어 다녔다. 인간적인 용 모를 다 잃은 존재들. 그들은 스스로를 사이보그라 불렀지만, 대개는 장애를 가진 사람들을 위해 개발된 의료용 보철물을 한

237

것이었다. 멀쩡한 자기들 몸의 일부를 조금씩 절단해 기계로 대치하는 것이다. 엄밀하게 말해 진정한 의미의 사이보그 기술은 아직 완성을 본 게 아니다. 그러나 이들은 그 시대를 앞당겨 살고 있었다. 근래에는 아마추어 기술자와 소규모 무허가 공장이 사이보그를 위한 기계와 부품을 만들어 공급하기도 했다.

외부에서는 그들을 사이보그라는 이름으로 통칭했지만 그들이 스스로를 부르는 이름은 보다 다양했다. 약간의 칩을 박아 넣고 생체 감각이나 능력을 높인 사람들은 스스로를 흔히 바이오닉이라 불렀고, 그보다 과감한 변화를 불러온 사람들은 사이보그라 칭했다. 경우에 따라서는 안드로이드니 로봇이니 하는 이름으로 자신을 더 완벽한 기계로 인식시키려는 이들도 있었다.

길에서 두 사이보그가 한바탕 다툼을 벌이고 있었다. 내 눈에는 두 개의 고철 덩이가 싸움을 하는 장면 같았다. 한 사이보그는 캐터필러caterpillar 다리에 한 팔은 두 개의 관절을 가진 것이었다. 다른 팔보다 세 배는 길어 보였다. 다른 사이보그는 플라스틱 몸통과 양팔에 철물 의수를 한 사람이었다. 한 사이보그가 지팡이를 들어 내리치고 있었고 다른 사이보그는 팔을 들어 그것을 막아내는 중이었다. 그들 몸의 부품이며 기계조직을 그대로 드러낸 채 어둠 속에서 불꽃을 튀기고 금속성을 내면서 서로를 한 번씩 번갈아 가격하는 거였다.

그 거리에는 그런 사이보그들만 존재하는 것이 아니었다. 온몸을 플라스틱 비늘로 덮은 어류 인간—그는 눈꺼풀을 도려내고 새까만 렌즈로 바꾸어 넣었다— 그리고 피부와 근육을 이리저리 절개한 후 여러 모양의 인공조직을 삽입해 마치 하나의 추상화를 연상시키는 기계 인간도 있었다.

나는 그들 각자에게 충분한 공간을 주고 내게 남은 좁은 통로만을 이용해 걸음을 옮겼다. 마침내 '살마키스'라는 간판을 내건 술집에 도착했다. 작은 폭포와 그것이 흘러드는 연못 그림이 스테인드글라스로 장식된 문이었다. 그제야 그 이름이 오래전에 읽은 고대 신화에 나오는 물의 요정임을 떠올렸다. 헤르마프로디토스와 한 몸으로 합쳐져 자웅동체가 된 살마키스. 나는 심호흡을 한 번 한 뒤 문을 밀었다.

어둠 속에서 적외선 렌즈로 보던 사이보그 무리를 밝은 빛에서 대하자 거기 들어선 내 모습이 얼마나 이질적인지 깨닫게 되었다. 대형 창고였던 것으로 보이는 실내에는 원탁이 줄을 지어 놓여 있었고 자리마다 각양각색의 사이보그들이 자리하고 있었다. SF 박람회의 인형관에라도 들어온 것 같은 광경이었다. 기이한 모양새의 관절, 기어, 센서, 렌즈, 플라스틱과 인조 피부의 향연이었다.

나는 태연하게 걸어 들어가 눈에 띄는 빈 테이블로 향했다. 뭇 관심이 내게 향하기 시작했을 것이라 지레 생각했다. 실제로는 아무도 나를 노골적으로 보지 않았지만 어쩌면 그중 어떤 하나가 나를 유심히 관찰하고 있을지 모른다는 생각이 머릿속을 맴돌았다. 행여 누가 나를 붙잡고 "여긴 어떻게 오셨수?" 하고 시비라도 걸어오면 내 목에 장치된 칩을 슬쩍 보이며 "손 하나를 바꾸러 왔소" 하고 대답할 터였다. 그러면 그들이 과연 내 기대대로, "아, 그래요? 사이보그가 되고 싶어하는 인간이로군" 하며 아무렇지 않게 맞아줄 것인가? 그럴 것 같지 않다. 어처구니없이 불쾌한 유머로 받아들일지도.

나는 빈 테이블에 자리를 잡았다. 내 앞에는 어마어마한 덩치의 사람이 등을 보이고 앉아 있었다. 그의 등에는 거대한 티타늄 척추가 머리에서 엉치뼈까지 길게 드러나 있었다. 그것은 그의 몸을 파고들며 내부의 인공 신경계며 센서에 연결되어 있을 터였다. 그의 맞은편에는 한쪽 눈에 망원경 장치를 한 사이보그가 앉아 있었다. 그는 간혹 그 눈을 길게 뽑았다가 다시 집어넣으며 주위를 두리번거렸다.

그 옆 테이블에는 고양이 같은 얼굴을 한 여자가 고양이 같은 얼굴을 한 남자와 키스를 하는 중이었다. 하이브리드 사이보그였다. 순수한 기계 부품보다는 성형된 인공 생체를 붙여 넣은. 바싹 솟은 귀라든지 기다란 수염이 돋은 코와 주둥이는 진짜라도 해도 좋을 만큼 사실적이었다.

"야옹."

여자가 말했다. 보통 사람의 두 배는 되어 보이는 긴 혀를 내밀어 남자의 얼굴을 핥으며.

"그르르릉."

남자가 말했다. 남자는 등판과 양팔에 인조 고양이 털 조직을 이식한 것 같았다. 그가 움직일 때마다 털은 진짜 고양이에게서처럼 자연스럽게 움직였다. 여자 고양이는 꼬리를 지니고 있었는데, 간간이 그것을 부드럽게 흔들었다.

나는 서두르지 않을 작정이었다. 당장은 내가 무슨 짓을 하던 이곳 사람들에게는 특이한 행동으로 비칠 수 있었다. 지금 당장 벌떡 일어나 바텐더에게 "미하일을 만날 수 있겠습니까?" 하고 묻는다면 도드라진 행위처럼 비칠지도 모를 일이다. 그래서 나는 침착하게 앉아 기다렸다.

어여쁜 하얀 얼굴을 가진 웨이트리스가 다가왔다. 창백할 만치 하얀 얼굴에 까만 머리를 양 갈래로 짧게 땋은 여자였다. 그녀는 발 대신에 모터로 움직이는 롤러스케이트같이 생긴 것을 달고 있었다. 그녀는 내게 굴러와 예사로운 태도로 물었다.

"무엇을 원하세요, 인간?"

그녀가 입을 벌리자 번쩍이는 백금색 치아가 보였다. 일부러 나를 놀리려고 그러는지 끝이 온통 뾰족한 이를 드러내고 함박웃음을 지었다. 치아를 제외하고는 매우 아름다운 얼굴이었다. 아무래도 주문 제작된 물건인 것 같았다.

"와인. 레드와인."

내가 말했다.

"피를 원하시는군요. 원하시는 게 그것 말고는 없나요?"

"양파튀김. 빨간 케첩을 잔뜩 담아서."

"그건 좀 시간이 걸리겠는걸요? 새로 튀겨야 하니까."

"괜찮습니다."

"좋은 시간 되십시오."

그녀는 이 세상 여느 식당의 여느 웨이트리스가 고객을 대하듯이 나를 대했다. 한 치의 다른 점도 없었다.

내 주문은 벌써 바텐더에게 전송된 상태였고 그는 딴 지 오래된 것 같은 병에서 포도주를 따랐다. 웨이트리스는 그쪽으로 쪼르르 굴러갔다가 금방 내 자리에 잔을 가져다 놓았다. 그러고는 부러 그러는 것처럼 테이블 앞에서 한 바퀴 빙 도는 댄스를 선보이고 과장된 동작으로 꾸벅 절을 한 뒤에 자리에서 멀어졌다. 사이보그가 아니라면 불가능한 속도로.

나는 술집 내부를 둘러보았다. 아무도 나를 주목하고 있지 않았다. 당장은 이렇게 시간을 끄는 것이 중요했다. 그들이 나를 다른 주변 환경처럼 편안한 대상으로 느낄 때까지. 나는 술을 들이켰다. 술집 한구석에는 주크박스가 하나 놓여 있었다. 거기에서는 사람을 은근히 취하게 하는 느린 리듬의 전자음악이 흘러나오는 중이었다.

기력이 쇠한 것인지 아니면 그곳에서 와인이라 부르는 것이 조금 특별했는지 몇 잔밖에 마시지 않았는데 벌써 정신이 몽롱했다. 긴장감이 조금 풀어진 것 같기도 했다. 생각해보니 BC에 들어온 이후로 줄곧 신경이 바짝 곤두서 있었다. 사실 아무도 나를 특이하게 본다든지 이상한 수작을 걸어온 일이 없는데.

그때 내 앞 테이블에 있던 망원경 눈의 남자가 자리에서 일어났다. 그는 화장실이라도 가려는 것처럼 걸음을 옮기기 시작했다. 그러다 무슨 마음을 먹었는지 갑자기 내 쪽으로 몸을 획 돌렸다. 그의 망원경 눈이 내게 고정되어 있었다. 초점을 잡느라 들어갔다 나오기를 몇 번 반복하면서, 그는 내게로 걸어왔다.

나는 내가 수상한 자가 아니며 그저 타운에 사이보그 수술을 받으러 온 평범한 사람일 뿐이라는 말을 속으로 되뇌는 중이었다. 그는 내게로 천천히 다가와서

"어때 인간? 크크? 이런 거 본 적 있어?"

하고 자신의 플라스틱 마스크를 벗어 보였다. 그 안에는 크롬 빛 뼈와 실지렁이 같은 회로가 가득했다. 아마도 저 깊은 어딘가에 아직 로봇이 다 되지 못한 인간의 면모가 숨어 있겠지만. 그는 성대에도 기계장치를 하고 있어서 말을 하고 있지 않을 때에도 숨에 따라 기계적인 새된 소음이 새어 나왔다. 아마도 기계와 더욱 닮고 싶은 생각에 그런 장치를 했을 것이다. 그의 망원경이 또다시 움직였다. 다른 쪽 눈은 카멜레온처럼 이리저리 주위를 두리번거렸다. 그의 눈이 향한 곳에는 하얀 얼굴의 웨이트리스가 미끄러져 오는 중이었다.

"저리 가요."

그녀가 내 고객을 귀찮게 하지 말라는 듯 망원경 눈을 밀어냈다.

"주문하신 양파튀김 나왔습니다?"

나는 그녀의 한 손에 박혀 있는 센서를 보았다. 내 핸디를 열어 그것에 갖다 대었다. 일부러 디스플레이를 그녀 눈에 띄게 해 내가 현재 신용 계좌에 접속하고 있음을 알렸다. 이미 큰 액수의 돈이 거기 찍혀 있음을. 내가 원하는 걸 해주면 그 돈이 그녀 것이 될 것이다.

"여기 지금 미하일이 와 있나요?"

"글쎄요?"

그녀가 백금 치아를 드러냈다.

나는 핸디에 나타난 액수를 두 배로 높였다. 앞으로 그녀가 몸에서 무엇을 바꾸려 하든 크게 도움이 될 만한 액수였다.

"미하일은 오늘 안 와요."

"어떻게 찾을 수 있죠?"

그녀는 고개를 수그리고 낮은 소리로 말했다.

"술집 뒤 모텔에 방을 잡으세요."

나는 그녀에게 돈을 전송했다.

아까의 하이브리드 인조 고양이들이 테이블 사이 빈 공간에 일어나 있었다. 그들은 서로 뺨을 대고 살갑게 달라붙어 좌우로 몸을 흔들면서 춤을 추었다. 옆에는 성별을 구분할 수 없는 사이보그 둘이 역시 춤을 추는 중이었다. 하나는 키가 대단히 컸지만 다른 하나는 상대 허리 정도에 머리가 닿아 있었다. 키가 큰 쪽이 허리를 흔들면 작은 쪽은 상체를 다 흔들어야 했다.

예전에 닥터 보위라는 이름으로 불리는 사이보그와 인터뷰를 한 일이 있었다. 그는 의사 출신으로, 무허가 의료 행위로 수배를 받던 사람이었다. 인터뷰는 그의 비밀 수술실에서 진행되었다. 거기 벽에는 수백 장의 사진이 걸려 있었다. 아주 오래된 폴라로이드로 찍은 것이었다. 절개한 가슴이며 두개골, 사지를 잘린 몸과 거기 새로 넣은 금속 뼈대들, 백합처럼 열린 남자 성기, 합성 살갗을 붙여 두툼한 입술처럼 기이하게 변형시킨 여성의 외음부. 그리고 무엇보다 잘려서 떨어져 나간 신체 부위들. 그 사진들에 얼이 빠져 있던 내게 닥터 보위가 말했다.

"사람들이 여기 와서 하는 게 바로 그겁니다. 장식적인 의미에서든 기능적인 측면에서든 몸을 바꾸는 것. 그들은 팔을 잘라내는 대신 기계 팔을 붙이고, 다리를 잘라내서 합성고무와 플라스틱으로 된 다리로 바꾸고, 머리 부분을 보철물로 완전히 뒤바꾼 사람도 있습니다. 그들은 대체로 극단적인 형태의 성형을 하죠. 새나 캥거루로 거듭 태어나기 위해서. 그런 사람들을 이상하다고 생각하시나요?"

"지나치다는 생각이죠. 요즘 그런 것을 조금씩이야 많이들 하죠. 칩을 박거나 몸에 약간의 기계장치를 넣는 것. 하지만 여기는 정말 별세계로군요."

나는 그에게 신체를 절개하고 절단하는 BM이든, 동물의 모습이나 기계 인간으로 변하고자 하는 것이든 모두 신체 통합 정체성 장애나 신체 이형 장애 같은 병으로 보는 견해에 대해서는 어떻게 생각하는지 물었다.

"그것을 전적으로 장애라고 보는 데에는 동의할 수 없습니다. 인류는 언제나 그래 왔습니다. 기하학적인 문신을 하고 독수리 깃털로 모자를 만들어 쓰고 신체 일부를 기형적으로 변화시켰던 원시 부족을 보더라도 말입니다. 사람은 늘 자기 몸이 가진 한계를 극복하고 무엇인가 새로운 것이 되어 다시 태어나고자 하는 욕망을 가졌죠. 무엇인가로 변모해 그것의 주술적인 힘을 얻고 스스로를 초월하고자 하는 거죠. BM이나 사이보그는 사람의 몸이 영원하며 늘 같은 그대로 멈춰 있다고 믿지 않는 거예요. 몸을 버려서 감각을 더 세련되고 극적인 것으로 승화하여 자신의 현재를 초월하고자 하는 것일 뿐입니다."

"몸을 바꾸어서 초월을 한다."

"가능한 것을 다 하는 거예요. 가능한 것을 다 하는 것은 사람이 늘 하는 것이란 말이죠."

"가능한 것을 하지 않는 것은요?"

"그것도 가능하죠."

닥터 보위가 답했다.

나는 웨이트리스가 말한 모텔에 방을 잡았다. 사이보그의 말투나 표정에 대해 잘 아는 것은 아니지만 그녀의 말은 어쩐지 신뢰가 갔다. 그 짧은 말 속에는 내가 방을 잡아두고 있으면 자신이 미하일에게 연락을 취해주겠다는 뜻이 담겨 있었다.

잠깐 선잠이 들었던 모양이다. 유리창을 두드리는 소리에 눈을 뜨고 문을 열자 거기엔 아무도 없었다. 그리고 방에 불을 켜자 거기 내가 찾던 사이보그가 있었다.

"내가 미하일이에요."

그는 내가 잠든 사이 방으로 들어와 나를 깨우기 위해 일부러 유리창을 두드린 모양이었다. 온몸이 거의 완벽하게 기계화된 사이보그였다. 양어깨에서부터 내려온 팔은 단 한 조각의 인조 피부도 붙이지 않은 채였다. 금속 뼈대가 다 드러나 있었고 기능보다는 장식적으로 움직이는 것 같은 기어들이 보였다.

그리고 나의 시선이 마지막으로 머문 곳은 그의 샅이었다. 그는 100퍼센트 사이보그답게 옷을 입고 있지 않았다. 남자인 줄 알았던 그가 실은 여자였다. 그곳에 조금 붉은 인조 피부는 안으로 말려 있었고 여성의 특징을 보이고 있었다. 그는 나의 시선을 의식하고 일부러 다리를 조금 더 벌려 앉았다.

"그런 걸 하면 같은 패거리로 받아들일 줄 안 모양이죠?"

그가 나의 목에 나와 있는 칩을 가리켰다.

"인간이 여기 들어오면 우리가 잡아먹기라도 하는 줄 안다니까. 두려움은 무지에서 오는 거예요."

"들어오는 게 두렵긴 했죠. 들어온 목적도 알고 계십니까?"

"박 선생한테 연락을 받았죠. 세이렌을 만나고 싶어하신다고."

제길, 그럴 것이었다면 차라리 애초에 이런 장소에 약속을 주선해줄 일이지.

"그래요. 꼭 만나야 합니다."

"지금 세이렌은 아무도 만나지 않아요. 사람들은 그녀가 행방을 숨긴 줄 알지만 사실은 너무 바빠서 그런 거죠."

"내가 그녀를 왜 보고 싶어하는지도 아시죠?"

"물론이죠. 그녀를 찾는 이유는 다 같아요. 욘더로 가고 싶은 거죠. 사람들은 그녀가 행방을 숨긴 줄 알지만 사실은 그 때문이에요. 당신처럼 거기 가는 길을 알려달라며 찾아오기 때문에."

"그녀를 많이들 찾는 모양이군요. 그럼 당신이 만나게 해주는 경우도 있습니까?"

"그야 내 맘이죠. 내가 원하면 그녀를 당장 만나게 해줄 수도 있어요."

미하일은 다리를 조금 더 벌렸다. 다리의 기계 조직을 감추고 있는 플라스틱 거죽 사이로 기계음이 들렸다. 그 역시 장식적인 소리라 짐작했다. 그가 원한다면 그런 소리를 다 꺼버릴 수도 있으리라. 그의 다리 사이로 해부학적으론 일반 여성의 것과 다름없어 보이는 것이 활짝 벌어졌다.

"당신이 그런 칩을 목에 박고 여기 들어왔을 때는 아마도 사이보그 수술을 받기 원하는 사람처럼 위장하려는 의도였겠죠. 그렇지만 그런 눈속임에 넘어갈 사이보그는 아무도 없어요. 당신의 반사 행동이나 동작이 신경계에 칩을 연결한 사람과는 다르거든요? 호호호!

나도 한때는 당신 같은 인간이었죠. 그것도 남자 인간. 그래서 내 이 메모리 속엔 인간이던 기억도 남자이던 기억도 남아 있어요."

그는 금속 손을 들어 자기 머리를 가리켰다. 그의 얼굴은 사이보그 이전의 상태로 거의 온전히 남아 있었다. 그는 마치 그것이 데이터인 것처럼 메모리라 말했지만 사실 인간의 뇌에 담긴 기억일 터였다.

"그래서 나는 인간의 마음, 남자의 마음을 잘 알아요. 남자가 무엇을 생각하고 무엇을 좋아하는지, 그리고 지금의 나는 여자가 무엇을 좋아하는지를 알죠."

그는 오른쪽 가슴을 한 뼘만큼 덮고 있는 작은 뚜껑을 열었다. 그리고 그 안의 구조물 속으로 손을 넣어 작은 기구를 하나 꺼내 기다란 금속 손가락에 장착했다. 여성용 미니 바이브레이터처럼 보이는 물건이었다. 그는 그것을 벌린 가랑이 사이에 대고 문지르는 시늉을 했다. 그러고는 야릇한 신음을 내기 시작했다.

"아아, 그래서 나 같은 존재와 사랑을 나눈다면 당신처럼 옹졸한 인간의 마음도 확 열리게 되죠. 당신은 한 다발의 뉴런, 나는 한 움큼의 회로일 뿐이에요. 어때요, 나하고 '아말가메이션'을 한번 해볼 마음은 없어요? 기계와 인간의 교합을 우린 그렇게 부른답니다."

미하일이 다가오자 나는 멈칫 뒤로 물러났다.

"하지만 그건 나중으로 미뤄야 할 것 같군요. 당신 이야기는 벌써 세이렌에게 전했어요. 당신은 조금 특별한 경우인지 세이렌이 만나자고 하네요. 그런데 사전 조치가 필요해요."

그의 손에 들려 있던 것은 사실 주사기였던 모양이다. 내 팔을 잡고 그것을 대자 바늘이 나와 살을 찔렀다. 신경계통의 독인지 정신은 말짱한데 몸을 전혀 움직일 수 없었다.

"당신은 수술대에 누워서 들어가야 한다고요. 다른 사이보그들 눈도 있으니까, 호호호!"

미하일은 나를 번쩍 들어 어깨에 둘러메고 밖에 세워진 구급차 문을 열어 침대에 나를 눕혔다.

미디엄 세이렌

차가 멈추고 구급차의 문이 열렸다. 미하일은 내 침대를 끌어내리고는 정신이 멍할 만큼 빠른 속도로 밀어 한 건물로 들어갔다. 주위를 오가는 사이보그 몇을 의식했는지 내 몸에 주삿바늘을 또다시 찔렀다.

미하일은 마취가 깨어서도 여전히 비틀거리는 나를 부축해 작은 방이 늘어선 회랑으로 데려갔다. 병원처럼 소독약 냄새가 물씬한 곳이었다. 그 사이보그는 회랑의 맨 끝에 있는 불 켜진 방 앞에서 멈췄다.

"여기예요. 들어가 보시죠."

그는 그렇게 말하고 빠른 속도로 복도를 걸어 나갔다. 노크를 하자 자주색 투피스 차림의 세이렌이 거기에서 나왔다.

"오랜만이군요."

낡은 가죽 소파 두 개와 테이블 하나가 전부인 조그만 응접실이 마련되어 있었다. 오로지 응접실이기 위한 공간이라는 듯이. 디스플레이 영상을 비추기 위한 공간처럼 하얗게 칠해진 벽 하나가 텅 비어 있었다.

세이렌과 나는 서로를 마주 보고 앉았다. 죽어가던 내 아내를 어딘가에 감추어놓은 여자. 내겐 생명이 끊어진 그녀의 몸만 남겨놓고 그녀의 자아를 거둬간 여자. 그녀에게 물어야 할 것이 수백 가지는 되었다. 하지만 나는 아직 머리가 지끈거렸고 이런 물음부터 시작했다.

"당신은 왜 여기 있는 겁니까? 무엇으로부터 숨어 있는 거죠?"

"난 본래 여기 출신이에요. 우리 형제들이 여기에서 작은 공장을 했죠. 사이보그 부품 공장. 그리고 난 숨은 게 아니에요. 이곳에서 내가 할 일을 처리하는 거죠."

그녀는 캐비닛처럼 보이는 작은 박스에서 까만 물을 한 잔 꺼내놓았다. 김이 모락모락 올라왔다. 향을 맡아보니 커피인 것 같았다. 나는 그걸 한 모금 마셨다. 커피의 카페인보다는 그 온기가 나를 더 정신 차리게 했다.

"이후 씨는 잘 있어요. 그게 제일 궁금하시겠지만."

"그래요, 그게 가장 궁금합니다. 당신도 책임이 없다고는 할 수 없죠. 대체 무슨 짓을 한 겁니까?"

"당신이 화가 나 있는 것도 이해는 해요. 하지만 우린 아내분의 생존을 죽음 이후로 유지해드린 거예요. 그리고 지금 그분은 여기 있는 우리보다 더 편안하고 쾌적한 삶을 보내고 계시죠."

"거기 있는 게 내 아내 이후가 틀림없다는 말입니까?"

"물론이죠. 거기 계신 건 분명히 이후 씨입니다. 한 점의 의문도 없이. 이후 씨의 마음, 이후 씨의 기억 전체가 거기 있죠. 새로운 기억도 만들면서."

"믿을 수가 없군요. 그런 일이 가능하다는 게."

최 사장에게서도 들었지만 그녀의 입으로 확인해야만 했다. 브레인 다운로드라는 것에 대해.

"가능합니다. 확실히."

"그러나 무슨 권리로 그녀에게 그런 짓을 한 겁니까? 이후가 원한 건 그저 내게 추억이 될 만한 자료를 남기고자 한 것뿐인데. 그녀의 의사와 상관없이 어떻게 그런 일을 벌일 수가 있는 겁니까?"

"그 점은 미안하게 생각합니다. 그리고 차차 아시게 되겠지만 그녀의 의사와 전혀 관계없다고는 할 수 없죠."

"그녀가 원했단 말인가요?"

"최초에는 아니었을지 모르지만. 말씀드렸다시피 이제부터 아시게 될 겁니다."

나는 말문이 막혔다. 그런 어이없는 일이.

"그래서, 그 온더라는 게 뭡니까? 당신들이 무슨 괴상한 실험을 하고 있다는 건 대충 파악했는데."

"아주 간단하게 말씀드리면 사이버 이모텔리티, 가상공간에 마련된 불멸의 세상이죠. 또 다른 말로 하면 사이버 천국이라

해야 할까요?"

세이렌은 그게 마치 새로 나온 획기적인 가전제품이라도 되는 듯이 설명했다.

"그러니까 말 그대로 거기에 가면 누구나 영원히 생을 유지하고, 행복하게 지낼 수 있다, 그런 건가요?"

"정확하게 그렇죠. 세상에 돌고 있는 소문 그대로예요. 선생님은 지금 그것을 제게서 가장 분명하게 확인하고 있는 겁니다. 제가 그 일원이니까."

한동안 머리가 먹먹해서 그녀에게 해야 할 다음 질문을 떠올리지 못했다. 그녀를 만나면 풀겠다고 생각한 의혹이 가물가물했다.

"그게 어떤 사이버 스페이스인지, 혹은 사이버 스페이스인지 아닌지조차 나는 모르겠습니다. 그리고 사람의 정신을, 그것의 내용이 무엇이든 간에…… 어떤 저장소에 옮긴다는 기술이 어떻게 실현되었는지도 모르겠고요. 하지만 이건 끔찍한 범죄행위입니다. 비윤리적인 것은 말할 것도 없지만.

우선 당신들은 일방적으로 사람을 꾀어서 세상에 검증되지 않은 방법으로 도무지 알 수도 없는 곳으로 보내고 있습니다. 알려진 대로라면 사람들에게 스스로 목숨을 버리도록 유도하기도 하고요. 당신들은 누굽니까? 도대체 왜 그런 해괴한 일을 벌이는 겁니까?"

그녀는 나의 눈을 똑바로 보았다. 그러고는 자리에서 일어나 소파 곁을 서성이다 텅 빈 흰 벽으로 다가갔다. 마치 그 벽에다 멋진 프레젠테이션이라도 하려는 것처럼. 그러나 거기에는 아무것도 떠오르지 않았고 그녀는 거기 멈춰 내게로 돌아섰다.

"본래 난 여기서 아무도 만나고 있지 않았죠. 이제 본격적으로 욘더를 조금씩 개방하기로 결정되었지만 그 일에 영향을 미치고 싶지는 않아요. 하지만 내가 선생님을 만나길 동의한 것은 내 마음에 남아 있는 일말의 죄책감 때문입니다.

이후 씨를 처음 보았을 때 난 그분에게서 기분 좋은 활기를 느꼈죠. 요즘 사람에게서 느끼기 힘든. 아마도 머지않아 죽게 될 거란 예감 같은 게 그녀를 늘 따라다니고 있어서였는지 모르지만, 그녀의 말과 행동거지에는 묘하게 매혹적이고 진지한 경쾌함이 있었어요. 그리고 그분은 당신을 절실하게 사랑하고 있었죠.

하여간 전 그분을 좋아하게 되었어요. 다른 상황에서 만났다면 친구가 되고 싶었을 만큼. 그분이 욘더로 가게 된 것도, 한편으로 미안하고 씁쓸한 심정이었지만 다른 한편으론 다행스런 일이라 생각했죠. 그분이 계속 살아남아 있게 되었다는 게. 그래서 내가 조금 더 적극적으로 다가서기도 했고요. 지금 개인적으로 선생님을 만나고 있는 이유도 마찬가지입니다. 알고 싶어하실 모든 걸 말씀드리고, 또 원하신다면 그분께 보내드리는 게 이후 씨에게도 좋은 일이 될 테니까."

"나를 거기 보내주겠다면 어째서 내겐 그 메일, 초청이란 걸 보내지 않았습니까?"

"선생님은 우리가 모든 걸 다 결정한다고 생각하는 모양이에요. 우리는 완전한 자율, 완전한 자치예요. 아무에게도 아무 것도 강요하지 않습니다."

"그럼 그것을 결정하는 게 이후 자신이란 말입니까?"

"그보단, 우리에 대해 물으셨죠? 그 답을 먼저 해드리죠. 오래전의 일입니다. 결과를 생각하는 엔지니어의 모임이라는 단체가 있었습니다. 한창 온 세상이 진보의 절정이라는 시기에 접어들기 시작했을 때죠. 일단의 과학자와 기술자, 그리고 인문학자 들이 작은 세미나를 시작했어요. 당시 진행되고 있는 모든 기술의 진보나 세상의 패러다임 변화가 의미하는 바를 진지하게 고민해보려는 목적이었죠. 과연 그것이 앞으로 어떤 결과나 여파를 세상에 가져올지에 대해서 말이에요.

이 젊은 학자들은 그 문제가 실은 매우 시급하다고 믿었어요. 아무도 그런 걸 하려고 하지 않았기 때문이죠. 그 시점을 놓치게 되면 인간이 기술을 주도하는 것이 아니라 자본과 기술이 인간을 종속시키는 일이 벌어질 거라고요. 그리고 기술 발전이 일정한 선을 넘어 인간의 통제와 예측을 벗어나면 모두가 꿈꾸는 '멋진 신세계'가 올지, 아니면 기술만 살아남은 '완전한 파괴'가 오게 될지 아무도 모른다고 파악한 거죠.

사실 하나의 작은 기술이 인간과 사회에 미치는 영향은 예전과는 비교도 할 수 없어요. 역사를 읽어본 적이 있으시다면, 예를 들어 텔레비전이 처음 나오거나 인터넷이나 이동통신이 처음 나왔을 때 그런 것이 가져올 수 있는 영향과 여파를 정말 진지하게 연구해본 일은 없어요. 그저 인류의 생활이 얼마나 더 편리해지고 복지가 얼마나 더 증진될 것인가에 대해 긍정적인 전망만 있어 왔죠.

기업이나 기술자들은 새 기술과 상품을 만들어내는 데 급급해서 그런 것이 가져올 수 있는 여파에 대해서는 전혀 고려하지 않죠. 가령 휴대전화를 개발하고 생산하는 기업이 이동통신이 인간 생활과 사회에 미칠 영향, 뭐 이런 제목으로 프로젝트를 해서 그것을 연구해보려고 했을까요? 단순히 휴대폰의 전자파가 뇌종양을 일으킨다든지 또는 어떤 기술이 환경에 심각한 영향을 미친다든지 하는 정도의 문제를 벗어나서요? 물론 그런 문제조차 제대로 연구되어 본 적은 없지만.

저 먼 고대에 철기를 만들어낸 것이 인간에게 미친 영향을 떠올려본다면 새로운 기술의 등장을 그렇게 쉽게 다루는 것은 안일한 마음가짐이에요. 더구나 요즘의 기술이 세상에 가져올 수 있는 여파는 그 정도가 비교할 수 없을 만큼 크죠. 유비쿼터스라는 게 가능하다는 것과 그런 것이 실현되어 모든 사람이 다 그 안에 들어가 살게 되는 것 사이에는 큰 차이가 있어요. 우리는 역행이 불가능한 새로운 현실로 들어가게 되니까.

이 젊은 엔지니어들은 모두 각 분야에서 촉망받는 이들이었고 각자가 어떤 기술개발에 참여하고 있던 사람들이에요. 큰 자본이 주도하는 팀에 소속되어 오로지 새로운 것을 만들고 상품화하는 데에만 투입되었던 거죠. 이 엔지니어들은 그런 현상에 책임감을 느낀 겁니다. 그래서 각자 자기의 분야에서 현재 벌어지고 있는 기술이 장차 가져올 수 있는 여러 가지 파급에 대해 구체적인 연구를 해보기로 뜻을 모은 거죠.

그런데 이 젊은 학자들은 그 일에 필요한 자금을 전혀 끌어들이지 못했습니다. 아무도 그런 비실용적인 연구에 돈을 대려 하지 않은 거죠. 거기 필요한 엄청난 비용에 비한다면 그로부터 나올 것은 아무것도 없으니까. 이들이 하고자 했던 프로젝트는 점점 와해되고 말았어요. 유능한 사람들이었던 만큼 하나씩 빠져나가 대자본이 이끄는 기술의 장으로 돌아가버리고 말았죠. 나중에 가서는 몇 사람 남지 않게 되었죠. 그리고 그중 한 사람이 바로 장진호 씨예요."

"장진호? 반미래학자 장진호 박사 말인가요? 그 사람은 인문학자가 아닙니까? 더구나 그 사람이 당신들과 함께 일하고 있다고요?"

나는 망치로 머리를 한 대 얻어맞은 느낌이었다. 들어갈수록 미궁이었다.

"제 얘기를 계속 들어보면 모든 수수께끼가 풀릴 거예요. 조금만 인내심을 가져주세요. 그 사람은 본래 인문학자가 아니죠. 그는 프로그래머였어요. 그런데 어느 날 절망감에 빠졌죠. 기술의 발전 속도와 방향을 인간이 적절히 통제하지 않으면 파국이 올 수도 있다는 자신의 신념이 도무지 세상에 먹히지 않음을 철저히 깨달았기 때문이죠.

그러던 어느 날 그에게 스펙트럼의 정반대 방향, 기술개발의 최정점에 서 있는 회사로부터 제안이 하나 들어왔어요. 세계 최고의 기술진이 모여 거의 불가능하다 여겨지는 프로젝트를

257

추진하고 있는데 그 팀의 일원으로 합류하지 않겠느냐는 것이었어요. 장진호 씨는 사실 인공지능 개발 분야에서 특출한 아이디어로 평판이 높은 프로그래머였죠. 그 사람은 거기 들어가서 여태까지 해오던 일과 정반대되는 일을 해보기로 결심한 거예요.

그리고 세상에 잘 알려지지 않은 한 노부호…… 성기량이라는 이름의 노인이 만든 그 팀에는 하드웨어적으로 뇌의 기능을 다운로드할 수 있는 획기적인 기술을 가진 과학자가 있었어요. 브로핀 헬멧의 프로토타입을 만들어낸 바로 그 사람이죠. 장진호 씨는 그와 함께 오늘의 욘더를 가능하게 만든 모든 기본적인 기술을 개발해낸 거예요."

"사실 최한기 사장에게서 어느 정도의 이야기는 들었습니다. 부인이 치매를 앓게 된 노부호와 그가 만든 비밀 팀의 이야기. 장진호 박사가 그 일원이었다는 것은 꿈에도 몰랐지만."

"최한기 사장에게 그런 이야기를 해준 사람이 바로 저예요."

나는 최 사장이 내게 얘기했던 것보다 훨씬 더 많은 내용을 알고 있었을지도 모른다고 생각했다. 이 사람들과 내가 상상했던 것보다 더 깊은 교류를 하고 있던 모양이라고. 나는 세이렌에게 최 사장과 피치의 안부를 물었고 세이렌은 간단히 잘 있다고만 대답했다. 아마도 내게 욘더라는 곳이 좀 더 현실적으로 다가오기 시작한 것 같았다. 그런 질문을 던질 만큼. 나는 내가 인터뷰했던 장진호라는 인물에게 호기심을 강하게 느꼈다.

"장진호…… 그는 왜 갑자기 그렇게 마음을 바꾸게 된 건가요?"

"그 프로젝트의 구체적인 내용을 듣고 나서죠. 그전에 그가
EFC, 곧 결과를 생각하는 과학 기술자들의 모임의 일원에게
늘 하던 말이 있어요. '우리는 우리가 하고 있는 짓을 아는가?
아니면 그저 할 수 있기 때문에 하는가? Do we know what we do?
Or do we do it just because it is possible' 장진호 씨는 방향을 전환했
던 겁니다. 알 수 없지만 할 수 있는 일을 하기로.

그는 생각했죠. 그런 프로젝트가 실현된다면 어떤 일이 벌
어질까? 이 모든 기술이 완성되었을 때 그 결말이 어떨지 그의
눈에는 뻔히 보였어요. 시간의 문제일 뿐 결국엔 지금의 욘더
같은 것이 만들어지겠죠. 그것을 막을 수 없다는 것을 잘 알았
어요. 그것을 막을 수 없다면 최소한 자신이 그것을 통제할 수
있는 위치에 있고 싶던 것이죠. 아이러니죠?

그리고 거기서 한발 더 나아가 인류가 기술을 통해 추구하
는 욕망 자체를 아예 해소할 수 있는 길을 모색하게 된 거예요.
인간이 기술을 통해 최종적으로 열망하는 것은 그들 머릿속에
있는 불멸과 천국이라는 아이디어라고 그는 생각했어요. 그것
을 세상에 가져오기로 한 것이죠. 그것을 아예 소멸시키기로
말이에요."

"그래서 그가 선택한 것이 신이 되는 길인가요? 닥터 프랑켄
슈타인?"

"그런 진부한 개념으로 말하지 말아요. 그가 겨우 신이 되고
자 하는 광기 어린 과학자라는 말인가요?"

세이렌이 반박했다. 그녀는 숨을 고르고 말을 계속했다.

"그는 늘 그렇게 말했죠. 자신이 하는 행위를 일종의 위험부담이 많은 실험이라 생각한다고.

어쨌든 그 사람은 특히 욘더라는 가상공간을 만드는 데 많은 노력을 기울입니다. 부인과의 완전한 소통을 위해 노부호에게 그녀와 같은 공간에 들어가라고 권하기도 하고 또 욘더를 개발하는 장기 프로젝트를 계획하도록 종용하기도 했죠. 더불어서 그 사람은 노부호의 가장 큰 신뢰를 받는 지위에 오르게 되죠. 노인은 장진호 씨가 하고자 했던 EFC 프로젝트, 그 열정을 아쉬워했어요. 노인은 장진호 씨를 전적으로 신임하고 그에게 욘더 프로젝트를 총괄하는 모든 권한을 주었죠. 그리고 장진호 씨는 초기 기술팀을 하나하나 모두 욘더로 들여보냈습니다."

"그들이 모두 자발적으로 거기 들어갔단 말입니까?"

"모두 자발적이라 할 순 없겠죠. 하지만 장진호 씨 역시 들어갈 예정이었고 기술진이 욘더에 들어갈 즈음에는 이미 안정되어 있었습니다. 모든 실험이 긍정적인 결과를 나타내고 있었으니까요."

나는 거기 모종의 흑막이 있을 것이라 생각했다. 욘더에 대한 모든 권한을 인견히 깅익히기 위해 기술진을 그린 식으로 처분했을 거라고.

"그 자신은 거기 들어가지 않았잖아요?"

"아뇨, 그 사람도 거기 들어갔죠."

"네?"

"그 사람도 거기 들어가 있다고요."

"내가 그 사람과 그의 사무실에서 인터뷰를 했는데요?"

"아, 욘더의 사무실이죠. 그렇게 따지면 선생님은 이미 욘더를 만나본 셈이에요."

어안이 벙벙했다.

"분명 그와 인터뷰를 한 곳은 가상 사무실이 아니었는데?"

"물론이죠. 가상 사무실은 아니에요. 욘더의 현실에 있는 현실적인 사무실이죠. 그가 욘더의 현실과 이곳의 가상현실 스페이스를 합성한 상태에서 당신을 만난 것뿐이에요. 욘더의 현실이란 게 이곳의 현실과는 근본부터가 달라요. 그 점은 간단히 설명드릴 수가 없네요. 직접 경험을 해보셔야지. 그리고 한 가지 덧붙이자면 당신은 그 사람과 인터뷰를 두 번 했어요."

"네?"

"저곳의 장진호 박사는 여기의 부흥사 K죠. 둔하시군요. 제가 듣기로는 인터뷰를 통해 선생님께 힌트를 많이 남겼다고 하던데요."

세이렌은 옅은 미소를 보였다. 그녀를 처음 보았을 때 장난기가 밴 것 같던 인상이 떠올랐다.

"뭐라고요?"

"모르셨죠? 사실 선생님이 장진호 박사와 인터뷰를 두 번 하셨다는 걸? 장진호 박사와 인터뷰를 하시고 그다음에 부흥사 K와."

"그 두 사람이 같은 사람이란 말인가요?"

그녀는 내 의미 없는 질문에 대답을 하지 않았다. 그러지 않아도 때가 되면 부흥사 K에 대해 물으려던 참이었는데 엉뚱하게 그 의문을 푼 셈이었다. 그와 동시에 새로운 수수께끼를 대하게 되었지만.

"그 둘은 전혀 다른 사람처럼 보이는데?"

"한 사람의 두 페르소나, 두 인격이죠. 욘더에 있는 고전학자 장진호 박사, 이곳에서 방송활동을 하는 사이버 구루 부흥사 K. 프로그래머 장진호 씨는 욘더로 들어가면서 안드로이드를 하나 만들었어요. 그러고는 여기서 여전히 활동할 부흥사 K란 인물을 창조한 거죠. 그래서 장진호 씨는 욘더에 있으면서도 여기 드나드는 통로를 가지게 된 거예요. 욘더에 한번 들어간 사람은 여기 다시 나오지 못해요. 그쪽에서 이쪽으로 정신을 다시 업로딩하는 건 한 번도 성공하지 못했죠. 수십 차례 시도를 했지만, 희생자만 수두룩하게 나왔을 뿐이고. 그럼에도 이쪽의 사이버 스페이스와 소통하는 방법을 만들어냈고 욘더의 아주 제한된 사람들에게만 이 세상과의 연락을 허락했죠."

"안드로이드요? 부흥사 K는 전혀 그렇게 보이지 않았는데?"

"아무도 그를 자세히 본 적이 없죠. 방송을 통해서나 아니면 대게 흰색으로 칠해진 그의 호텔 빙에서만 보니까. 서신 우리가 광선을 효율적으로 사용해서 아무도 눈치채지 못하도록 조작할 수 있죠. 아지 완성된 형태라고 할 수 없어요. 아주 통제된 환경에서만 정상 작동을 합니다. 그에게는 뇌라고 부를 수 있는 소프트웨어가 따로 없어요. 그는 사이버 스페이스를 통해 존재하는, 말하자면 일종의 터미널, 일종의 물리적인 사이버네틱 스페이스죠. 이런 개념을 이해하실지 모르지만."

그녀는 자랑스러운 표정이 되었다. 그녀가 뒤편의 하얀 벽을 만지면서 덧붙였다.

"부흥사 K는 여기, 우리 공장에서 만들어졌어요. 아무리 프로그램 대신 사람의 정신이 직접 움직이는 거라 해도 아직까지 그렇게 동작이 부드러운 로봇은 이 세상에 없을 거예요."

정확히는 알 수 없어도 대충 이해는 할 것 같았다. 일부 로봇이 그런 식으로 개발되고 있다는 말을 들었다. 아무래도 제한된 로봇의 몸에 무궁한 용량의 지능을 집어넣는 것이 쉽지 않을 것이다. 반면 사이버 스페이스의 소프트웨어는 접속도 용이하고 순간순간 고칠 수도 있어 융통성이 있다. 그래서 두뇌를 사이버 스페이스에 둔 몸체만의 로봇이 만들어지고 있다는 거였다. 장진호 박사는 아마도 같은 방식으로 '부흥사 K'라는 인형을 '원격조종'하고 있다고 보아야 할 것이다.

어찌 되었던 내가 그와 인터뷰를 하면서도 아무런 이상한 점도 눈치채지 못했다는 것은 모골이 송연할 따름이었다.

"부흥사 K라는 인물은 왜 창조한 겁니까? 무슨 목적으로?"

"장진호 씨는 그것이 자신의 물리적인 이미지라는 농담을 하곤 했죠. 그가 하는 일은 선생님이 짐작하시는 대로 욘더를 홍보하는 것이에요. 이제 사람들은 욘더라는 곳에 대해 점점 더 궁금해하게 될 거고 부흥사 K와 그곳의 관련성에 대해 더 많은 의심을 품게 될 거예요. 그리고 어느 순간이 되면 그가 여태 해온 대로 자기의 암시 속에 욘더에 대한 메시지를 더 상세히 담게 되겠죠."

"그럼 욘더가 완전히 개방된다는 말입니까?"

"언젠가는 그렇겠죠. 우리도 그게 언제가 될지 알 수 없지만. 부흥사 K, 그분이 방송에서 늘 그러지 않나요? 믿는 자는 천국에 갈 수 있다고?"

그녀는 한참을 웃어댔다.

"사실 우스운 얘기죠. 믿는 자는 천국에 갈 수 있다는 말은 그분의 유머예요."

"유머?"

"사람들의 종교적인 본능에다 얘기하는 거죠. 욘더의 장진호 박사와 이곳의 부흥사 K는 서로 거울 이미지 같지 않아요? 예측할 수 없는 미래를 신화로 만드는 미래학의 이념에 저항하는 장진호 박사, 그리고 사람의 마음속에 있는 종교적 본능을 불멸이라는 새로운 신화로 대체하려는 부흥사 K."

"그런 건 아무래도 좋습니다. 그러니까 정작 당신들이 누구인지는 아직 분명히 밝히지 않았는데…… 장진호 박사의 추종자들인가요?"

"우린 누구의 추종자도 아니에요. EFC, 즉 결과를 생각하는 엔지니어의 후계들이죠. 그 세력은 완전히 없어지지 않았고 우리 같은 사람을 계속 포섭해왔어요. 우리가 따르는 게 있다면 그 신념이죠. 당신이 만났던 미하일은 내 생물학적 오빠예요. 지금의 사이보그가 되기 전에는 잘나가는 전자공학도였죠. 나를 EFC에 끌어들인 사람도 미하일이고.

우리 같은 조직은 여기저기 흩어져 있어요. 시기가 되면 모두 욘더로 가는 게이트 역할을 하게 될 거예요."

"그래서 당신들의 궁극적인 계획이 뭡니까? 이 세상 모든 사람을 욘더로 들여보내고 세상을 텅 비워버리는 것인가요?"

"언젠가는 원하는 사람은 누구나 거기 들어가게 되는 날이 오겠죠. 하지만 그날이 어떻게, 어떤 모습으로 올지는 누가 알겠어요? 모든 것은 그곳이 얼마나 성공적으로 성사되느냐, 그리고 이쪽의 세상이 어떻게 돌아가느냐에 달려 있죠.

어쨌든 당장 욘더가 완전히 개방되지는 않을 거예요. 이제 실험의 1단계가 끝났고 본격적인 이주가 겨우 시작되었을 뿐이니까. 우리가 욘더를 조금 열었다고 해서 그것을 전면 공개하겠다는 것은 아니에요. 그것이 공개되었을 때의 혼란을 충분히 예상할 수 있죠. 욘더를 폐쇄하고 없애버리려는 세력도 많을 테고요.

우리가 욘더의 소문을 어지럽게 내고 부흥사 K가 간접적으로 홍보를 하는 것도 그런 뜻이죠. 그것에 관심을 갖고 진정으로 찾고 있는 사람만이 우리의 후보가 되죠. 그런 사람은 부흥사 K의 메시지에서 어떤 직관을 얻어 길을 찾게 돼요. 예를 들면 이 사이보그 시티를 찾아온 이들을 미하일이 먼저 만나보고 심사하죠. 우리는 그런 사람을 무작정 받아주진 않아요. 우리의 기밀을 유지할 수 있고 거기 들어가기에 적합한 사람이라 판단되면 길을 열어주죠."

"결국 나도 그런 셈이군요. 내가 당신을 찾아온 것은 그만큼 자발적이라는 뜻이 되겠네요."

"그래요. 선생님이 나를 찾은 것은 결심을 했다는 뜻이죠."

심사가 복잡했다. 그러나 마침내 입을 열어 그 말을 하고 말았다.

"내가 당신을 찾은 건 바로 그 때문입니다. 나를 욘더로 보내 달라고."

그녀는 묵묵히 나를 바라보다가 방에서 나갔다. 그런 다음 잠시 뒤에 상자를 하나 들고 들어왔다. 딱 브로핀 헬멧 하나가 들어갈 만한 크기였다.

"물론 잘 아시겠지만, 거기 가려면 일단 죽어야 하죠. 일종의 짧은 환각적인 여행이 될 거예요. 그 이상은 아무것도 아니에요. 다만 당신 뇌가 지나친 충격에 노출되어 여기도 아니고 거기도 아닌 곳으로 완전히 가버리는 것을 방지하기 위한 거죠. 안에는 알약도 들어 있어요. 주사기를 싫어하실 것 같아 대신 넣었죠. 당신을 죽이기 위한 약이 아니라 업로드가 안전하게 끝날 때까지 몸의 기능을 유지하게 하는 용도예요. 최고도로 훈련된 명상가들이 심박수나 호흡을 최대한 느리게 하는, 뭐 그런 체험을 하게 될 거예요."

상자를 받아 들며 세이렌에게 물었다.

"당신은 왜 이런 일을 합니까? 그러니까, 거기가 그렇게 좋은 곳이라면 당신은 왜 그곳으로 가지 않고 다른 사람을 인도하며 지냅니까?"

"글쎄요. 그저 나 자신에게보다는 다른 사람에게 느끼는 동정심이 더 많아서라 할까요?"

예민해진 탓일까. 그녀의 목소리에서 약간의 쓸쓸함이 느껴졌다.

16

Down the Spiral

내 기억이 옳다면 난 집으로 돌아왔다. 서글픔, 안도감, 기대, 외로움 같은 복잡한 상념과 이후에 대한 그리움과 함께. 나는 빈집에 한동안 멍하니 앉아 있었다. 냉장고를 열어보니 채식 잡채가 한 접시 들어 있었다. 엔피 조은이 다녀간 모양이었다. 나는 맥주를 한 캔 꺼내 들었다.

그런 다음에는 깊이 넣어두었던 이후의 유품들을 다시 펼쳐 냈다. 펜던트 메모리에 담겨 있는 그녀의 영상들을 다시 디스 플레이 프레임에 넣고 그녀의 옷들을 옷장에 걸고. 나는 지난 몇 년간 내가 혼자 지내던 그 집을 그녀와 내가 살던 집으로 최 대한 돌려놓았다. 그녀의 베개, 그녀의 e-book 단말기, 장신구 와 화장품 병들이 제자리에 다시 놓였다. 내가 떠난 뒤에 잠시 만이라도 그런 모습으로 남아 있길 바랐다. 다음엔 거실의 창 을 활짝 열어 집 안에 바람을 한껏 들였다.

그리고 세이렌이 준 박스를 열었다. 안에는 브로핀 헬멧 하

268

나와 진공 포장된 작은 알약 두 알이 있었다. 내 기억이 맞다면 'Peyote'라 표기되어 있었다. 나는 헬멧을 머리에 쓰고 작동시킨 후 남은 맥주로 그 알약을 삼켰다. 소파에 기대앉아 약 기운이 퍼지길 기다렸다. 이제 그들이 네트워크에 접속된 내 상태를 확인하고 내 정신을 옮겨 담기 시작할 것이다. 내가 알지 못하는 어느 곳엔가 존재하는 어떤 서버 안으로.

몸이 무거워졌다. 진흙 속에 던져진 납처럼 천천히 가라앉는 느낌이었다. 가슴을 내리누르는 갑갑함. 이어서 서늘함이 등줄기를 타고 온몸에 퍼졌다. 그 오한은 곧 뜨거운 열기로 변했다. 온몸에 열이 펄펄 끓어올랐다. 몸의 수분이 한꺼번에 증발해버리는 것만 같았다. 그리고 현기증과 구토가 몰려왔다.

누군가, 아니 무엇인가가 무궁한 나선을 그리며 아래로 떨어져 내리기 시작했다. 나는 아직 내 집 안에 있다고 생각했는데 문득 보니 아무 데도 없었다.

처음에 나타난 것은 깜깜한 어둠이었다. 그리고 한줄기 빛이 그 어둠 속에 들어오기 시작했다. 누군가 내 귀에 끊임없이 말을 걸었다. 그것은 무슨 나직한 영창(詠唱)처럼, 속삭임처럼 그리고 진동처럼 내게 전달되었다. 이리 오세요, 여기로 오세요. 나는 그 목소리가 들리는 곳으로 다가가려 했다. 하지만 내겐 몸이 없었다. 그러나 내겐 의지가 있었다. 내 의지가 그 목소리가 들려오는 곳으로 나아가고 있었다. 거기에 다가가면 그것은 거기에 없었다. 여러 갈래로 나뉜 동굴 같은 이미지 속에서 나는 길을 잃었다.

내 기억이 옳다면, 먼 옛날에도 나는 이렇게 길을 잃었던 적이 있다. LSD라는 게임에서. 갑자기 내 게임 캐릭터가 없어지고 나는 게임에서 나갈 수도, 더 들어갈 수도 없게 되었다. 수많은 겹으로 싸인, 눈에 보이지 않는 얇은 휘장 속에서. 아무리 다가가려 해도 아무것도 내게 가까이 오지 않는다. 나는 그 자리에 주저앉아버렸다. 얼마나 시간이 흘렀는지 모르지만 내가 깨어난 곳은 병원이었다.

저 멀리 그 빛이 다시 나타나고 목소리가 들려왔다. 여러 겹의 어둠, 수많은 갈래의 동굴들, 노랗고 파란, 또는 잿빛으로 빛나는 기이한 소음들, 수군거림.

나는 새로운 목소리의 끈을 잡았다.

"여보, 여기야. 나 여기 있어."

그 소리가 투명한 빛을 내었다. 내겐 몸이 없었지만 온 힘을 다해 그 목소리, 이후의 것일 수밖에 없는 그 고유한 소리를 향해 내 의지를 던졌다.

눈을 뜨자 거기에는 세이렌이 있었다. 그녀의 얼굴이 나를 내려다보며, 아니, 사실은 마주 보며 있었다. 나는 내가 누워 있다고 생각했으나 그건 착각이었다. 사실 나는 제자리에 서 있는 모습이었고 세이렌이 바로 내 눈앞에 바싹 다가들어 있던 거였다. 그녀는 내 어깨에 손을 얹고 툭툭 먼지라도 털어내고 있는 것 같은 자세였다.

"어서 오세요."

그녀가 자리를 비켜서며 말했다.

"당신이 여기 어떻게?"

"저는 세이렌이 아니에요. 세이렌의 쌍둥이 동생인 카마죠."

그녀가 물러나자 이번에는 나 자신의 모습을 볼 수 있었다. 나는 커다란 거울 앞에 서 있었다.

"욘더에 오신 것을 환영합니다."

나는 내 몸을 살피기 시작했다. 처음에는 거울 안에 있는 내 모습을 훑어보고 이어서 내 몸을 만져보았다. 그곳이 가상공간이라면 내가 보고 있는 내 몸은 이미지에 불과할 테니까. 하지만 나는 그대로였다. 내 손등에 있는 작은 점 하나까지. 그리고 내 몸의 실체감에는 아무 변화가 없었다.

나도 내가 뭘 기대했는지 모른다. 아바타 같은 것? 가상현실 공간에서와 같은 어색하고 굼뜬 가짜 몸? 나는 검정 정장을 입은 모습이었다. 조끼까지 구비한 완전한 차림이었다.

"제가 만든 옷이에요. 맘에 드셨으면 합니다. 세이렌이 보내준 자료를 바탕으로 재단했죠. 나는 이 자리에 빈 옷을 걸어두었고 당신은 바로 그 좌표로 다운로드된 겁니다. 이곳에서 제 직업은 재단사입니다."

나는 정신을 가다듬고 주변을 둘러보았다. 각종 천과 재단용 테이블, 그 위에 놓인 가위며 백묵, 크고 작은 자들. 그리고 세이렌 아니, 스스로를 카마라 부른 여자와 함께였다. 그녀는 자신이 진짜 재단사라는 것을 보여주기라도 하는 듯한 복장이었다. 토시와 작업용 앞치마. 머리에는 바늘이 꽂힌 검정 헤어밴

드까지 하고 있었다.

'빈 옷 안으로 다운로드된다'는 말을 음미해보았다. 내가 방금 겪은 짧은 여행의 의미를. 저쪽 세계에서 나는 완전히 떠난 것이다. 생물학적인 목숨이 끊어져서. 그리고 소프트웨어가 되어 여기 들어와 있다. 나는 아직 내 것인 것 같은 의식을 가다듬으려 애썼다. 심호흡을 한 번 하고.

"세이렌의 쌍둥이 동생이라고요?"

"그래요, 우리 남매 중 제일 먼저 들어왔죠. 에에 우선……."

"세이렌이 당신에게 연락을 했단 말이죠?"

내가 그녀의 말을 가로막았다. 그녀는 세이렌과 너무도 똑같이 생긴 모습이었다. 일단 나는 그녀 자신의 말대로 세이렌의 쌍둥이란 것을 받아들이기로 했다.

"아아. 네. 우린 연락을 하고 지내요. 아니, 사실 자주 만나죠. 세이렌이 특별히 잘 모시라고 부탁을 했어요. 그녀답지 않은 일이에요. 아마 선생님에게 조금 마음이 있었던 모양이지요?"

그녀가 농담을 했다. 내게 드는 숱한 의문을 한꺼번에 해결할 수는 없었다. 하나씩, 천천히, 나는 속으로 그렇게 되뇌었다.

"그러니까, 당신이 바로 저쪽 현실 세계와 소통을 하고 있다는 몇 사람 중 하나로고요?"

"네, 저 같은 경우에는 언제든 저쪽 사람들과 대화를 할 수 있죠. 아바타를 입고 저쪽 네트워크에 나아가 직접 대면도 할 수 있고. 하지만 선생님도 아내분과 바이앤바이에서 만나신 적이 있지 않습니까?"

"내가 바이앤바이에서 만났던 게 정말 내 아내였다는 말인 가요?"

"그럼 그게 누구인 줄 아셨나요? 물론 저와 세이렌처럼 독립 된 채널로 만나서 완전한 소통을 한 건 아니죠. 더구나 그쪽에 서는 인공지능의 방해가 있어서 그런 걸 소통이라 할 수 없을 지도 모르지만. 그렇다 하더라도 계속 메시지를 받고 어느 정 도의 교신도 하고 그러지 않으셨나요? 그래서 결국 여기에도 오시게 된 거고?"

어렴풋이 짐작했던 것을 확인하게 된 셈이었다. 그랬다. 내 가 바이앤바이에서 만났던 것이 적어도 이곳에 있는 이후를 얼 마만큼이든 간에 반영한 것이었다. 그리고 이후의 입장에서 보 면 그것이 온전히 나를 만나는 순간들이었을 테고. 그리고 욘 더의 초청이란 것에 대해 자기들이 모든 것을 결정하지 않는다 던 세이렌의 말도 이해하게 되었다. 최소한 욘더에 있는 정신 들에게는 그 정도의 의사를 맡겨두는구나 하고.

"바이앤바이에 인공지능을 남겨둔 사람들은 일종의 가수면 상태 같은 것이 되어서 저쪽과 제한된 교신을 할 수 있죠. 다만 아직 욘더가 완전히 개방되지 않은 상태라 모든 사람에게 완전 한 소통이 허락되지 않는다는 것뿐이에요. 언젠가는 모두에게 완전히 열리는 날이 오겠지만."

나는 이곳에서 안타까운 마음으로 나를 만나곤 했을 이후를 떠올리며 죄책감을 느꼈다.

"이후, 내 아내는?"

273

"물론 곧 만나러 가시게 될 겁니다. 다만 이곳에 처음 오셔서 어리둥절한 게 많으실 거예요. 그래서 미리 몇 가지 알려드릴게 있죠. 그럼 우선……."

카마라는 이름의 그 여자는 내게 다가와 팔을 잡고 둥그런 테이블이 있는 곳으로 이끌더니 그곳에 있는 의자에 앉혔다.

"우선 앉으세요. 성급하게 구시지 말고. 차 한잔하시겠어요?"

내가 좀 허둥대고 있는 것 같긴 했다. 나는 자리에 앉았고 그녀는 내 앞에 놓인 찻종에 주전자를 가져와 차를 따랐다. 도자기 주전자였다. 나도 모르게 그것을 손톱으로 튀겨보았다. 맑은 소리가 울렸다. 카마라는 이름의 그녀―그녀는 세이렌의 생김새를 하고 있지만 훨씬 여성스러운 인상을 지니고 있었다―가 샐쭉 눈웃음을 지었다.

"여긴 대체로 로우테크로 이루어진 세상이에요. 이따가 여기서 나가 욘더를 직접 보면 아시겠지만 인류 역사상 존재했던 거의 모든 시대와 사조가 뒤섞여 있죠. 이런 찻주전자는 얼마든지 있어요. 그리고 이 특정한 라이프스타일은 제 선택이랍니다. 어떤 사람들은 로우테크를, 다른 이들은 하이테크를 선호하죠. 사실 로우테크를 좋아하는 분들이 대다수라 할 수 있지만"

나는 차를 입에 가져갔다. 어떤 종류인지 구분할 수가 없었다. 재스민 같기도 하고 재스민보다 향이 다소 더 진한 것 같기도 하고. 하여간 세상에서 내가 맛본 어느 차만큼이나 훌륭한 맛이었다. 입에 달착지근한 침이 저절로 고였다.

"어때요?"

"아주 좋군요."

그렇게 답을 하고 나서 조금 어이가 없었다. 소프트웨어로 이루어진 가상공간에서 차를 마시며 감탄을 하고 있다니. 게다가 냄새까지 맡아가면서.

"욘더에서 재배된 차예요."

"재배되었다고요?"

"여기 오면 제일 먼저 버려야 할 것이 바로 그거예요. 여기가 저 세상과 아주 다른 곳일 거라는 생각. 또는 여기와 거기를 자꾸 비교하려는 태도. 여긴 사실 떠나오신 그곳과 별로 다른 점이 없어요. 선생님의 그 몸처럼 모든 게 다 똑같아요. 땅도 있고 바다도 있고 사람들의 기본적인 생활도 같죠. 그러니 당연히 차도 재배하죠."

"그러나 정확히 여기가 물리적인 세계는 아니지 않습니까?"

카마는 내 얼굴에 손을 뻗었다. 내 볼을 만지면서 그녀가 말했다.

"자, 더 얼마나 물리적일 수 있죠?"

그녀는 정색을 했다.

"그래요. 여긴 분명 저쪽 기준으로 말하는 그런 물리적인 세계는 아니죠. 하지만 거기서도 그러지 않나요? 물질의 가장 낮은 단위로 들어가면 이런저런 모양의 에너지들이 활동하는 텅 빈 공간이 나온다고? 우리가 여기 처음 오시는 분들께 가장 먼저 알려드리고자 하는 게 그거예요. 여기가 어떤 곳이고 여기 올 때 무엇을 기대해야 할지. 처음 오신 분들은 욘더에 대해 이

275

런저런 가정들을 지레 하게 마련이에요. 예를 들면 저쪽에서 했던 가상공간에서의 경험을 이곳에 대입해보려 한다든지. 그러나 욘더는 욘더일 뿐, 그 이상도 그 이하도 아니에요.

분명한 사실은 여기에서도 물리적인 법칙은 그대로 적용된다는 겁니다. 중력이나 자력 모두……. 그러니 얼마든지 물리적인 세상인 거죠. 이곳에는 해가 뜨고 달이 뜨고 하는 지구의 그 모든 환경이 그대로 옮겨져 있죠. 밭을 갈고 씨를 뿌리면 찻잎이 자라나서 이렇게 차를 마실 수 있게 되죠."

"그러면 여기에서 유니콘이라든지 날개 달린 천사 같은 것은 볼 수 없겠군요."

"그러니까, 상상으로 가능한 것이 모두 실현 가능하지 않느냐는 말씀인가요? 그런 걸 누가 꼭 보고 싶다든지 갖고 싶다고 하면 그렇게 프로그램을 짜면 되지 않느냐? 그래요, 생각하시는 대로 여기가 소프트웨어로 만들어진 세상인 건 틀림없어요. 유니콘이라든지 코끼리 코를 달고 있는 고양이 같은 것을 만드는 건 얼마든지 가능하죠. 적어도 이론적으로는."

"이론적으로만요?"

그녀는 자리에서 일어나 창으로 걸어갔다. 그리고 그곳에 치렁하게 내려온 기든을 걷었다. 욘더의 평범한 거리 풍경이 한눈에 들어왔다. 건물들의 양식은 고전적인 토대를 유지하면서도 이런저런 요소들이 섞여 지루하게 느껴지지 않았다. 지금은 햇살이 밝게 비치고 있지만 비가 왔던 모양인지 벽돌이 깔린 도로에는 물기가 남아 있었다.

"이 세상에도 일정한 룰은 필요해요. 불가능한 일이 아니더라도 굳이 하지 않죠. 코끼리 코가 달린 고양이를 만드는 일 따위는."

"왜죠? 내 말은 그러니까, 여기를 천국으로 받아들이는 사람들에게는 때로 그런 불가능이 가능해야 하는 것 아닙니까? 가령 평생을 불구로 산 사람이 있다면 그 사람에게 욘더는 적어도 그가 상실했던 것을 보상해줄 수 있어야 한다든지."

"하하, 언니가 선생님을 왜 내게 보냈는지 알겠군요. 여기 오리엔테이션을 담당하는 자들이 많은데도. 물어야 할 게 많은 분이니까. 욘더에 적용되는 룰은 간단해요. '그런 것은 원하지 않는다.'"

"네?"

"가능하다 해서 무작정 하지는 않는단 말이죠. 아니, 가능한 것과 실제로 원하는 게 다르다는 거예요.

이를테면 유니콘이나 날개 달린 천사, 그런 것은 얼마든지 상상할 수 있죠. 하지만 아무도 그런 게 실제로 있었으면 하고 원하지 않아요. 평생을 불구로 산 사람이 이제는 불구로 살고 싶지 않다고 원할 수 있죠. 실제로 그렇게 원해서 그런 부분을 바꾸기도 하고요. 하지만 그가 설사 불구인 상태 그대로 남아 있다 하더라도 여기가 천국인 것은 마찬가지예요. 내가 뚱뚱하니 날씬해지고 싶다거나 평생 약골로 살았으니 초인적인 힘을 갖고 싶다, 또는 나는 엄청난 부를 소유하고 싶다. 그런 것들이 여기서는 그렇게 절실하지가 않아요. 그냥 자신의 모습에 모두

들 만족하니까.

당신이 여기가 천국이 되는 것을 방해할 만한 다른 어떤 욕구를 지니게 되면 그것은 그저 없는 것이 되어버리죠. 설령 당신이…… 저 세상에서 연쇄 살인범이었다고 하더라도 여기에 오면 사람을 죽이지 않아요. 그저 단순하게 그런 짓을 하고 싶지 않으니까. 그래서 여기가 천국이 되는 거예요. 천국이 되는 데 방해가 되는 지나친 것을 원하지 않는다. 그러면 뭐든지 만족도 쉽게 되죠. 그게 이 욘더에 적용되는 유일한 룰이에요."

"말하자면 일종의 프로그래밍이군요. 여기 들어오는 사람들, 아니, 적어도 저쪽 세상의 기준으로 보면 이제 사람은 아니겠지만 그 정신, 또는 의식들에게 소프트웨어적으로 일정한 여과 또는 세뇌를 가한 거군요."

그렇게 말하면서도 스스로는 내가 지금 얼마나 '사람' 그대로의 모습을 유지하고 있나 놀라고 있었다. 사물을 느끼는 촉감에서나 신체가 공간을 점유하고 움직이는 운동감 등 감각의 모든 측면에서. 이런 것들은 저쪽 세상의 소위 가상공간에서는 불가능한 일이다.

"사이버 스페이스 천국은 그런 점이 유리해요. 그런 것이 프로그램으로 처리될 수 있으니까. 여기 들어오는 사람들의 욕망을 조금 덜어내고 만족을 좀 더 쉽게 하고. 조화와 균형을 인위적으로 불어넣을 수도 있고. 그러나 천국이 세뇌로만 세워지진 않죠. 그 부분은 지금 말씀드리지 않겠습니다. 너무 성급하기도 하고."

"그럼 무슨 비밀이 또 있다는 얘기군요."

"그래요. 그리고 솔직히 난 여길 천국이라 여기지도 않아요. 여기엔 그런 특별함이 없어요. 당신도 머지않아 여기가 그런 곳이라고 의식하지 못하게 될 거예요. 아마 그래야만 여기가 당신에게도 천국이 될 테니까."

그녀가 묘한 말을 했다. 그러나 나는 문득 그 말이 옳다고 느꼈다. 천국이라면 모든 것이 진실로 평범해야 한다고. 진정한 안락함과 평안은 그저 아무것도 아닌 일상 속에 녹아 있어야 한다. 어느 하나가 특별하다는 것은 특별하지 않은 것들이 있다는 것을 의미하니까. 그녀가 말을 계속했다.

"그렇다고 저쪽 세상에서 말하는, 소위 자유의지가 존재하지 않는다고 생각하면 그건 오산이에요. 말씀드린 부분을 제외하곤 뭐든 마음대로죠. 정말 원한다면 여기서 나가버릴 수도 있어요."

"나갈 수가 있다고요?"

"원한다면요. 만일 여기가 오도 가도 못 하는 불쌍한 의식들이 잔뜩 붙잡혀 시간을 보내고 있는 곳이라면 아마 상상할 수 있는 가장 무서운 지옥이 되겠죠. 떠나고 싶은 곳에 영원히 갇혀 있게 되는."

"만일 그렇다면…… 그땐 어떻게 하면 되죠?"

나는 그런 가능성을 염두에 두지 않을 수 없었다.

"간단해요. '난 이걸 원하지 않아!' 하고 세 번을 소리 내어 말하세요. 마치 무슨 민담이나 설화에 나오는 얘기 같죠? 우린 그런 재미있는 장치를 고안해뒀어요."

"그럼 어떻게 되는 겁니까? 내가 듣기론, 그러니까 저 세상으로 돌아가게 되는 방법은 없다고 들었는데?"

"물론 세상으로 다시 돌아가는 건 불가능하죠. 돌아가려고 해도 돌아갈 몸이 이미 없어진 뒤겠지만. 아마 각자의 미신이 시키는 곳으로 가게 되겠죠. 진짜 죽음으로. 극락, 천당, 욘더의 욘더? 아니면 깜깜한 무로 들어갈지 그거야 아무도 모르죠."

"다들 그 방법을 알고 있습니까?"

"물론이죠. 하지만 대부분 잊고 살아요. 나도 마찬가지고."

카마가 자리에서 일어났다.

"자, 그럼 나머지는 차차 알게 될 테고. 부인에게 가보셔야죠? 제가 태워드릴게요."

"아뇨, 내가 택시를 타고 가죠."

"여긴 핸디 같은 게 없어요. 구식 휴대폰도 없죠. 택시 잡기가 쉽지 않아요."

확실히 내가 상상하던 천국은 아니라고 생각했다.

카마는 자그마한 내연기관 자동차를 몰고 건물과 사람이 있는 골목들을 지나갔다. 내가 과연 죽은 사람들의 세계, 이미지로만 이루어진 세상에 있다고 말할 수 있을까? 사람들이 사는 환경의 경관만 다를 뿐, 아니 조금의 차이가 있을 뿐 내가 떠나온 곳과 크게 다르다고 할 수 없었다. 죽음을 앞두고 가졌던 두려움이 허무하게 느껴질 만큼이었다. 십여 분을 달리고 난 뒤 카마가 차를 멈췄다.

"저기 저 코너에 보이는 두 번째 집, 파란 지붕 집이 보이죠? 거기가 당신 집이에요."

나는 차에서 내려 그리로 걸어갔다.

여기 내가 있다. 불과 얼마 전—그게 정확히 얼마인지, 몇 분인지 혹은 몇 시간 전인지 전혀 가늠할 수 없지만— 나는 저 세상에 살아있었다. 그리고 지금 이곳 욘더에서 저쪽이라 부르는 그곳에선 내가 사망한 사람이 되었다. 적어도 내 육체는 더 기능하지 않게 되었을 것이다. 생물학적으로는 분명 사망한 상태로. 하지만 나는 여전히 여기 있다. 그게 무슨 뜻인지 모르지만, 그게 기억인지 의식인지 모르지만 하여간 무엇인가를 '나'라고 부를 만한 존재가 유지되고 있다. 지금 나의 상태가 사람들이 '영혼'이라 부르는 것이라 말할 수 있을까? 그리고 지금 나의 상태를 '삶'이라 말할 수 있을까? 아니면 그저 소프트웨어가 지어낸 환상일까?

하지만 그런 생각들도 잠시뿐이었다. 나는 점차 그 파란 지붕의 집으로 다가가고 있었고 거기에는 이후가 기다리고 있을 것이다.

차에서 내릴 때 내가 물었다.

"이후가 알고 있나요? 내가 여기 오는 걸?"

"그럼요. 기다리고 계실 거예요."

카마가 대답했다.

이후의 집

 비슷한 모양의 집들이 늘어서 있었다. 그만그만한 지붕들, 그만그만한 담장들. 게으른 디자이너가 무한반복으로 붙여넣기를 한 것 같은 마을이었다. 그럼에도 각각의 집이 개성을 잃지는 않고 있었다. 그것들을 꾸민 작은 장식들이며 마당에 내놓아진 물품들이 하나하나 다 신선했고 저마다 주인의 특색을 드러냈다. 파란 지붕의 그 집에는 하얀색의 낮은 울타리가 있었고 문이 열려 있었다. 현관에 이르는 자갈길이 너무나 멀게 느껴졌다. 심장은 이미 터질 듯 뛰고 있었다. 정말 잘 만들어진 프로그램이라 생각하시 않을 수 없었다. 본더에서의 나, 그 가상의 몸을 이루는 것이 무엇이든 간에 내가 버리고 온 생물학저인 몸의 생리적인 현상을 고스란히 다시 떠올릴 수 있다니.
 나는 초인종을 누를까 아니면 큰 소리로 그녀를 불러낼까 망설였다. 그런데 현관문이 열리고 하얀 강아지 한 마리가 뛰

어나왔다. 강아지는 내 발치에 다가와 꼬리를 치며 짖었다. 그
리고 현관 앞에는 그녀가 서 있었다.

"이후!"

내가 그녀의 이름을 불렀다.

"홀!"

그녀가 내 이름을 불렀다.

나는 현관 앞 층계를 뛰어올라 그녀를 안았다. 내 품에 내가
이후라고 부르던 그 여자가 풍성하게 다시 들어왔다. 그리고
우리는 그렇게 한동안 서로를 그렇게 껴안고만 있었다. 입맞춤
도 없이.

그녀의 가슴이 내 양팔 안에서 오르내리는 것을 벅차게 느
꼈다. 그녀의 체온, 그녀의 숨소리, 그녀의 냄새가 고스란히 되
살아났다. 내 기억에 있는 그대로. 절대 잊어버린 적 없던 대로.
그녀의 눈에는 눈물이 그렁그렁했다.

"아프지 않아? 이젠 아프지 않아?"

내가 물었다.

"아프지 않아. 당신을 기다렸어."

그녀가 대답했다. 바이앤바이에서 아바타의 모습으로 만났
던 그때와는 전혀 달랐다. 그것은 이미지였지만 이것은 내가
저 세상에서 알았던 현실이라 부르던 그것과 다름이 없었다.
이것은 '꿈'이 아니라 '현실'이다. 한순간에 깨어나면서 '아, 꿈
이었구나!' 하고 허무해하지 않아도 된다.

이후는 내 손을 잡고 집 안으로 이끌었다.

"나를 기다렸어?"

"응. 얼마나 오래인지 모르지만, 내가 이곳에 온 뒤로 쭈욱."

"내가 오길 바랐어? 그러면 내게 빨리 연락을 하지."

나는 세이렌에게서 들었던 대로 그 선택이 이후의 것이었음을 상기했다. 그녀가 원했다면 내게 욘더의 초청을 진즉에 보낼 수 있었을 거라고. 그녀는 소파로 이끌어 자리에 앉히고 나를 찬찬히 살폈다. 내 얼굴을 만져보고 손을 만져보고. 그러고 나서 내가 알고 있던 모습 그대로 내게 기대어 왔다. 내가 좋아하는 그 겨자색 스웨터를 입고, 그녀가 건강할 때 즐겨 했던 그 굽실한 파마 머리를 하고.

"하지만 그러려면 당신이 죽어야 하잖아. 그러길 바라지 않았어."

"당신이 가버리고 난 뒤 나는 죽은 거나 마찬가지였어. 게다가 이렇게 만난다는 건 정확히 죽었다고는 할 수 없잖아."

그녀는 내 품에서 벗어나 미소를 지어 보였다.

"그래, 죽은 건 아니지. 나도 이 상태가 뭔지 모르겠어. 하지만 죽은 건 분명 아니지."

"그래, 당신이 살아있어서 정말 다행이야."

"바이앤바이에서 당신이 그랬잖아. 나는 죽은 거고, 내가 살아있다고 느끼는 것은 당신의 착각이라고."

그때가 떠올랐다. 종이에 베었을 때처럼, 아픔은 그것을 인지했을 때보다 조금 늦게 찾아왔다.

"그랬지, 내가 그랬어. 미안해. 하지만 난 정말 몰랐어."

"사실 거기에서 당신을 만나기 직전까지만 해도 난 내 상태를 정확히 자각하지 못했어. 당신에게 연락을 하는 게 늦어진 것은 내 의식 일부가 일종의 동면 같은 상태에 오래 머물러 있었기 때문이야."

"동면?"

"말하자면 길어. 처음엔 내가 이런 곳에 들어와 있고 아직 살아있다는 사실을 깨닫지 못했어. 자의식이 생기지 않은 거지. 그리고 기억도 완전히 돌아오지 않았고. 나는 당신처럼 이렇게 금방 깨어난 게 아니라 서서히 의식을 차린 거야. 자기 의지로 들어오지 않은 사람 중에는 브로핀의 충격으로 그런 상태에 빠져 있는 경우가 있대."

"여기 있게 된 건 당신의 의사야?"

나는 계속 품어왔던 가장 중요한 의문을 해소해야 했다.

"여기 남길 원한 건 내가 맞아. 단지 처음에 갑자기 들어오게 되어 의식이나 내 기억을 모두 되찾는 데 꽤나 시간이 걸린 것뿐이지. 그러고 나서 카마 씨가, 아, 당신도 만나봤지?"

"응, 그녀가 여기에 데려다줬어."

"그 사람에게서 모든 설명을 들었지. 내가 여기 남을 수 있고 또 바이앤바이에 당신을 만나러 갈 수도 있다고. 난 여기에 남아 있길 선택했고 이 집을 꾸미고 정착했지."

나는 이후의 집, 그녀의 거실을 둘러보았다. 우리가 빌라에 살 때에도 그녀는 늘 주택을 갖는 것을 꿈꿔왔다. 그녀가 집을 갖는다면, 그리고 집을 가꾼다면 꼭 그렇게 했을 거라고 느껴지는 꾸밈새였다. 마룻바닥의 굵은 실 양탄자, 그녀가 골랐을 벽의 그림, 상처 난 낡은 가구들 위에 놓인 작은 물건들, 리넨 소품들. 기시감 같은, 묘한 느낌이었다. 그런 집이나 그런 거실을 보는 것이 마치 과거로부터 온 경험인 것 같았다.

"그리고 모든 게 안정이 되고 나서야 당신에게 연락을 한 거지. 물론 바이앤바이의 아바타를 이용해서. 그렇게라도 당신을 만날 수 있게 되어서 정말 기뻤어. 비록 당신은 거기 내가 가 있는 줄 알지 못했지만."

"나는 그게 바이앤바이의 인공지능이라고만 생각했어."

"그게 당연해. 내가 당신에게 말을 걸자면 그 인공지능을 통과해야만 하는데 당신이 그 인공지능을 개발하는 데 조금 소홀했기 때문에 그걸 이용해서 당신에게 내 생각을 이야기하는 것이 힘들었어. 인공지능이 완전히 자리를 잡아 자율성을 갖게 되어야 잠재의식 같은 것이 생겨나거든? 그러면 내가 그 인공 잠재의식을 통해 당신에게 연락할 수가 있지. 인공지능이 어떤 생각이나 의사를 자기 스스로 한 것처럼 느끼게 되어야 해. 그러나 완성이 안 된 인공지능은 나의 개입을 그저 혼란스런 버그라고만 받아들이지."

그녀는 나를, 내 눈을 뚫어져라 쳐다보면서 말을 거두었다. 인공지능의 잠재의식? 그것이 자기 스스로 하는 것처럼 느껴야 한다? 그래, 그런 것이야 아무래도 상관없다. 그녀가 여기 이렇게 확실히 존재한다는 것을 내 눈으로—비록 그것이 얼마나 육체적인 눈인지는 모르겠지만— 확인하고 있으니까. 비로

소 나는 나를 쳐다보고 있는 그녀의 얼굴을 붙잡고 그 입에 키스했다. 얼마나 그리워한 입술이던가. 그렇게 먼 줄만 알았는데 마침내 나는 집에 온 것 같았다.

"하여튼 지금에 와서는 내가 여기 남게 된 게 기뻐. 당신을 이렇게 다시 볼 수 있으니까."

이후가 자리에서 일어났다.

"참, 당신에게 보여줄 게 있어."

그녀는 거실 한편의 계단으로 올라갔다. 거실과 부엌은 아래층에, 침실은 위층에 있는 구조인 듯했다. 나는 이후의 뒤를 따라 올라갔다. 삐걱삐걱 나무 계단을 밟는 그녀의 발걸음을 따라. 위층에는 두 개의 방이 있었다. 그녀는 한 곳의 문을 열었고 먼저 안으로 들어가 나를 기다렸다. 그리고 그 안으로 들어가 보니 이후가 웬 아기를 안고 있었다.

"우리 아기야."

말도 안 되는 일이었다. 그녀가 갖고 싶어했고 내게 조르던 것은 사실이지만, 우리에겐 아이가 있을 수가 없는데. 그녀는 내게 아기를 건네주었다. 내 팔을 하나씩 번갈아 잡고 아기를 안는 법을 가르쳐주면서. 그녀가 내게서 손을 떼자 내 품에 아기가 들어왔다. 아이는 기껏해야 삼사 개월 정도로 보였다. 눈을 찡그리면서 낮은 소리로 칭얼대었다.

"당신이 없어서 내가 이름을 지었어. 괜찮겠어? 지효야. 김지효. 딸이란 걸 알 수 있겠지?"

김지효. 딸. 딸의 이름 김지효. 도무지 이해가 되지 않았다.

실체가 없는 아이. 아니, 적어도 저쪽 세상에서 실체가 없던 존재. 다시 말하면 새로 만들어진 아이인 셈이다. 이후는 내게서 아이를 받아 다시 요람에 눕혔다. 그리고 내게 돌아서서 활짝 웃었다.

"우리가 기다리고 있었답니다. 지효 아빠."

머릿속이 복잡했다. 어떻게 이런 일이 일어났을까? 어떤 오해나 농담이나 착각이 개입되어 있을까?

당장 내가 상상할 수 있는 가능성은 이런 것이었다. 가령 이후의 염원이나 소원, 그 간절함이 이곳 프로그램에 무슨 영향을 미쳐 저 아기를 만들어낸 것일 수는 있다고. 어차피 이곳의 모든 것은 프로그램이 만들어낸 것이니만큼 말마따나 이론적으로는 그럴 수가 있다고. 그런데 그것은 카마가 내게 들려준 설명에 위배되는 일이다. 가능하다 해서 무조건 하지는 않는다는 규칙. 알 수 없는 노릇이었다.

그것도 아니라면 저것은 그저 하나의 텅 빈 그림일지도 모른다. 이 집처럼 진짜 아이가 아니라. 저 바깥의 거리, 자연 경관처럼. 저건 그저 그런 배경, 그런 렌더링의 일부인 것이다. 하긴 지금 여기에서 무엇이 진짜이고 무엇이 그저 그림일 뿐이라고 말할 수 있을까?

나의 안색을 살피던 이후가 말했다.

"당신은 이곳에 익숙하지 않아서 아직 여기를 자꾸 가상적인 공간이라고만 받아들이고 있는 거 같아."

그녀가 내게 다가와서 내 손을 잡아 자신의 가슴으로 이끌었다.

"자, 만져봐. 내가 여기 있다는 걸 그렇게 못 믿겠어?"

"난 우리에게 아기가 있다는 게……."

다시 만나자마자 이후의 마음을 상하게 하고 싶지는 않았다. 나도 모르게 그런 말이 나왔을 때는 금방 후회했다.

"그냥 믿어. 지효는 틀림없는 우리 아기야. 당신과 나의."

그녀가 내게 다가와 키스했다. 나는 요람 속의 아이를 내려다보았다. 나를 닮은 것 같기도 하고 이후를 닮은 것 같기도 하다가 또 자세히 보면 아무도 닮지 않은 것 같았다. 나와 이후, 우리의 아이. 감미로운 허구.

그러나 한참을 들여다보니 그것이 꼭 거짓 같지만은 않았다. 하긴 내겐 처음인 내 아기라 그렇겠지. 만일 저 세상에서 이렇게 아기를 안게 된다면 그 또한 역시 얼마나 거짓처럼 느껴졌을 것인가? 이게 과연 우리의 아이가 맞나 하고?

"그래. 맞아. 나와 이후의 아기."

내가 말했다. 이후의 밝아진 표정을 바라보며.

우리는 그녀가 내게 열어 보이며 "여기가 당신과 나의 보금자리야"라고 말한 방으로 들어갔다. 이후가 나와 자신을 위해 마련한 침실엔 퀸 사이즈 침대 하나와 화장대를 겸한 테이블뿐이었다. 머리맡 쪽으로 경사면을 이룬 낮은 천정에는 자그마한 창이 하나 나 있었다. 그리고 그 아래쪽 벽에는 미닫이 유리문. 우린 그 문을 통해 방에 연한 발코니로 나갔다. 아주 넓진 않았지만 아늑함이 느껴질 만한 크기였다. 거기에는 그녀가 가끔 혼자 앉아 있곤 했을 등나무 테이블과 두 개의 의자가 놓여 있었다. 그녀는 거기 홀로 앉아 반대편의 빈 의자를 바라보곤 했겠지. 거기 함께 앉아야 마땅할 나를 생각하면서.

"잠깐 여기 앉아 있어봐. 뭘 좀 가져올 테니까."

내가 의자에 앉는 것을 본 뒤 이후가 아래층으로 내려갔다. 나는 테이블 위에 양팔을 얹고 거기 이후가 앉아 있었을 모습을 떠올리며 기다렸다. 그녀처럼 그녀의 입장이 되어. 아프고 안타깝고 벅차고 복잡한 감상으로.

"당신 술 좋아하잖아? 당신이 올 거라고 해서 미리 사뒀지."

이후가 들고 온 것은 빨간 포도주였다. 두 잔의 글라스도 함께. 술을 못 마시는 그녀였지만 여기에서는 조금씩 마시는 모양인지 내게 잔을 내밀어 그득 따라주고는 자신의 잔도 채웠다. 나는 포도주 병을 들어보았다. 상표라고 할 만한 것이 부착되어 있지 않았다. 그저 '카베르네 소비뇽'이라는 하얀 딱지가 하나 붙어 있을 뿐이었다.

"물건을 사고팔기도 하나? 여기에서?"

"그럼. 욘더는 우리가 살던 세상과 크게 다를 게 없어. 그래서 이곳 사람들은 평소에는 이 욘더와 저쪽의 구분을 별로 의식하지 않고 살아. 당신도 빨리 익숙해져서 곧 그렇게 되길 바라. 일단은 상점도 있고 거의 모든 게 그대로라고 생각하면 돼."

"그런데 상품이 아주 다양한 건 아닌가 보네?"

"한마디로 설명하긴 어려워. 스스로 겪어보면 차이도 깨닫게 될 거야."

그리고 내가 그 욘더라는 곳을 조금 더 이해하게 되는 순간
은 금세 찾아왔다. 노을이었다.

우리가 발코니에 앉아 와인을 마시는 동안 저 멀리에서부터
노을이 지기 시작했다. 발코니 앞으로 늘어선, 우리 집과 유사
한 지붕들 위로. 그 아래 사이마다 반듯반듯한 길들이 보였고
뜨문뜨문 사람들이 거리를 지나는 모습도 볼 수 있었다. 그리
고 한 블록 정도 너머에 강이 있었다. 대단히 폭이 넓은 강. 내
가 "저건 호수야?" 하고 물었을 만큼.

"아니, 강이야. 저 강 이름이 바이앤바이야."

"바이앤바이?"

"그래, 그곳과 이름이 같지? 어떤 이들은 이 강이 거기 흐르
는 물과 하나로 이어져 있다고 말하기도 해."

강은 유속이 아주 느린 듯했다. 높다란 돛을 단 스쿠너 배 하
나가 유유히 강을 따라 흘러가고 있었다. 그리고 그 뒤편에 노
을이 지고 있었다.

내가 술이 취한 것인지 모른다. 언젠가부터 시간에 대한 관
념이 이상하게 둔해졌다는 걸 자각했다. 술에 취해 천천히 흐
르는 강물을 들여다보고 있기 때문인지 나와 이후가 한자리에
앉아 와인을 마시는 그 시간은 내가 저쪽에서 느끼던 것보다
매우 더디게 흐르는 것 같았다. 아니면 그 반대인지.

한참이 지난 것 같아 술잔을 보면 아직 술은 그득했다. 그런
가 하면 한편으론 지루함이 전혀 느껴지지 않을 만큼 시간이

빨리 흘러가버린 것도 같았다. 이후와 한참 동안 이야기 나눈 것 같은데 기이하게도 시간의 지체를 전혀 감지하지 못했다.

그리고 그 노을. 나는 속으로 "이렇게 완벽한 노을은 처음이야" 하고 생각했다. 내가 왜 그렇게 느끼는지, 정말 그렇게 느끼는지 의아해 할 사이도 없이. 완벽한 노을, 자줏빛을 띤 노을이 강을 건너와 아기자기한 작은 주택으로 이루어진 이 거리에까지 들어왔다.

나는 아무 의심 없이 내가 그렇게 완전하고 아름다운 노을을 본 적이 없다고 믿었다. 벨벳 같은 부드러움, 장엄하지만 으스댐이 없는 노을. 가슴을 벅차게 하면서도 압도하지는 않는 노을. 그 달콤한 슬픔, 충족감, 지나치지 않은 희열. 누군가 내 의식의 언어 작용에 무슨 장치를 넣은 것처럼.

나는 그저 그것을 '행복'이라 받아들였다. 다른 말이 떠오르지 않았다. 그리고 내가 마음속으로 행복이란 단어를 떠올리자마자 내게는 온통 그것으로 가득했다. 나는 이후와 함께 있었고 더 바랄 것이 없었다.

이후가 일어선다. 아주 천천히. 그녀가 움직이는 것이 내 시야에 한 프레임 한 프레임 기념사진처럼 들어왔다. 끝없이 반복되듯 일어서고, 일어서고, 또 일어선다. 내게 "사랑해, 사랑해, 사랑해" 하고 무한히 반복해서 말한다.

"일어나, 일어나, 일어나. 이제 그만 우리 침대에 가자, 우리 침대에 가자, 우리 침대에."

나의 움직임이 또한 그러했다.

"와! 대단한 술이로군. 와! 대단한 술이로군. 와 대단한……."

내가 하하! 웃으며 말했다.

그리고 우리는 침대에 들어갔다. 그녀는 내가 좋아하는 그 겨자색 스웨터를 벗었다. 양팔을 들고 천천히, 아주 천천히. 그렇게 내 앞에 그녀가 드러났다. 이후의 몸. 이후의 몸, 이후의 몸, 이후의 몸. 내가 아직도 생생하게 그려낼 수 있는 그대로. 새삼스러운 지리처럼. 내가 자란 어린 시절의 동네처럼. 그 골목길들과 구석들과 작은 지형지물들. 그것들에 호기심을 느끼고, 그것들과 조우하고, 그것들에 접촉하고, 그것들에 내 자취를 남기고, 내 기억에 보물처럼 넣어두었던, 그녀의 몸이 내게 주었던 그 모든 순간들이.

나는 그녀의 가슴에 키스했다. 내가 아는 대로 작지만 탄력 있는 가슴. 그리고 약간 짙은 갈색의 작은 젖꼭지. 그녀에게서는 젖이 배어 나왔다. 나는 그녀가 아기를 키우고 있다는 사실을 떠올렸다. 아무래도 좋다. 그런 것은. 그게 누구 아이이든.

나는 내 머리를 그녀의 배에 가져갔다. 그녀가 나의 머리칼을 부드럽게 감싸 쥐었고 나는 그녀의 보기 좋게 볼록한 배에 키스했다. 내가 기억하는 그대로 귀엽고 갸름한 그녀의 배꼽. 나는 그녀의 하얀 엉덩이와 허벅지에 키스했다.

다음 날 아침 나는 한숨도 안 잔 것 같은 느낌으로 눈을 떴다. 하지만 동시에 아주 오래도록 늘어지게 잔 것 같은 기분으로. 꿈도 없는 완전히 까만 잠 속에 푹 들어갔다가 다시 태어난 기분이었다. 어머니의 자궁에서 막 다시 태어난 것 같은 신선함. 내 가슴에는 에너지가 가득했다. 욘더에 오길 잘했다는 것이 그 아침 내게 든 첫 생각이었다.

이후가 침대에 없었지만 불안하지는 않았다. 그녀가 다시 어디로 없어졌을 거란 생각이 들지 않았다. 그녀는 반드시 저 방문 바깥에 있을 것이다. 여긴 욘더고 내 집, 그 빈방이 아니다. 아무리 기다려도 오지 않는 이후. 아무리 찾아도 없는 이후. 그곳이 아니다. 내 아내는 반드시 저 방문 바깥에 있다.

이후는 내 옷을 모두 구비해둔 모양이었다. 내가 온다는 소식을 듣고 미리 다 준비해둔 것이겠지. 내 곁에는 파자마가 놓여 있었다. 그제야 내가 벌거벗은 몸이라는 걸 깨닫고 파자마를 입었다. 그러고는 방문을 열어 나의 믿음을 확인하러 나섰다. 아래층으로, 이후의 콧노래가 들려오는 계단 아래로 내려갔다. 과연 그녀가 거기 있었다. 그녀는 아기 요람을 거실에 내놓고 아침을 준비하는 중이었다. 토스트와 계란 프라이. 완벽한 아침이었다.

18

Cyberspace Heaven

나와 이후의 일상은 단조로웠다. 우리는 종종 집 뒤편의 작은 정원에 나와 앉아 있곤 했다. 일광욕 의자를 펴고 노곤한 햇살, 선선한 바람 속에 길게 몸을 뉘었다. 우린 하릴없이 이런저런 얘기를 나누었다. 대화를 나누곤 금방 잊어버릴 만한 가벼운 화제들로.

그러다가 유모차를 끌고 산책을 나섰고, 마주치는 사람들과 가벼운 인사나 잡담을 주고받았다.

"안녕하세요? 아기가 참 예쁘네요. 이유식을 시작하셨나요? 아직 그럴 때가 되지 않았답니다" 하고.

간혹 강에서 루어 낚시를 즐기는 사람들을 만나기도 했다. 어떤 사람은 팔뚝만 한 송어를 강에서 끌어냈다. 송어는 신선한 강물 냄새를 풍기며 펄떡거렸다.

욘더에서는 새들도 즐거운 것 같았다. 강가에는 눈 가는 데

마다 다양한 종류의 새가 있었다. 수채화 같은 파란 하늘에도, 가로등이나 잔디 위에서도 짹짹거리고 포르릉거리면서. 나는 그 새들의 움직임을 유심히 관찰했다. 하늘을 나는 방식, 땅이나 지붕으로 내려오는 방식, 바닥에서 모이를 쪼는 방식. 나는 그 새들이 생물이 아니란 점을 전제하고 그것들의 움직임이나 행동에 뭔가 어색한 점이 있을 거라 생각했다. 하지만 그런 것은 없었다. 걸음을 옮기면서 때때로 강가에 서 있는 망고 나무를 주먹으로 두드려보곤 했다. 딱딱했다. 그런 것이 딱딱해야 할 만큼.

우리는 어쩌다 한 번씩 강가에 있는 레스토랑을 찾기도 했다. 가끔 예약이 넘치는 경우가 있었다. 천국이 완벽한 곳이 아님을 보여주려는 듯. 하지만 그런 문제는 금세 해결되었다. 누군가 막 식사를 마치고 일어나는 것이었다. 우리는 오 분이나 십 분 이상을 기다리는 법이 없었다. 메뉴는 한정된 편이었지만 그날의 스페셜이 매일 달라졌다. 치킨, 연어, 송아지 고기. 배불리 먹고, 술이 얼근해지면 우린 바로 곁의 볼룸댄스장으로 걸음을 옮겼다. 그리고 온몸이 땀으로 흠뻑 젖을 때까지 탱고나 폭스트롯을 추었다.

내가 이보다 더한 것을 바랄 수 있을까? 그러니까 이후와 함께 거의 영원히 보장된 시간을 보내는 것 이상을? 나는 얼마나 행복감에 젖어 있었던지 시간이 가는 줄 몰랐다. 가령 우리가 우리 집 뜰에 누워 한가로운 시간을 보낼 때 우리 둘 중 누가 움직이지 않으면 얼마나 흘렀는지 모를 만큼 깜빡 조는 동안 시간이 흘렀다. 그리고 정신을 차리면 나는 다시 행복했다.

"사랑해."

내가 말했다. 그 말을 생전 처음 해본다는 것처럼.

"사랑해."

이후가 말했다. 그래서 기쁘다는 것처럼.

"행복해."

"행복해."

그러고는 또 깜박 졸음에 떨어졌다가 내가 눈을 다시 뜨면 그때마다 하얀 강아지는 자리를 옮겼다. 내 발치에서 뱅뱅 돌고 있는가 하면 맨드라미 꽃밭 그늘에 들어가 있었다. 또 거기서 보았는가 싶으면 지효가 누워 있는 요람 곁에 축 늘어져 있었다.

"졸려?"

잠이 들면 밤은 순식간에 흘러갔다. 꿈도 없는 숙면 속에서.

"사랑해."

내가 아침에 말했다. 아니, 점심이던가?

"사랑해."

이후가 말했다. 그게 어제 저녁의 일이던가?

그러다가 문득 시간의 지체를 느끼고 퍼뜩 깨어났다. 마치 무슨 놀이에 깊이 침잠해 있다가 깜짝 놀라 정신이 드는 것처럼. 욘더의 시간은 그런 식이었다. 이상하게도 내가 무엇을 하고 있다고 느끼거나 자의식이 드는 때는 많지 않았다. 우리는 무엇이든 그저 할 뿐, 그것이 시간상에 연장하는 지각이 없었

297

다. 아침에 눈을 뜨면 금세 오후가 되었고 이후와 함께 한참 뭔가를 부지런히 하고 있었는데도 시간은 별로 흐르지 않았다.

날이 지나면서 나는 욘더의 생활에 한결 익숙해졌다. 내 머릿속에서는 욘더가 실재가 아니며 가상적인 공간이고 내가 몸을 갖지 않은 존재라는 사실을 까맣게 잊어버렸다.

지금 욘더에서의 생활을 회고하고 그런 유포리아를 다시 한 번 묘사하라고 한다면 그것을 정확히 떠올릴 자신은 없다. 그저 어렴풋하고 흐릿한 기억뿐. 그러나 굳이 그때의 그 느낌을 말해본다면 나는 그것을 '느낌의 적정한 결핍 상태'라는 말로 표현하고 싶다. 실제로 그랬다. 그 상태는 무엇이 충족되거나 풍부한 상태가 아니었다. 그것은 어떤 것들, 이 세상의 어떤 것들이 없는 상태였다. 가령 염려라든지 마음을 옥죄어오는 알 수 없는 실존적인 우울 같은 것.

사실 현실에서 어떤 아름답고 편안한 휴양지에 가 있다면 그와 비슷한 느낌이 들지도 모른다. 선선한 바람이 불고 딱 기분 좋을 만큼의 햇볕이 드는 어느 바닷가에서 마냥 휴식을 취하고 있다면. 그러나 현실에서는 그런 완벽한 휴식을 방해하는 무엇인가가 꼭 있을 터이다. 당장 의식 속에 들어와 있지 않더라도 저 잠재의식 어딘가에는 다시 돌아가야 할 일터, 애인에 대한 의심, 갚아야 할 모기지, 앞날에 대한 막연한 불안이 남아 있을 것이다. 그렇다. 불안. 거기에 확실히 없는 것은 바로 불안이었다.

나는 이후와 함께 일광욕을 하면서도 간혹 그런 생각을 했다. 분명 조작이 있었을 거라고. 내가, 아니 내가 나라고 부르는 이 의식이 여기 다운로드되어 들어오는 동안 분명 무슨 일이 일어났다고. 내 기억을 담은 것은 분명 어떤 형태의 지능이고 소프트웨어일 것이다. 내 의식, 내 마음, 내 정신…… 그것이 무엇이든 간에 거기에 모종의 프로그램을 가했을 것이 틀림없다. 내게 무슨 약물처럼 이런 유포리아를 느끼도록 그 기제가 항시 작동하고 있을 것이다. 내가 그런 것을 포괄적으로 세뇌라는 말로 불렀을 때 카마가 반박하지는 않았었다.

아니, 어쩌면 내게서 불안이라는 요소가 사라져버린 것이 단순히 몸이 없어짐으로 해서 오는 것일 수도 있긴 하다. 몸이 주는 제약조건들의 사라짐. 하긴 이 욘더에서 누가 배가 고프거나 굶어서 죽게 될 것을 두려워할까? 아니, 죽음 자체를 두려워할 사람이 있을까?

어느 날 나도 욘더에서 무엇인가 할 일을 찾아야겠다고 생각했다. 이후에게 물었다.

"당신은 여기에서 무슨 일을 해?"

"나는 마블을 갈아. 구슬을 만드는 일이야."

"이젠 성우로 일하지 않아? 성우라는 직업이 없나?"

"물론 있어. 하지만 그건 별로 하고 싶은 생각이 들지 않았어. 언젠가 내가 하고 싶으면 다시 시작할 수도 있고. 당장은 이 일이 좋아."

이후는 나를 아래층 부엌 한편의 공간으로 이끌었다. 거기에는 작은 벽장 같은 문이 하나 있었고 그녀가 그것을 열었다. 그 안에서 연마기처럼 보이는 기구들이 달린 작업대가 앞으로 밀려 나왔다. 그리고 그 위에는 그녀가 작업 중인 마블이란 것들이 놓여 있었다. 주먹보다 조금 크거나 조금 작은 구슬이었다.

"이건 뭐에 쓰는 거야?"

"그냥 들여다보는 거야."

나는 그것을 하나 집어 눈앞에 가져가 보았다. 빛에 노출되자 뿌옇게 흐려 보이던 표면이 점차 투명해졌다. 그리고 그 안에 여러 가지 모양과 색채의 곡선들이 나타나 일렁이기 시작했다. 구슬을 빛 속에서 이리저리 돌려보니 그 곡선들은 진동을 일으키며 빠른 속도로 춤을 추었다. 무슨 삼차원적인 오실로스코프oscilloscope처럼.

한번 들여다보기 시작하자 눈을 뗄 수가 없었다. 최면인지 각성인지 말하기 애매한 상태가 되어서. 그녀가 팔을 뻗어 그것을 내 눈에서 가져가고 나서야 나는 그 상황을 벗어났다.

"그저 심심하거나 무료해질 때 사용하는 거지."

이후는 그렇게 말하고 나서 작업대 아래에 놓인 자루를 열어 보였다. 흔히 구할 수 있는 돌처럼 여겨지는 원석이 가득 들어 있었다. 그 돌을 모터가 달린 숫돌에 갈아 구슬로 만들다 보면 좀 전에 본 것 같은 모양이 나타난다는 거였다. 그녀의 마음에 맞는 가장 좋은 모양이 나타날 때가 바로 연마 작업을 멈추는 순간이라 했다.

"그렇게 저것들을 갈아 가지고 가면 공판장에서 내 마블을 구입해. 내가 몇 개를 만들던 상관이 없어. 그들은 그걸 모두 사주지."

"나는 뭘 해볼까?"

이후가 나를 쳐다보았다. 장난기가 담뿍한 표정으로.

"당신은 늘 원하던 게 있잖아?"

그녀가 무엇을 말하는지 알았다. 저쪽에 있을 때 나는 인터 뷰 기자라는 내 직업에 썩 만족하는 편이 아니었다. 일정한 회 사에 속해 있지 않아 자유로웠지만 일 자체를 아주 즐긴다고는 할 수 없었다. 취재기자가 되고자 들어선 길에서 어찌어찌 하 다 보니 키우게 된 경력일 뿐이었다.

나는 소설을 쓰고 싶었다. 뚜렷한 목적의식이 있어서가 아니 라 언제부터인가 내게 자리 잡아왔던 흐릿한 욕망이었다. 아마 도 어린 시절 LSD 게임에서 크래시를 겪고 병원에 입원해 있 는 동안 그렇게 되었던 것 같다. 의사들은 내가 심각한 게임을 다시 하게 되면 영구적인 뇌 손상을 입을지도 모른다고 겁을 주었다. 나는 소설을 다운받아 읽는 것으로 게임을 못 하는 공 허감을 메웠다. 이야기 속에는 게임과는 다른 방식으로 구현되 는 가상적인 현실이 존재했기에. 아바타를 입지 않아도, 다른 접속 수단이 없어도 내 상상력에만 의존해 들어갈 수 있는 세 계. 내게 소설이란 그런 것이었고 거기에 푹 빠져들었다. 스스 로 그런 걸 만들어보고 싶다는 욕구를 충분히 가질 만큼이나. 학생 시절 서너 편의 습작을 써보기도 했다. 그러나 대학을 졸 업하면서 현실의 장벽을 맞닥뜨렸다.

소설은 더는 가장 중요한 이야기 장르가 아니었다. 사람들은 텍스트만으로 된 이야기를 읽지 않았다. 이야기는 만화와 그래픽 노블, 멀티미디어 노블, 애니메이션, 영화 등 다른 스토리텔링에 종속되어 있었다. 소설가는 자기 서재에 앉아 이야기와 대화를 나누며 시간을 흘려보내는 행복한 창작가, 독단적인 이야기꾼이―내 상상 속의 소설가란 그랬다― 아니었다. 그들은 일러스트레이터, 카투니스트, 게임 기획자, 시나리오 작가 등으로 이루어진 집단 창작 체제의 일원, 문화상품 생산라인에 종사하는 지식 노동자였다. 그래서 나는 작가가 되는 것, 적어도 내가 학생 시절 그렸던 그런 모습의 작가가 되는 것을 완전히 포기해야만 했다.

이후는 길게 말하진 않았지만 내가 본디 상상하던 이야기꾼의 모습으로 일해보라고 권하는 거였다.

나 자신도 금방 그런 그림을 그려볼 수 있었다. 로우테크로 이루어진 어떤 방. 사방이 책으로 가득한 서재. 그 한가운데 두툼한 원목으로 된 책상이 있다. 커다란 옛날식 스피커를 마주하고. 스피커에서는 옛날 재즈, 이를테면 저 존 콜트레인의 연주가 흘러나온다.

나는 푸근한 카디건을 입고 진짜 담뱃잎을 채운 파이프를 입에 물고 하루 종일 빈둥거린다. 가끔 기타를 들어 노래도 부르고, 커피도 마시고, 책장에서 아무 책이나 꺼내 읽기도 하고. 그러다가 문득 아랫배가 싸해질 만큼 무엇인가 쓰고 싶어지면 아무 계획도 없이, 아무 시놉시스도 없이 이야기를 시작한다. 이야기가 나를 이끌어간다. 내가 이야기의 뒤를 따른다. 그 시간, 나는 이야기의 하수인일 뿐이다. 내게 말을 거는 것은 이야기이고 나는 그에 충실히 답해주는 청중일 뿐. 시간이 얼마나 흘렀는지 배가 고픈지도 모르고 몰입해 있다. 그러다가 이후가 내 서재의 문을 두드린다.

"아직 거기 있어?"

"응, 나 여기 있어."

나는 이후가 들고 온 쟁반을 저리 치워두고, 그녀를 내 의자에 앉힌다. 내가 쓴 것들을 들려주기 위해. 이후가 즐거워한다. 나의 유일한 독자이자 내가 이야기를 들려주고 싶은 유일한 대상. 아마도 나는 이후를 즐겁게 하기 위해 계속 글을 쓰는 것 같다.

하긴 여긴 욘더지. 내가 무슨 이야기를 끝까지 쓰든 쓰지 못하든 문제될 게 없다. 굳이 무엇을 성취해야 할 필요가 없으니까. 나는 그냥 그렇게 시간을 보낼 수 있다. 욘더에서의 일의 의미는 그것을 하면서 보내는 시간 속에 있었으니까. 나는 이후의 그 장난스러운 미소를 정확히 이해했다.

"그럼 필요한 게 있어. 타자기를 사야 해."

내가 말했다.

그리고 나는 정말 오래된 기계식 타자기를 갖게 되었다. 지효를 보모에게 맡기고 단 둘이 멀리까지 산책을 나섰던 어느 날 우리는 한 골목에서 창고 세일이란 것을 하고 있는 집을 발견했다. 한 노파가 십수 년은 되어 보이는 세월의 수집품들을 집 앞 잔디밭에 내놓은 것이었다. 노인은 자기 물건을 사가는 사람들에게 "그것이 내게 준 것처럼 당신에게도 좋은 기억을 많이 주길 바랍니다" 하고 말했다. 축복처럼.

낡은 가구들이 있었다. 찍히고 파인 상흔이 수두룩한 진짜 나무들…… . 작은 찬장, 작은 서랍장, 작은 테이블. 아마포 식탁보, 모직 담요, 벨벳 커튼. 소매가 닳은 커다란 양복, 모시 한복. 오래된 양장본들. 키가 매우 큰 사람이 신었을 것 같은 군화, 슬리퍼 그리고 그 사이에 수동 타자기가 있었다. 아날로그 박물관에서나 보았을 것 같은 물건이었다. 군데군데 녹의 흔적이 있었지만 잘 닦아 보관하고 있던 것 같았다. 나는 첫눈에 그것이 나를 위한 것임을 깨달았고 그것을 사고 싶다고 말했다. 노파는 내게 리본과 리필 잉크가 가득 든 커다란 봉지를 안기며 말했다.

"우리 영감이 이 물건으로 무엇을 했었는지 나도 모른다오. 그것이 그 사람에게 주었던 것 같은 즐거움을 받아 가시구려."

나는 그걸 가져다가 며칠간을 연습했던 것 같다. 시간도 무료함도 느끼지 않고. 처음엔 동그란 키들이 누르기 쉽지 않았다. 그리고 그 키들은 아주 깊숙이 내려갔다. 내가 키를 누르면 잠시 뒤에야 탁! 하고 활자가 종이를 때렸다. 시프트 키도 연습해야 했고 그 리듬에 익숙해져야 했다. 나중에는 제법 타자기로 흥미로운 소리를 낼 수 있게 되었다.

그러고는 어느 날 마침내 뭘 좀 써볼까 하고 타자기를 들고 뒤뜰에 나왔다. 파라솔 탁자에 올려놓고 멍하니 앉아 있는데 누가

"그거 타자기로군요."

하고 나를 불렀다. 우리 이웃이었다. 그는 담장에 상반신을 기대어 내밀고 이쪽을 내다보는 중이었다. 이후와 내가 뜰에 나와 일광욕을 할 때면 가끔 마주친 일이 있는 옆집 부부의 남편이었다. 그네들은 종종 정원을 가꾸러 마당에 나오곤 했다. 자기 집 마당을 온통 꽃밭으로 만들며 소일하는 것 같았다.

"그렇습니다. 운 좋게 구했죠."

"실은 나도 구식 카메라를 하나 찾고 있는데, 내 경우엔 아직 운이 닿지 않네요."

"카메라요?"

"정확히 말하면 기계식 구형 카메라죠. 디지털이 아니라."

그는 자신이 저쪽에 있었을 때 사진사였다고 말했다. 그는 아예 담장에 정원용 사다리를 가져다 놓고 걸터앉아 이야길 시작했다.

"아시다시피 저쪽 세상에서 디지털카메라는 가장 흔한 장비 중 하나죠. 온 세상이 렌즈와 센서로 덮여 있으니까. 저쪽에서 사진작가로 일할 때 나는 다른 길을 취했습니다. 아날로그 장비로 한 거죠. 거기엔 특별한 이유가 있었습니다."

"무슨 이유죠?"

나는 가벼운 기분이었고 그와의 대화를 마다하지 않았다.

"디지털카메라는 순식간에 이미지를 담아버리죠. 현실과 이미지 사이에 한 틈의 간극도 없이. 포토그래핑이라기보다는 캡처링에 가까워요. 그에 반해 아날로그 카메라엔 조그만 암실이

들어 있죠. 그게 가장 크게 다른 점이에요."

"암실이라."

"사진은 거기서 만들어지죠. 빛과 어둠이 섞이면서. 아날로그 카메라의 경우 셔터를 누르고 나면 잠깐씩 깜깜함이 나타나요. 아날로그 사진은 그렇게 암실에서 암흑, 그 망각에 잔상을 남기는 겁니다. 디지털카메라가 빛의 장면을 담는다면 아날로그 카메라는 이미 사라진 것을 담는 과정이죠.

어쨌든 나는 그런 사진에 매료되어서 아날로그로만 작업을 했습니다. 여기 오기 전 저쪽 세상에서 몇 십만 컷의 셔터를 눌렀는지 모르겠습니다. 눈에 띄는 것이라면 모조리 담으려고 했죠. 아침에 정신이 들어 밤에 자리에 들 때까지 내 주변의 모든 것이 그 셔터 안에 들어갔어요. 그야말로 미친 듯이 눌러댄 거죠. 전시회에 온 사람들은 내가 담아낸 것이 빛의 장면들이라 생각했죠. 하지만 나는 늘 그들에게 그렇게 말했습니다. '내가 담으려 하는 것은 빛과 빛 사이에 존재하는 암흑이다'라고요.

그런데 그게 여기는 달라요. 이 세계 전체가…… 조금의 어둠도 없이 빛으로만 이루어져 있죠. 여기 이 꽃들을 봐요. 여기 자라나는 이 꽃들에게는 어둠의 침범이 없어요."

나는 그가 가리키는 그의 정원을 바라보았다. 빨간 칸나, 달리아, 수선화, 채송화. 그러고 보니 그의 꽃밭을 자세히 들여다본 적이 없었다. 우리 집에도 작은 맨드라미며 밭이 있지만.

하긴, 지나치게 생생한 것처럼 보이긴 했다. 그런 말이 가능하다면.

"그게 왠지 아십니까?"

"글쎄요."

"이 욘더 자체가 아주 천천히, 무한히 느린 속도로 닫히는 조리개와 같아서 어둠이 들어올 자리가 없는 거죠. 적어도 나는 그렇게 받아들이고 있습니다. 그래서 여기에 있는 사물들을 아날로그 사진기에 담는다면 아주 흥미로운 결과가 나올지도 모른다고 생각했죠."

그는 그렇게 말하곤 때마침 그를 부르는 아내의 소리에 대답하며 집으로 들어가버렸다. 나는 내 앞에 놓인 타자기를 한번 손으로 쓸어보았다. 이어서 종이를 롤러에 감아 다시 한번 잘 맞추어 고정했다. 그리고 자판을 때리기 시작했다. 자판을 누르면 탁! 하고 조금 뒤에 반응하는 활자들. 나는 거기에 무엇인가 쓰기 시작했다. 아무 잡념도 없이 완전히 몰두해서. 그러고 나서 내가 뽑아 든 종이에 무슨 말이 쓰여 있었는지 지금은 기억나지 않는다. 지금 그것은 내 머릿속 백지처럼 하얀 공백일 뿐이다.

그리고 며칠 뒤, 아주 우연히 실내 스키장에서 피치를 만났다. 내가 원하던 타자기를 우연히 만났던 그날처럼. 나는 장비 대여소에서 아직 나오지 않은 이후를 기다리는 중이었다. 누가 내 앞에 다가와 반가운 체를 하며 내 팔을 붙잡았다.

"아저씨!"

피치였다. 행복해 보였다. 그럴 수밖에. 여기는 천국이니까.

"와, 피치!"

"여긴 언제 들어오셨어요?"

"여기? 방금 전에. 하지만 물은 게 욘더에 대해서라면 글쎄, 언제라고 말하기가 어려워."

"그건 나도 그래요."

우리는 한동안 말을 잇지 못하고 서로를 바라만 보았다. 그러다가 그녀가 고개를 돌려 한 남자를 가리켰다.

"저기 저 사람 보이죠?"

저 멀리 키가 큰 한 남자가 그녀에게 손짓을 보내고 있었다. 그는 익숙지 않은 몸짓으로 스키를 타고 초보자 슬로프를 내려오고 있었다.

"저 사람이 우리 아버지예요. 오늘은 스키를 가르쳐드리려고 모시고 온 거예요."

나는 눈물이 솟을 만큼 기뻤다. 가슴이 벅찼다. 다른 사람의 행복에서 이런 기쁨을 느껴본 적이 저 세상에서는 없었다.

"와아! 와아!"

잠시 동안은 이런 감탄 말고는 아무 말도 할 수 없었다.

"아버님께서 정말 잘생기셨네. 멋진 분이셔!"

"그럼요!"

나의 기억 속에는 분명 하반신 마비로 누워 자기 딸에게 몹쓸 짓을 시키던 그 사람에 대한 이야기가 남아 있었다. 아마도 마냥 불쾌하게 여겨야 마땅할 것이었다. 그 이야기를 들었던 이미지, 그 느낌 같은 것이 나로 하여금 그 남자를 바라보는 인상에 영향을 미쳐야 자연스러울 거였다. 그러나 그렇지가 않았다. 그는 그저 선량하게 생긴 평범한 중년 남자였다. 덩치가 크고 근육질이라는 걸 빼면. 그리고 스키를 처음 배우느라 자꾸 넘어지고 있다는 것을 빼면.

"어떻게 지냈어?"

"늘 그렇게요."

늘 그렇다는 말이 치렛말로 들리진 않았다. 사실 욘더의 생활이 지극히 '늘 그렇게' 일상적이니까.

"난 오래전부터 배우고 싶었던 만화를 배우고 있어요. 형편 없는 솜씨죠. 그런데 그게 불만스럽진 않아요."

"으음, 그래. 으음."

내겐 분명히 그녀와 해결해야 할 것이 있었다. 그녀에게 더 따뜻하지 못했고, 그녀의 외로운 죽음을 말리지 못했다는 내 개인적인 죄책감.

"하여간 그땐, 네가 그렇게 떠났을 땐 정말 많이 놀랐는데 말이야, 여긴 어떻게 오게 된 거야? 그러니까 그때 너는 아버지를 두려워하고 바이앤바이를 두려워했잖아?"

"하하! 그런 아저씨는 어떻게 결심하게 되었죠? 전 아저씨가 영영 욘더의 초청을 알아차리지도 못하고 초청에도 응하지 않을 줄 알았는데."

"나는 한발 더 나갔지. 나 스스로를 여기 초대했으니까."

"저도 처음엔 죽는 게 두려웠죠. 결과가 어떻게 될지 아무도 모르고요. 아저씨를 만나 그 문제를 의논을 했을 때만 해도 정말 고민스러웠죠. 그런데 결국 내 의구심을 해소해준 것이 부흥사 K의 방송이었어요. 아저씨에겐 말 안했지만 그때 난 그 사람이 이곳과 연관되어 있다는 걸 알고 있었거든요. 하여간 그의 강화 프로그램을 수도 없이 반복해서 보면서 신념을 굳히게 되었어요. '믿는 자는 천국에 갈 수 있다'는 말이요. 결과적으로 그 말을 듣길 잘한 거죠."

"최 사장님은 어떻게 됐지? 그분을 만난 적이 있나?"

"그럼요. 여기서도 바이앤바이 사람들 몇이 정기적으로 만나요. 아! 은희 엄마를 보신 적이 있죠? 제가 나가지 않았던 모임에서?"

"은희 엄마? 어린 딸을 잃었다던 그분 이야긴가?"

"예. 그분도 얼마 전에 욘더에 오셨죠."

"그러다가 저 세상이 텅텅 비어버리겠는걸. 그건 그렇고 최 사장님은 잘 지내시지?"

"그러지 말고 한번 나오세요, 우리 모임에. 직접 만나 얘길 나누시면 되죠. 최 사장님께서 무척 반가워하실 거예요. 아, 물론 그분도 가족이 모두 다시 모여서 아주 잘 지내고 계세요."

"가족이 모두?"

"네! 두 아드님, 그리고 부인 모두."

"으음, 그렇군."

여전히 납득이 되지 않는 일이었다. 뇌가 다운로드된 것은 최 사장의 막내아들뿐이다. 다른 가족들에 관해서라면, 그들은 이미 죽어서 욘더로의 다운로드가 불가능했을 터이다. 바이앤바이에 있던 그들 가족 역시 모두 막내아들의 기억에 의존해 만들어진 인공지능 아바타가 아니었던가? 물론 피치의 아버지도 마찬가지 경우지만.

내 추리의 결론은 한 가지일 수밖에 없었다. 여기 욘더에는 브레인 다운로드로 들어온 살아있는 기억들 외에도, 어쩌면 바이앤바이에서처럼 인공지능이 만들어낸 아바타 같은 형태로 존재하는 사람들도 있다는 것. 그런 생각에 미치자 내용이 단순치가 않았다. 내가 욘더에 살면서 마주치거나 만나는 사람들이 실제 기억을 가진 살아있는 존재인지 아니면 그림으로만 존재하는 빈껍데기 인공지능인지는 어떻게 구별한단 말인가?

"불가능은 없어요. 그러니까 욘더를 천국이라 하는 거 아니겠어요?"

나의 표정을 힐끔거리던 피치가 헤헤 웃으며 간단히 설명해버렸다. 나는 피치에게 그녀의 아버지에 대한 내 생각을 물어볼까 하다가 그만두었다. 피치 역시 내가 묻고자 하는 것을 모를 리 없다. 나는 오히려 피치의 그런 태도가 나의 의문에 긍정하는 것이라 짐작했다. 이어서 피치는 다음과 같은 말로 내 의혹을 마무리 지었다.

"아직 어떤 의혹이 남아 있다면 그건 들어오신 지가 얼마 안되어서 그래요. 조금만 있으면 어떤 의문도 다 털어버리게 돼요. 저만 해도 그랬죠, 처음엔. 저 사람이 내 아버지가 맞을까? 따지고 보면 우리 아버진 브레인 다운로드를 한 사실이 없는데 말이야. 그럼 저기 있는 저 사람은 대체 누구란 말이지? 하지만 시간이 흐르고 내가 아버지와 살며 대화하고, 이런저런 일을 같이 하면서 모두 분명해졌어요. 저분은 우리 아버지가 맞아요. 의심하고 말고도 없이. 인공지능 따위는 결코 아니란 거죠."

우리가 이야기를 나누는 사이 피치의 아버지가 슬로프를 다 내려와서 우리에게로 다가왔다.

"아빠! 인사해요. 제가 늘 말씀드렸던 그 기자 아저씨예요."

내가 그와 악수를 나누고 있을 때 이후가 대여소에서 장비를 들고 나왔다. 우리 넷은 서로 반갑게 소개를 주고받았다. 지금 이곳이 욘더였기에 그리워하던 사람을 만나고, 또 다른 사람들이 그렇게 만난 것을 마음껏 기꺼워해줄 수 있었다. 그리고 얼마나 오래인지 모르는 시간 동안 함께 스키에 몰두했다.

당신의 천국

한낮이었다. 우리는 뜰에 나와 파라솔 탁자에 앉아 있었다. 이후는 마블을 닦고 있었다. 부드러운 천으로 그 작은 구체들을 정성스레 닦아 햇빛에 비추어보고는 나무상자에 하나씩 가지런히 넣었다. 나는 그 옆에서 타자를 치는 중이었다. 자판 위를 오락가락하는 내 손가락들의 움직임을 바라보면서. 내가 쓰고자 하는 것들은 이제 매우 능숙해진 손놀림을 따라 비교적 빨리 현실화되었다. 내 생각의 속도를 거의 따라잡거나 때로는 그것을 조금 앞서간다고 느껴질 만큼이나.

신기한 일이었다. 물리적으로 존재하지 않는 두뇌와 몸이 이런 기능을 학습한 셈이니까.

가끔 잘못된 활자가 찍혔지만 개의치 않았다. 백스페이스를 누르거나 그것을 지우지 않았다. 잘못된 것이 있으면 잘못된 대로 앞으로 나아갔다. 나중에 연필을 들어 교정할 작정이었다.

요람에서 지효가 우는 소리를 냈다. 이후는 그때마다 벌떡 일어나 아이에게로 달려갔다. 기저귀를 갈아야 할지 아니면 젖을 물려야 할지 그녀는 정확히 알았다. 그리고 이후의 하얀 강아지는 규칙적으로 어디론가 사라졌다가 다시 우리 주변에 나타나곤 했다.

여느 날과 다를 것이 없는 일상이었다. 그것을 조금 색다르게 만든 것은 이후였다.

"여보, 이상해."

"뭐가?"

"여기 이 그림들이 보여?"

이후는 자신이 닦고 있던 구슬 하나를 내게 내밀었다. 내가 햇빛에 대고 들여다보니 그저 어지러운 곡선들이 어른거릴 뿐이었다. 지난번에 경험했던 것과 마찬가지로.

"무슨 그림?"

"그 안에 그림들이 있잖아?"

"글쎄, 내겐 아무것도 보이지 않는데?"

"잘 보면 거기 여자가 하나 보일 거야."

"여자?"

"벌거벗은 여자."

한번 웃기 시작하니 도저히 멈출 수가 없었다. 욘더에서는 소소한 농담 때문에 배가 아프고 당길 정도로 웃게 될 때가 있었다.

"그리고 남자."

"벌거벗은 남자?"

나는 이후의 사뭇 진지한 체하는 얼굴을 쳐다보며 계속 웃음을 터뜨렸다.

"응. 둘이 함께 나타났다가 혼자만 번갈아 나타날 때도 있어."

"그래서 뭘 하는데, 그들이?"

"껴안고 있어. 마치 어디에 떨어질까 봐 그런 것처럼 잔뜩 겁을 먹은 표정을 하고. 그리고 점차 멀어졌다가 가까이 오고 다시 멀어지고 그래."

"흥미로운 그림인데?"

"그리고 그 사람들은 날개를 달고 있어."

"날고 있는 건가? 천사처럼?"

"응. 천사처럼."

내게서 아직 웃음기가 채 가시지 않았을 때 이번엔 이후가 웃기 시작했다. "그래 맞아, 천사처럼" 하고 거듭 말하면서. 그녀의 웃음이 다시 한번 나를 웃게 했고 내 웃음이 또 그녀를 웃게 했다. 우리는 서로를 가리키며 한참을 신나게 웃어댔다.

나는 그 일을 범상하게 넘겼다. 다시 타자기로 돌아가 무슨 말인가를—치고 나면 금세 잊곤 했기 때문에— 열심히 쓰느라 여념이 없었다. 지효가 우는 소리를 냈을 때도 일어나지 않았다. 그리고 얼마간의 시간이 흘렀을까 고개를 들어 보니 이후가 우리 아기를 안고 내 앞에 서 있었다. 얼굴을 잔뜩 찌푸린 채로. 이 역시 일상적인 상황은 아니었다.

"여보, 아기가 이상해."

"왜? 아이한테 무슨 일이 있어?"

"그게 아니고, 자라질 않잖아?"

이후의 목소리엔 걱정이 잔뜩 담겨 있었다. 보통 엄마들이 아이가 아프면 그렇게 되는 것처럼. 그게 갑자기 매우 기이하게 여겨졌다.

그 즈음에 들어서 나는 지효를 우리, 나와 이후의 아이로 완전히 받아들이고 있던 차였다. 이곳의 다른 모든 것들처럼 그냥 자연스럽게. 하지만 이후의 그 말은 불현듯 내가 그동안 얼마나 욘더에 젖어 살았는지를 일깨워주었다.

'아기가 자라지 않는다. 성장하지도, 변화하지도 않는다'는 사실을 그렇게 특별하게 인지하지 않고, 아니 완전히 무시하고 지내왔다는 것을. 그러나 그건 당연한 일이었다. 이곳은 그런 곳이다.

"아기가 자라지 않는 건 어쩔 수 없잖아. 여기는 욘더야. 그저 지효를 우리가 행복해지는, 우리 삶의 일부로만 받아들이면 되는 거지. 아기가 자라나고 큰 아이가 되고 학교에 다니고 성인이 되고 하는 과정을 바라는 게 아니잖아. 다른 집 아이들도 그 점은 마찬가지 아냐? 늘 그대로만 멈춰 있는 거? 여기 들어왔던 모습 그대로."

나는 그렇게 이후를 설득하면서 나와 이후의 최초 입장이 뒤바뀌었다는 것을 깨달았다.

"지효가 진짜 우리 아기인 건 맞긴 한 걸까?"

"그럼 아니란 말이야?"

"생각해보면 나는 아이를 가진 적이 없어. 어느 날부터인가 갑자기 이 아이가 내 곁에 있었지."

"하지만 지효에 대해 처음부터 확신을 가졌던 건 당신이잖아. 내게도 그렇게 하길 원했고."

"당신이 이 아일 받아들였으면 하고 바라는 거, 그게 달라진 건 아냐. 다만 이 아일 내 배 속에 가졌다는 기억이 없으니 그게 새삼스러울 뿐이지. 그리고 이 아이가 성장하질 않는다는 게 갑자기 아주 이상하게 느껴져. 그럼 우린 결국 영원히 이대로만 있게 되는 걸까?"

나는 잠시 멍하니 앉아 있었다. 칭얼대는 아이를 가볍게 흔들며 서 있는 이후를 바라보면서.

그 일은 또 그렇게 지나가는 듯했다. 그날 저녁―또는 며칠이 지난 어느 날 저녁이었는지도 모르지만― 나와 이후는 발코니에 앉아 있었다. 내가 처음 왔던 날과 마찬가지로 와인을 마시면서. 역시 그때와 다름없는 아름다운 노을이 강 저편에 드리워졌다. 물끄러미 강 쪽을 바라보던 이후가 전엔 들어보지 못한 멜로디를 나직하게 허밍하기 시작했다. 매우 오래된 민요쯤으로 여겨지는 곡조였다. 길게 늘어지는 쓸쓸한 오음계 멜로디. 그러고는 별안간 이런 말을 했다.

"내가 병실에서 했던 말이 기억나?"

"무슨 말?"

"내가 막 죽어갈 때."

"그때 당신은 브로핀 헬멧을 쓰고 있어서 여러 가지 말을 했어."

"그래, 지금 갑자기 그 기억이 떠올라. 한동안 까맣게 잊었는데. 그러니까 그때 난 내가 완전히 없어지길 바랐어. 아무 찌꺼기도 남기지 않고, 확실히, 완전한 망각으로 없어지길. 만일 희미한 영혼 같은 거라도 남게 된다면 너무 괴로울 거라고 생각했어."

"왜?"

"그 희미한 영혼 같은 게 당신을 여전히 그리워할 테니까."

내가 물었던 건 그게 아니었다. 왜 새삼 그런 기억을 끄집어내느냐고 하고 싶었던 것이다. 늘 행복하기만 한 욘더의 이후가 왜 이런 말들을 하는지 의아스러웠다. 나는 욘더의 생활에 완전히 젖어 그대로만 있고 싶을 뿐이었다.

"그런데 막상 당신이 여기 오고 나니 이렇게 지내는 것이 더 좋긴 해."

"그건 나도 마찬가지야."

이후는 다음 말을 잠시 주저하는 듯했다.

"그런데 다른 곳은 없을까?"

"무슨 말이야?"

"그러니까, 여기가 정말 우리가 도착할 마지막 장소일까?"

"아무려면 어때. 우리가, 당신과 나 그리고 지효가 여기 있잖아."

"내가 어렸을 때 교회에 다녔던 걸 알지?"

"그래."

"나는 교회에 가면 언제나 조금 슬펐어."

"왜?"

"나이 든 노인들이 이렇게 쭈욱 앉아서 찬송을 부르거나 기도를 하는 걸 보면, 나는 그 사람들이 뭔가 매우 간곡하고 절실한 소망을 갖고 있다고 느꼈거든? 절대 이루어지지 않을 허망한 기원."

"무슨?"

"모르겠어. 입으로는 뭔가 현실적인 기도를 하고 있었을지 몰라. 자식이 좋은 곳에 취직하게 해달라든지, 병이 낫고 건강하게 해달라든지. 그런데 어린 내게는 그런 게 감도 잡히지 않았겠지만 좀 다른 것이 보였어. 난 그 사람들이 무엇이든 이대로만 있게 해달라고 기도하는 것 같았어. 아무것도 흐르지 말고, 아무것도 변하지 말고. 뭐랄까 난 죽음의 냄새를 맡았어. 그 사람들이 무슨 괴물에게 잡아먹히기 전에 경건히 마지막 인사를 나누고 있는 것만 같았어."

"죽음의 냄새?"

"응. 죽음. 죽음의 제단. 엄숙한 장례식 같은. 물론 나도 그게 예배라는 것을 알아. 죽음이 아니라 삶을 찬양하는 의식이라는 걸. 하지만 정말 이상하게도 내겐 그렇게 느껴지지 않았어. 어쩌면 우리 엄마가 늘 암과 투병하느라고 그래서 그랬는지 모르겠어. 사람들마다 우리 가족에게 다가와서 '자매를 위해 기도하겠습니다. 어서 건강을 찾으시도록 기원하겠습니다' 하고 인사를 해서였는지. 어머니가 조금만 더 살게 해달라고, 우리 이후가 대학에 갈 때까지만 살게 해달라고 기도를 하는 소리를 귀에 더께가 앉도록 들어서 그랬는지."

"하긴 그럴 수도 있겠군. 당신은 기껏해야 여섯 살이었거나 일곱 살 정도였을 테니까. 마음에 들어오는 인상들이 전혀 다르게 왜곡되었을 수도 있겠지."

"그리고 설교는 항상 그런 식이었지. 믿는 자는 천국에 들어갈 수 있습니다. 하느님의 나라에서 영원히 행복하게 살게 됩니다. 그런 걸 영생이라 불렀지. 영생을 얻는다고. 그리고 겨울에 엄마가 돌아가셨어. 나는 슬픔조차 느끼지 못했어. 교회 마당에서 영결식이 열렸는데 사방에 하얀 눈이 내렸지. 나는 그저 춥다는 생각뿐이었어. 교회 목사님이 예의 같은 설교를 했어. 오늘 우리가 자매 한 분을 하나님 나라에 보내드렸습니다. 언젠가 우리는 다시 그분을 만나게 될 겁니다.

노인들이—당신도 알다시피 당시에도 교회에 다니는 분들은 주로 나이 든 분들이었어— 내게로 와서 내 손을 꼭 잡으면서 말했어. 엄마는 천국에 가셨단다. 너도 언젠가 엄마를 다시 만날 수 있어. 나는 그 말을 진짜로 믿었어. 그래서 나는 아주 열심히는 아니지만 살다 힘이 들거나 엄마가 보고 싶어지면 교회에 갔지. 내겐 교회가 엄마와 가장 가까워질 수 있는 곳이니까. 교회에 다녀서 언젠가 내가 죽게 되었을 때 엄마를 다시 만나겠다고."

나는 의아했다. 이곳 욘더에서 이후든 누구든 이렇게 슬픈 표정을 짓는 사람을 본 적이 없었다. 뭔가 수상했다.

"그리고 아버지가 돌아가셨지. 아버지는 어머니가 돌아가신 후에 교회를 다니지 않았지만 아버지를 화장하고 나서 나는 다시 교회를 찾았어. 그러고는 이렇게 기도했어. '우리 아버지는 불쌍한 분입니다. 어머니를 진심으로 사랑하셨는데 너무 일찍 잃으셨죠. 아버지가 비록 어머니가 돌아가신 후에 교회에 나오지 않았지만 그의 영혼을 꼭 천국에 받아주세요. 우리 어머니와 해후할 수 있게. 만일 그런 일이 벌어지지 않는다면 이 세상은 너무 슬퍼요.'

나는 그걸 믿고 싶었어. 진실하게 믿기보다는 절망적으로 믿고 싶었어. 당신과 만나 결혼을 하면서도 그 생각이 떠나질 않았어. 나도 언젠가 엄마처럼 일찍 죽게 될 거라고. 당신을 너무 사랑했기 때문에, 그리고 당신이 나를 사랑했기 때문에 그게 늘 마음에 걸렸어. 내가 일찍 죽게 되면 당신이 무척이나 불쌍하니까.

마침 우리가 결혼해서 이사한 곳에 작은 예배당이 있었지. 그래서 내가 그곳을 가끔 찾은 거야. 나는 사실 제대로 그곳에 다닌 것이 아니라서 교리라든지 그런 걸 잘 몰라. 다만 당신이 나를 너무 그리워하지 않도록, 내가 가고 만일 교회에서 말하는 그 모든 것이 사실이라면 당신이 나를 다시 만날 수 있기를 바랐어."

이후는 잠시 말을 거두었다. 그녀는 와인을 한 모금 마시고 한참 뜸을 들인 후에 다시 시작했다.

"고백할 게 있어. 난 당신에게 여기에 오라는 메시지를 보내지 않을 작정이었어. 당신에게 바이앤바이 아바타나 메일을 통해 그런 암시를 보낼 수 있다고 들었을 때 난 하지 않겠다고 대답했어."

"어째서? 내가 죽어야 하니까? 당신이 가버리고 나서 어차피 저곳에서 내겐 삶이란 게 없었어."

"새로운 여자도 없었어?"

그녀가 장난스런 미소를 지었다. 그리고 고개를 들어 노을을 바라보았다.

"당신도 마찬가지 느낌이야? 저 노을을 바라보면 나는 시간을 잊어버려. 아주 천천히 흐른 건지 아니면 아주 빨리 흘러버리는 건지. 이곳 욘더에 없는 것이 바로 그 시간이야. 시계에는 시간이 표시되지만."

"그래서 우린 영원히 행복해질 수 있잖아? 서로 헤어지지도 않고."

"나는 가끔 그게 죄스러워."

"어째서?"

"당신 말대로 나는 이미 죽었거든. 당신이 바이앤바이에서 그랬잖아. 내가 죽었다고."

"지금은 나도 죽었지. 저 세상 기준으로 따지면."

"그래. 당신도 나도 이미 죽었지. 그리고 우리 지효……."

"지효?"

"저 아인 처음부터 죽어 있었어."

"그게 무슨 소리야?"

"자라나질 않잖아. 내가 아무리 젖을 먹여도 늘 그대로야. 어디가 아파서 날 애태게 하지도 않고 안을 때마다 조금씩 더 무거워지지도 않고. 그러니까 여기 욘더는 사실 살아있는 것이 아니야. 영원한 죽음이지."

"당신이 원하는 걸 모르겠어. 다른 천국에 가고 싶다는 거야? 당신이 다니던 교회에서 말하는? 그 믿음이란 걸 아직 간직하고 있는 거야?"

"그게 아냐. 그런 곳이 있는지도 모르겠고. 말했잖아. 그것을 믿은 것이 아니라 그것을 믿고 싶었던 거라고. 그게 어떤 천국이든 극락이든 또는 뭐든 간에 나는 그런 것이 있는지 몰라. 아니면 내가 당신과 헤어졌을 때 바랐던 그런 완전한 없어짐인지도 모르고. 내가 말하는 건 그런 게 아냐."

"그럼 뭐야?"

"내가 당신을 만나 사랑했던 삶. 그 삶을 진정한 의미로 남겨두고 싶은 거지. 당신과 만나 행복했던 그 짧은 순간들. 내가 내 작은 메모리 팩에 담아두려고 했던 그 순간들이 정말 의미 있는 것이었다고 말하고 싶은 거지."

"당신은 이곳이 싫어?"

"이런 영원이 싫어. 지효가 자라지 않고, 당신과 내가 함께 늙지 않는. 함께 늙어서 함께 스러지지 않는. 나는 어쩜 우리가 이렇게 될 걸 안 거 같아. 아마 그래서 당신을 이곳으로 불러오기가 겁났을 거야."

그리고 우린 침대로 들어가 잠이 들었다. 내가 눈을 떴을 때 이후는 내 곁에 없었다. 그리고 그녀가 내 곁에 있다는 확신도 없었다. 나는 깜짝 놀라 밖으로 뛰어나왔다. 다른 방에서 아기 우는 소리가 들렸다. 지효. 나는 그 방으로 달려갔다. 지효는 혼자 보채며 울고 있었다.

집 안 어디에도 이후가 없었다. 그리고 잠시 뒤 전화벨이 울렸다.

"김홀 씨?"

"예, 접니다."

"여긴 병원 응급실입니다. 오늘 아침 부인께서 갑자기 입원하게 되셨습니다. 부인 옷가지라든지 소지품을 챙겨서 병원으로 오십시오."

그리고 전화는 끊겼다. 나는 욘더에 병원이 있다는 사실조차 믿을 수 없었다. 몸이 없는 영혼 같은 존재들. 비록 몸의 느낌과 존재감은 있지만 병에 걸릴 몸이란 게 없는 이상 무슨 병원이란 말인가?

나는 택시를 불러 병원이란 곳으로 달려갔다. 병원은 구식 건물이었고 병실은 단출했다. 예전에 그녀가 임종을 맞이했던 병실처럼 센서와 와이어리스 장비들, 인터페이스 장비들이 가득한 그런 방이 아니었다. 이후는 병원 침대를 접어 올리고 상반신을 일으킨 채 앉아 있었다.

"구급차는 내가 불렀어. 당신이 놀랄까 봐 깨우지 않았어."

"이제 괜찮아? 어디가 아픈데?"

"아, 뭐 별거 아냐. 지효는 어디 맡기고 왔어? 엄마를 찾지는 않아?"

"그건 걱정하지 마. 보모를 불렀어. 그보단 당신이 빨리 나아야지."

"당신도 알다시피 욘더엔 병이란 게 없어. 그러니 당신이 하는 말도 그저 습관적인 표현일 뿐이지. '빨리 나아야지' 같은 거."

"그럼 이곳은 뭐야?"

"말이 병원이지 사실 요양원이라 보는 게 옳을 거야. 이 세계는 마음이 모인 곳이니까 약간의 동요나 혼란이 생길 수가 있어. 며칠 푹 자고 나면 다시 예전처럼 편안해질 거야."

병원에서 나온 나는 카마를 찾아보기로 했다. 이후의 상태, 이후의 상황에 대해 속 시원히 말해줄 사람은 그녀밖에 없을 것 같았다. 병원의 의사들은 이후가 해준 것과 비슷한 설명을 거듭할 뿐이었다. 전화번호부에서 그녀의 주소를 알아내 택시를 타고 갔다.

카마는 옷을 만드는 중이었다. 집 앞에서도 커다란 창을 통해 그녀가 분주히 움직이는 모습이 훤히 보였다. 그녀는 작업용 앞치마를 두르고 양팔에 토시를 한 채 작업대에 놓인 천을 들어 살피고 있었다. 내가 문을 두드렸다.

"카마 씨, 물어볼 게 있습니다."

그녀는 줄이 달린 안경을 쓰고 있었다. 문을 조금 열고 안경

너머로 지긋이 바라보더니 그걸 활짝 열어젖혀 나를 안으로 들였다. 나는 그녀가 권하는 대로 탁자 앞에 앉았고 그녀가 가져온 차를 받아 들었다.

"그래서 뭔가요? 물어보실 게."

"내 아내가 병원에 입원했어요."

"여기 윈더에도 병원이 있어요. 그게 어쨌다는 거죠?"

"제겐 설명이 필요한 부분입니다. 이해할 수가 없으니까."

"언니가 염려하던 점이군요. 궁금한 게 많을 분이라더니. 어떻게 설명을 드릴까요? 명쾌하게 단도직입적으로 말씀드리죠. 생각하시는 대로예요. 여기서도 더러 병원에 입원을 하는 경우가 있죠. 실제로 어디가 아파서는 아니에요. 저쪽 표현을 빌리자면 '소프트웨어적인 문제'라고 할 수도 있겠죠."

"그러니까 당신이 '욕망을 조금 덜어내고 만족을 조금 높이며 균형과 조화를 집어넣는다'고 말했던 그것과 관계가 있는 거군요? 다운로드된 정신에 가하는 약간의 프로그래밍? 그런데도 어떤 사람이 더는 행복하다고 느끼지 않게 되는 일이 발생하게 되어서?"

"예, 맞아요. 드물게 그런 일이 벌어져요. 여기서 말하는 병원이란 게 그런 것을 치료하는 곳이고요."

"왜 그런 일이 벌어집니까?"

"원인이야 여러 가지죠. 과거의 어떤 나쁜 기억이 이곳의 어떤 체험에서 되살아났거나, 과거의 신념이나 습관, 지식 같은 것이 당사자의 행복감을 유지해주는 장치에 대해 모종의 거부

326

반응을 일으켰거나."

"그럼 그녀의 의식에 손을 대게 되나요?"

카마는 안경을 벗었다. 그것은 목걸이처럼 끈에 매인 채 그녀의 가슴에서 대롱거렸다.

"그런 일은 하지 않아요. 이미 말씀드리지 않았던가요? 가능하다 해서 뭐든 하지 않는다고? 이곳을 천국으로 만드는 데 필요한 만큼 최소한의 것만 하죠. 병원에서 할 일이라곤 그분이 다시 편안한 마음이 되시도록 도와드리는 것뿐이에요."

나는 이후를 슬픔에 빠지게 하고 평정을 잃게 한 계기가 지효에게서 비롯되었다는 것을 떠올렸다. 지효가 자라지 않는다는 사실이 그녀의 정서에서 어떤 부분을 자극했을 거란 생각이었다.

"피치라는 이름의 아이를 아시죠?"

"네, 알아요. 그 아이도 저를 통해 이곳에 들어왔죠."

"그 아이의 아버지는 브로핀 헬멧을 쓰고 돌아가시지 않았습니다. 다시 말해 그 아이가 자기 아버지라 믿고 있는 것은 그 사람일 수가 없죠. 그 사람은 이곳으로 다운로드된 사실이 없으니까."

"하지만 제가 알기론 바이앤바이에 저장되었던 메모리가 있었죠."

"그것조차 실은 제대로 된 기억이 아닙니다. 피치가 조작해낸, 스스로 보고 싶어하던 아버지의 모습이죠."

카마는 눈을 찌푸렸다. 창으로 들어오는 햇살 때문이었는지.

"그러니까 뭔가요, 여기 존재하는 피치의 아버지가 가짜란 말씀을 하고 싶은 건가요?"

"그리고 나와 이후의 아이, 지효도 마찬가지죠. 그 아기는 본래 저 세상에서 아예 존재하지도 않았던 경우입니다. 좀 전에 얘기하신 '가능하다 해서 뭐든지 하지 않는다'는 원칙에 위배되는 일이죠."

"아아, 그건 다른 문제예요. 그 원칙은 프로토콜, 저 세상의 기준으로 말하면 네트워크와 통신의 규약에 관한 것이에요. 선생님이 자꾸 이 세상과 저 세상을 비교해서 말씀하시니까 하는 얘기지만. 욘더는 각 개인의 자유의지나 사적 영역에는 간여하지 않아요. 그것이 펼쳐지는 방식에 관해서만 프로토콜로 규제를 하죠."

"그야 어찌되었든 내 의문의 요지는 이겁니다. 어떻게 이곳으로 다운로드되지 않은 사람들이 욘더에 존재하느냐?"

나는 의자에서 일어나 창으로 다가갔다. 반쯤 열린 커튼 사이로 보이는 밖을 가리켰다. 그 거리를 가득 메우고 있는 건물들을.

"내가 생각할 때 우선 이 도시―물론 아주 큰 대도시라거나 복잡한 거리라 할 순 없지만―에는 꽤나 많은 사람들이 거주하고 있습니다. 벌써 이 도시를 채울 만큼 많은 사람들이 욘더로 들어왔나요?"

"우선 선생님의 생각보다 훨씬 빠른 속도로 욘더가 채워지고 있습니다. 그건 사실이에요. 그리고 선생님이 모르는 게 있어요. 선생님의 짐작과는 다른 게."

"그게 뭐죠?"

"욘더가 어떻게 천국이 될 수 있는지 모르시는 거예요. 욘더
는 근본적으로 모두의 천국이 아닙니다. 당신의 천국이지."

"나의 천국?"

"각자의 천국. 여기 천 명의 사람이 있다면 천 개의 천국이
존재하는 셈이죠."

"그럼 그게 모두에게 주관적이란 겁니까?"

"천 명의 사람이 모두 행복하다고 느끼는 천국을 만들 수 있
겠어요? 만 명의 사람이? 그런 세계를 창조한다는 것은 말도
안 되죠."

"그럼 뭡니까?"

"간단해요. 몸이 없는 것의 이점이죠."

"몸이 없는?"

"몸은 물리적인 세계에 존재하는 것의 이름이죠. 지난번에
선생님도 말씀하셨다시피 여긴 그런 데가 아니잖아요? 그래서
가능하죠, 천국이."

"자세히 설명해주세요."

"지금 이 세계는 당신의 세계입니다. 여기 있는 모든 사물
들, 모든 사람들…… 저 자신을 포함해서 말이죠. 자연이나 환
경 같은 모든 게 당신이 만들어낸 세상이에요. 선생님은 욘더
가 저 바깥에 존재하고 당신이 그 공간 안에 활동하고 있다고
믿죠. 하지만 사실 욘더는 선생님의 정신에만 존재하는 세계예

요. 선생님의 외부에 욘더란 공간이 따로 존재하는 것이 아니란 뜻입니다. 어떤 곳에 가상적인 부지를 생성하고 거기에 도시들을 건설하고 물건들을 잔뜩 가져다놓고는 사람들의 정신이 실체적인 이미지의 형태로 들어가 거주하는 게 아니에요.

생각해보세요. 이 욘더라는 세상을 아무것도 없는 상태, 즉 엑스 니힐로Ex Nihilo로 만들어낸다는 게 얼마나 힘든 일일까를. 이렇게 사실적이고, 현실과 전혀 다름이 없는 세계를 전부 소위 컴퓨터 제너레이트된 방식으로 만드는 것이 가능할까요? 그러니까 이 모든 디테일들을 다 살리고 이 모든 사실성을 담보하자면 얼마나 많은 시간과 노력을 기울여야 할까요?"

카마는 차를 한 모금 홀짝였다.

"우리에겐 훨씬 간단한 방법이 있죠. 그리고 이 세계를 이룰 재료들은 이미 다 구비되어 있어요. 어디에요? 바로 사람들 각자의 기억 속에 말이죠. 욘더에 온 모든 개체에게는 세상에서 가져온 현실 세계에 대한 기억 자료들이 있죠.

이런 차의 향기와 맛. 비가 내리는 날의 상쾌함, 잘 자고 일어난 아침의 쾌적함, 이런 천의 부드러운 감촉, 사각거리는 소리. 이런저런 체험들과 인상들을 그대로 살리고 그것들을 이렇게 저렇게 결합하면 여기 있는 모든 것들, 저 창밖의 저러한 건물들을 모두 실재하는 것처럼 느끼게 할 수 있는 겁니다. 굳이 욘더의 모든 존재들이 공통적으로 볼 수 있는 어떤 공간, 객관적인 세계를 창조할 필요가 없다는 거죠. 제 말을 알아들으시겠습니까?"

정신이 아득해지는 충격이었다. 나는 내 앞의 탁자를 두드려 보았다. 딱딱해야 할 것이 그런 만큼 딱딱했다. 카마의 말에 따르면 이것은 나만의 환영, 환상일 뿐이다. 저 바이앤바이 같은 공간에 있는 가상적인 사물조차 아니라.

욘더에 들어온 이래로 나는 당연히 이 세계가 극단적으로 진화한 가상현실이라 믿어왔다. 아바타를 입지 않고 활동이 가능할 만큼 정교하게 잘 만들어진 프로그램이 운영되고 있다고 가정하고 있었고.

카마는 말을 계속했다.

"이 모든 것이 환상이라 말하면 그건 저 세상에서도 마찬가지에요. 물질은 사실 우리 정신에겐 감각을 통해 전달되는 정보일 뿐이니까. 그러니 모든 것을 다 정보로 처리해버리면 어떨까요? 아니, 한발 더 나아가서 아예 주관적이기만 한 정보로.

지금 내가 여기 차를 마시죠. 내가 이 찻잔을 만지는 순간 이것의 촉감과 온기가 여기 나타나요. 물론 내가 저 세상에서 알던 다른 찻잔들에서 가져온 감각 소여들이에요. 그리고 그걸 마시면 향이 내 코에 퍼지죠. 그 역시 내가 마셨던 차의 기억에서 가져온 것이지요. 으음, 그런데 이 차 정말 맛이 있네요?"

"그러면 한 번도 차를 마셔본 적이 없는 사람은 어떻습니까?"

"그게 문제가 된다고 생각하세요? 그 사람이 차에서 아이스크림 맛을 느낀다 한들? 나는 지금 계속 여기 차가 있다고 생각해요. 그 차는 이국의 어떤 아름다운 땅에서 재배되었죠. 그

땅에는 자기들이 아름다운 땅에서 살며 차를 재배하며 행복하게 산다고 생각하는 사람들이 있어요. 아, 물론 내가 그냥 그렇게 상상하는 거예요. 그런 실체가 있느냐 없느냐는 문제가 되지 않아요. 내가 그렇게 상상하는 순간 벌써 내겐 나의 주관적인 사실이 되어버렸으니까. 그게 욘더의 방식이에요. 하지만 정작 이 차를 누가 실제로 재배했을까요? 저 세상 방식으로 말하자면 그런 일은 당연히 없었겠죠. 왜, 그런 은유를 아시죠? '천국이 예 있다 제 있다 하지 말라.' 천국은 바로 내 안에 있으니까요."

"당신이 세이렌의 쌍둥이 자매라곤 하지만 당신은 내가 여기에서 처음 알게 된 사람입니다. 그전엔 당신에 대한 기억이 없죠. 그럼 지금 나는 세이렌의 모습으로 당신을 보고 있는 겁니까?"

"호호, 저와 세이렌은 사실 많이 다르게 생겼답니다, 자세히 보시면. 저는 지금 저에 대한 저 자신의 기억, 그 인상을 가지고 여기 있는 겁니다. 선생님께선 그걸 보고 계신 거구요.

그러니까 그게 이런 겁니다. 어떤 저장소에 수많은 정신들을 다운로드했다 칩시다. 그리고 그 정신들이 접속하는 통신망이 구비되어 있다고 가정해보는 겁니다. 그저 각자의 기억들이 모일 장소, 그것들이 서로 소통할 네트워크가 되는 거죠. 그걸 그저 꿈들의 그물이라 부르거나 아니면 기억들과 의식들이 모이는 장소라 해도 되겠지요. 물론 구체적인 공간은 아니지만. 그러면 그 텅 빈 구조, 그 얼개 안에 각자의 천국을 가지고 들어오는 거예요. 그곳에는 '이곳에 거리를 만들어라' '이곳에 이러한 특정한 모양의 집을 지어라' 하는 명령들이 기다리고 있습니다. 우리의 정신은, 정확히 말해 실제 세계의 기억을 가진 의식은 그 통신망으로 들어가죠. 그와 동시에 그 모든 것이 나타나는 겁니다. 각 명령이 주문하는 대로 각자의 기억을 재료 삼아 구체적인 사물들을 만들어냅니다.

그리고 우리는 그 통신망을 통해 서로를 만나고 있는 겁니다. 각자의 동떨어진 주관적 공간에서. 선생님은 선생님이 기억하는 자신의 모습으로, 나는 내가 기억하는 나의 모습으로. 아니, 이런 말로 설명할 수도 있겠죠. 우리가 '서로의 꿈 안으로 드나들고 있다'고. 기술적으로 정확히 일치한다고 할 수 없더라도 대충 그런 그림이에요. 그리고 그게 욘더의 본래 모습입니다. 진정한 유비쿼터스죠."

나는 카마의 말을 곱씹고 있었다. 나는 이후를 다시 만났던 처음 순간을 아직 또렷이 기억한다. 그녀를 보자마자 나는 그녀를 껴안았다. 내가 아바타를 입고 아바타의 모습으로 나타난 그녀를 만나던 것과는 전혀 달랐다. 바이앤바이에서 우리가 보았을 때, 그것은 기껏해야 잘 만들어진 입체 이미지에 불과했다. 그녀의 손을 잡는다 해도 이후의 살결, 따뜻함과 냄새를 감지할 수는 없었다. 비록 그녀의 얼굴과 체형을 잘 갖춘 것이라 해도 그것은 아주 렌더링이 잘된 게임 수준의 그래픽이었다.

그러나 이곳의 그녀는 생생한 현실이었다. 한 치의 의심도 없이, 현실 세계의 그 어느 존재들만큼이나 '사실적'이었다. 아니, 그것은 사실적이라 말할 필요도 없을 만큼 철저하게 현실이었다. 그럴 수밖에 없다. 저쪽 세계에서도 그녀는 꼭 그런 모습으로 내게 들어왔을 것이다.

하지만 그녀는 어떤 공간 안에 거하는 객체가 아니었다. 그녀는 그저 깡통에 담겨 있는 의식일 뿐이었다. 나의 기억을 통해서 재생되는, 현실 세계의 방식으로 말하면 고작 하나의 인터페이스일 뿐이다. 나는 깊은 상실감과 허무함을 느꼈다. 내가 만났던 것이 이후의 몸이 아니었음을 이미 잘 알고 있었음에도.

"그리고 이렇게 만들어진 욘더에는 한 가지 이점이 더 있죠. 만일 이곳이 모두 공존할 수 있는 그런 객관적인 공간으로 만들어졌다면 여전히 존재할 수 있는 불평등, 불가능, 욕망, 이런 것들을 어떻게 해소할 수 있겠어요? 이익이나 욕망이 서로 충돌하지 않을 수가 없죠. 가령 당신이 어떤 동네가 너무 한산하다고 느끼고 거기 사는 다른 사람은 그곳이 너무 복잡하다고 느낄 수가 있죠. 또는 당신이 열 개의 좌석만 허락되는 레스토랑에 열한 번째로 도착할 수도 있습니다.

모두가 동시에 행복해질 수 있는 공간을 만들기는 어렵죠. 하지만 당신만의 세계가 있다면 당신은 그 세계에서 얼마든지 행복할 수 있어요. 상대적인 것이 아무것도 없으니까 자신만의 절대적인 기준 같은 걸 항상 작동시킬 수가 있죠.

선생님이 만일 이 도시 어느 곳에서 길바닥에 엎드려 동냥을 하고 있는 거지를 만난대도 그를 동정하지 마세요. 그의 세계가 어떤 것인지 당신은 영영 알 수가 없습니다. 그런 것이 그에게는 아주 독특한 왕국일지도 모르니까."

나는 말을 잃고 말았다. 그 순간에도 내 머릿속은 오로지 이후에 대한 생각으로 가득했다.

"자, 그럼 이제 남겨둔 물음에 답을 해드리죠. 피치가 이곳에 들어왔을 때 그 아이는 혼자 들어온 것이 아니에요. 그 아이의 기억이 통째로 들어왔죠. 아버지에 대한 염원과 소망의 기억이 다 함께 말이에요. 더구나 그 아이는 바이앤바이에서 인공지능을 통해 오랜 기간 아버지에 대한 새로운 기억을 실체화했죠.

그녀는 그 기억을 가지고 여기 들어와서 자기만의 천국을 만들어낸 겁니다. 여긴 그게 가능하니까. 그리고 그 때문에 그녀에게 실체가 있는 아버지의 기억과 그렇지 않은 것 사이에는 아무 차이가 없습니다. 그녀가 이 욘더에서 어디를 다니든 늘 아버지와 함께 있습니다. 그녀의 정신이 당신의 정신과 만날 때 당신도 그 아버지를 보게 되는 것이고요. 피치에게 그보다 더 진실한 아버지는 없겠지요."

나는 카마의 말을 반박하고 싶었지만 입을 다물었다. 피치가 바이앤바이에 있는 인공지능 아버지를 얼마나 진짜처럼 받아들이고 있었던가를 상기했다. 카마는 말을 멈추고 잠시 나를 보았다.

"이후 씨의 경우나 두 분 사이의 아이, 지효라고 그랬나요? 그 아이의 경우를 보죠. 우선 지효는 실체가 없는 것에서 비롯된 기억이란 점에서는 피치의 아버지와 다를 것이 없죠. 하나는 이후 씨가, 다른 하나는 피치가, 각자 바랐던 것이 기억으로 남았다는 것, 즉 염원으로 간직된 기억들이란 점에서.

그런가 하면 이후 씨는 병상에서 이곳으로 바로 다운로드되었기 때문에 그 둘과는 엄연한 차이가 있죠. 그래서 아마 선생님은 한쪽엔 실체가 존재하고 다른 쪽엔 그게 없다고 믿으며 그 양쪽을 구분하는 습관을 유지하고 계실 거예요. 그러나 돌이켜보세요. 이곳에 살면서 그 둘 사이의 차이를 한 번이라도 명확히 느껴보신 적이 있나요? 아니, 만일 이후 씨가 이곳에 다운로드된 사실이 없고 우리가 그동안 선생님을 속이고 있었다고 하면 선생님은 그걸 알아차릴 수가 있었을까요? 설사 그렇다 한들 이후 씨에 대한 실감이 조금이라도 덜했을까요?"

나는 고개를 저을 수밖에 없었다. 만일 이후가, 실제로는 이곳에 다운로드되지 않았고, 피치에게 그녀의 아버지가 그런 것처럼, 또는 이후에게 지효가 그런 것처럼 내 기억으로만 존재한다 하였더라도 나는 그걸 알 수 없었을 것이다.

"제가 이렇게 모든 걸 술술 털어놓은 이유가 무엇인지 아세요?"

"아뇨, 모르겠군요."

"여기엔 통치라는 게 없어요. 지난번에도 말씀드렸던 것처럼 선생님이 떠나고 싶다면 얼마든지 떠날 수도 있고요. 여긴 이곳의 조건들에 동의한 사람들이 사는 곳이죠."

그녀가 그렇게 말하는 의도를 알 것 같았다. 카마는 내가 근본적으로 이 욘더를 긍정하지 않고 있다고 보는 것이다. 언제든지 떠날 사람이라고. 하긴 아이가 자라나지 않는 현실을 받아들일 수 없는 사람이라면 이곳에서 계속 행복할 수 없을 것이다. 이후가 그렇다면, 나 역시 행복하지 못할 것이고. 그러나 내게 그럴 용기가 있을까?

"그리고 참 알려드릴 게 있어요. 욘더는 이제 새로운 단계의 실험에 돌입했습니다. 보다 넓은 대중에게 문을 열기 시작했죠. 저쪽에서도 일이 많이 진척되었고요. 원하신다면 역에 한번 가보세요."

"역이요?"

"선생님 사시는 부근에도 역이 있어요. 거기 나가보세요. 지금 많은 사람들이 여기 들어오고 있죠. 이 욘더는 지금 이 순간에도 만들어지고 있는 상태고 앞으로 어떻게 변화할지 저로서도 전혀 예상할 수가 없습니다. 다만 실험은 우리가 기능하는 한 계속될 것이고 언젠가는 반드시 끝을 보게 되리라는 것만 말씀드릴 수 있겠죠. 그리고 선생님의 선택에 대해서 다시 한번 숙고해보도록 권해드리고 싶군요. 이곳의 행복을 받아들이는 데 조금의 유보도 없도록 말이에요."

그녀는 내 찻잔에 차를 새로 따르며 말했다.

"아직도 궁금한 게 남아 있나요? 그럼 차나 한잔 마셔요."

오블리비언

나는 역으로 나갔다. '중앙역'이라는 곳이었다. 세 개 동의 거대한 피라미드형 유리 건물이 서 있었다. 기자의 피라미드를 복원해놓은 듯한.

욘더로 들어오는 모든 사람이 처음으로 대하게 되는 대형 건물일 것이다. 물론 실제로 거기에는 어떤 공간도, 건물도 없다. 내 눈에는 그 건물이 보인다. 다른 모든 사람들의 눈에도 그럴 것이다. 우리는 다만 같은 프로토콜, 같은 환상을 보고 있는 것이다.

저 먼 지평선으로부터 기찻길이 이어지고 있었다. 저 기찻길을 따라 끝까지 나가본다면 무엇을 만날까? 욘더의 끝이 나올까? 그 욘더의 끝은 저 세상과 이어질까? 내 상상은 그 이상을 허락하지 않았다. 거기엔 실제로 끝이란 게 있을 수 없다. 그것이 공간이 아니므로.

그럼에도 내가 그 길을 따라 계속 걷는다면 어쩌면 그것은 끝없이 계속될지도 모른다. 황량한 벌판을 따라 두 줄기 철길이 무한히 뻗어나가고 있을지도 모른다. 육체가 정신의 감옥이란 말이 있지만 나는 정신이야말로 나의 감옥일 것이란 생각을 했다. 내가 아무리 걸어도 욘더는 끝나지 않는다. 나는 내 정신이라는 무한한 테두리를 벗어날 수 없다.

마침 역으로 들어온 여섯 량짜리 기차에는 빈자리가 보이지 않을 만큼 많은 사람이 타고 있었다. 플랫폼 역시 플래카드나 스케치북 같은 것에 이름을 써서 들고 있는 사람들로 북적댔다. 자기들이 아는 사람들이 거기에 내리길 기다리는 거였다. 이렇게 많은 사람이 한꺼번에 들어온다는 것은 무엇을 말하는가?

지금 욘더가 알려지는 것은 뉴 서울만이 아닌 것 같았다. 승객들 중에는 외국인의 모습도 다수 보였다. 따지고 보면 이 모든 사람은 저 세상에선 죽은 사람이었다. 이만큼의 사람이 매일 죽어가고 있다면 그 혼란은 이루 말할 수가 없을 것이다. 내 곁을 지나가던 한 사람을 붙잡고 물어보았다.

"지금 무슨 일이 벌어지고 있는 겁니까?"

"욘더가 완전히 노출되었습니다. 한마디로 말해서 신세계로의 대대적인 이주가 시작되었죠. 대세는 이미 정해졌습니다. 당신은 아마 상상도 못할 겁니다. 저쪽 세상에서 어떤 혼란이 일어나고 있는지.

온 세상이 욘더에 대한 토론과 논쟁으로 가득합니다. 여기 들어오겠다는 사람들과 들어오지 않겠다는 사람들 사이에. 적어도 여기 오고 싶어하는 사람들 사이에서는 세상의 계급이 변했어요. 길을 아는 자가 있고 모르는 자가 있으니까. 이곳에 오는 방법을 알고자 하는 사람들이 그 비밀을 찾아 헤매고 있습니다. 그것은 권력이나 돈이나 명성으로도 안 되죠. 더구나 이 방법을 아는 자라 해도 아무에게나 함부로 가르쳐줄 수가 없습니다."

"왜죠?"

"만일 그렇게 했다가 새로 구성된 욘더 이주 위원회에 발각되면 본인의 이주조차 취소될 수 있기 때문이죠. 그래서 사실상 이주는 공공연하면서도 비밀리에 벌어집니다. 이제 아무도 부흥사 K의 말을 허튼소리로 듣지는 않습니다."

"그가 전면에 나섰습니까?"

"예, 이제는 노골적으로 선전하고 있죠. '이것은 인류의 최종적인 실험입니다. 파이어니어가 되십시오. 종국에 가서 이것이 어떻게 변할지 아무도 모릅니다. 그러나 신천지로 떠나는 배에 먼저 승선하는 사람이 되십시오' 하고 말이죠.

그러니까 여기에 오는 사람들은 자기 몸을 버리는 모험, 아니 저 세상 식으로 말하면 목숨을 버리는 모험을 하고 있는 겁니다. 당신같이 먼저 들어온 사람들은 우리에게 선각자, 모험가로 알려져 있죠."

"그런 선전을 가지고, 그러니까 그런 것만 가지고도 가족을 대동해서 여기 들어올 만큼의 믿음이 생긴다는 것입니까?"

"여기 들어오기 전에는 당신들도 이런 것이 실제로 가능하다는 것을 몰랐을 거 아닙니까? 다시 말해 완전히 믿을 수는 없었겠죠?"

"그러면 오지 않기를 바라는 사람들은요?"

"그들은 여기 오려고 스스로 목숨을 버리는 사람들을 막으려 하고 있습니다. 우스운 일이죠. 자기들이 알지 못하기 때문에, 자기들이 그 비밀의 열쇠를 갖지 못하기 때문에 더 그런 것 같습니다.

정부가 나서서 이곳을 폐쇄하려고 움직이고 있지만 아직까지 정확한 소재도 파악하지 못하고 있죠. 정부 내에도 욘더 측 사람들이 많이 포진되어 있다는 것이 정설입니다. 그들은 다만 부흥사 K라는 인물이 이 모든 사태의 배후 지휘자라고 판단하고 체포했지만 아무 증거도 들이대지 못해서 다시 풀어주고 말았죠. 그의 추종자들 몇을 감옥에 넣긴 했지만요. 일설에 의하면 부흥사 K가 인간이 아니어서 잡아둘 근거가 없었다고도 합니다. 그 말이 무슨 뜻이든 간에.

그런가 하면 일단의 사이버 테러리스트들이 나서서, 욘더를 계속 추적하고 핍박하는 세력에 대한 전쟁을 선포했습니다. 사이버 경찰국에 대한 공격도 감행했죠. 우리처럼 이곳을 '알고' 들어오는 사람은 대단히 제한적입니다만, 곧 상황이 달라지리라 생각합니다.

하여간 지금 사회가 마비될 지경입니다. 한쪽에선 사람이 계속 죽어가고 다른 쪽에선 반목과 투쟁이 그칠 줄 모르니 말이에요. 그러나 개인적으로 그건 인류가 새로운 문명으로 들어가는 진통이라 생각해요."

나는 문명이란 어휘의 선택에 대해 생각해보았다. 역사에서
말하는 문명이란 결국 사람들이 상형이든 설형이든 문자를 쓰
기 시작하고 도시에 살기 시작하면서. 소리로 존재하던 언어
가 기호로 둔갑하기 시작하던 때. 그것은 남기기 위한 것이었
다. 기억을 담기 위해서. 삶이 기억이라는 말로 불리기 시작한
것, 삶이 기호에 갇히기 시작한 것은 아마 그때부터일지도 모
른다.

'알파는 베타를 사랑했다'라고 그 점토판에 기록되어 있을지
모른다. '알파와 베타는 많은 자식들을 낳고 행복하게 살았다'
라고 기록했을지도. 알파와 베타는 무덤에 묻힌다. 그리고 무
덤은 내생, 영원한 삶을 희구하는 상징물로 변해버린다. 결국
문명이란 무엇인가? 더 좋은 무덤을 짓겠다는 거 아닌가? 내게
저 세상 이야기를 들려주던 사람의 태도가 돌연 변했다.

"헌데 당신, 여기 우리보다 먼저 온 사람이 맞죠? 얘기 좀 물
읍시다. 요즘 욘더에 오는 사람들은 한꺼번에 무리 지어 오기
때문에 의문을 다 풀지 못해요. 당신이라면 여기에 대해 잘 알
고 있을 것 같은데 우리 의문에 답을 좀 해주세요."

"아니에요. 난 잘 모릅니다. 나도 여기에 온 지는 오래되지
않았어요."

내 주변에 사람들이 하나둘 몰려들었다. 내게 이야기를 전하
던 그자가 사람들을 불러 모은 탓이었다.

"여기가 우리가 생각한 곳이 맞습니까? 그러니까 우린 여기

서 영원히 살게 되는 건가요?"

나는 그 자리를 피하고자 했지만 길이 가로막혔다. 아무 대답이나 해야 할 것 같았다.

"제가 아는 한 그렇습니다. 여러분이 만일 죽지 않고 살기 원한다면 제대로 오신 거라 알고 있습니다."

"여긴 정말 사람들이 모두 행복해집니까?"

"그건 나도 모르겠어요. 적어도 여기에서 매우 불행하다고 느끼는 사람을 본 적은 없는 것 같군요."

사람들이 내 주위에 빽빽이 몰려들었다. 그들은 내게 이런 저런 질문들을 던지기 시작했다. 자신들이 믿고 찾아왔으며 곧 모든 걸 스스로 파악하게 될 것이 아닌가? 나는 소리를 질렀다.

"이것들 보세요! 그 이상은 나도 모릅니다."

나는 내 앞에 있는 사람을 밀쳐버렸다. 그는 내 힘에 밀려 쓰러졌고 다른 사람들은 나의 난폭한 행위에 멍하니 얼이 빠져버렸다. 나는 부리나케 그곳을 빠져나왔다.

집으로 돌아온 나는 발코니로 올라갔다. 그리고 비어 있는 이후의 자리 맞은편에 앉았다. 바이앤바이 강 양편으로 빽곡하게 늘어선 집들을 바라보면서. 그리고 이 모든 사태에 대해서, 내 사랑하는 아내 이후에 대해서 생각해보려 했다. 뭐라도 조금 깊이 생각하려 하면 자꾸 졸음이 쏟아졌지만.

나는 이 윤더를 만든 사람들이 꾸미는 일에 대해서는 더 관심이 없었다. 그들이 무엇을 하든. 그들이 하는 것이 한 세상에 대한 파괴행위이든 또는 새로운 세상에 대한 획기적인 건설이든. 자꾸만 흩어지려 하는 내 주의력은—아마도 나를 계속 행복하게 하려는 욘더의 간섭이겠지만— 오로지 이후에게만 집중되었다. 이후가 진정 원하는 것이 무엇일까? 그녀가 왜 행복하지 않을까? 나를 다시 만났음에도. 이곳에서 새 삶을 얻었을 때 마냥 기꺼웠을까? 나를 다시 볼 수 있다는 희망으로? 분명히 해둬야 할 것이 있다. 그녀가 진정으로 행복한지를 알아야 한다. 그녀가 뭔가 아니라고 느낄 때마다 병원을 찾아야 한다면 그리고 그 균형이 그렇게 아슬아슬하게 유지된다면 분명 잘못된 일이다.

그리고 며칠 뒤 이후가 퇴원했다. 입원이 갑자기 결정된 것처럼 퇴원도 갑자기 이루어졌다. 나는 지효를 안고 마당에 나와 있었다. 그저 해를 쬐고 바람을 쐴 작정으로.

앰뷸런스 한 대가 길에 들어오더니 곧바로 우리 집으로 다가왔다. 차가 멈추고 조수석 쪽에서 이후가 내렸다. 그녀는 곧장 집으로 걸어 들어왔고 앰뷸런스는 아무 일 없던 것처럼 휑하니 떠나버렸다.

"당신, 나와 있었네?"

"으음, 날씨가 좋아서. 지효 바람 좀 쐬게 해주려고."

"깜짝 놀랐지? 내가 갑자기 입원하는 바람에?"

"당신이 없어서 외로웠지."

"그날 밤 갑자기 슬픈 생각이 많이 들었어. 당신을 걱정시키지 않으려고 살짝 빠져나갔던 거야. 그냥 진단만 받고 돌아올 생각이었는데 일이 그렇게 되어버렸네. 당신에겐 미안해."

"당신만 괜찮으면 나는 아무 상관 없어."

나는 아무것도 지나치게 생각하지 않기로 했다. 더는 무엇을 굳이 알고자 하지도 않을 것이며 염려도 하지 않을 것이라고 결심했다. 만일 우리에게 무엇인가를 해야 할 순간이 닥치면 그냥 그렇게 하리라. 아무 상념도, 주저도 없이.

이후 역시 그 일에 대해 더 말하지 않았다.

어느 날 나는 바이앤바이 크루즈 서비스에 전화를 걸었다. 그리고 바이앤바이 강을 따라 하룻밤의 유람을 제공하는 스쿠너 배를 예약했다. 세 개의 돛을 단 그 배에는 선장과 조리사, 단 두 명의 선원만이 있었다. 우리는 갑판에 마련된 작은 식탁에 앉았다.

"기억나? 나는 당신과 나이가 들면 몇 가지 작은 사치를 누리고 싶었지."

"예를 들면 지금 이런 것?"

"이런 돛배를 타고 며칠이고 당신과 물 위에 떠 있는 것. 이렇게 노을이 지는 강을 거슬러 배를 타고 가는 거."

"그래, 생각이 나. 우리가 늙으면 할 일 중 하나였지."

물결은 잔잔했다. 바람은 상쾌한 정도 이상으로 불지 않았고 배는 딱 기분이 좋아질 만큼만 앞뒤 좌우로 흔들렸다. 우리는 생굴과 생선 튀김을 먹고 와인을 마시며 말없이 앉아 있었다. 이후가 갑자기 노래를 부르기 시작했다.

"아래로 내려오렴, 예쁜 마차야

이리 와서 나를 집으로 데려다주렴

요단 강 저편을 바라보니

거기 무엇이 있나

한 무리의 천사들이 나를 맞이하러

수레를 타고 이리로 다가오네

스윙 로우 스윗 체리옷

Swing low, sweet chariot

Comin' for to carry me home

Swing low, sweet chariot

Comin' for to carry me home

I looked over Jordan, and what did I see

Comin' for to carry me home

A band of angels comin' after me

Comin' for to carry me home

Swing low, sweet chariot

Comin' for to carry me home"

　지난번 허밍으로만 불렀던 곡조에 가사를 붙여 부르는 것이
었다. 노래는 그녀 고유의 울림이 많은 목소리에 실려 강에 흩
어졌다.
　"처음 듣는 노래지만 아주 좋은걸?"
　내가 말했다.

"이거? 어릴 적 다니던 교회에서 배운 거야."

나는 미리 준비했던 질문을 꺼냈다.

"여긴 이후의 천국이야?"

"무슨 말이야?"

"그러니까 당신에게도 천국처럼 느껴지냐고. 모든 사람들이 믿는 것처럼."

"여긴 누구에게나 천국이야. 내겐 특별히 천국이야, 당신과 함께 있으니까."

"그건 나도 마찬가지야. 다시는 보지 못할 줄 알았던 당신을 다시 만났으니까 이것이 천국이 아니라고 말할 수가 없지."

"내게 천국은 당신이 있고 당신이 행복한 거야."

"내게도 같아."

"당신이 없거나 당신이 행복하지 않다면 그곳은 천국이 아니야."

"나도 마찬가지야."

"그럼 우리의 천국의 조건은 다 해결된 셈이네. 내겐 당신이 있고 당신이 행복하니까."

이건 역설이었다. 서로의 행복을 전제한 이상 누군가 먼저 말하기 전에는 여기가 천국인지 아닌지 우리는 알 수가 없다.

"하지만 말이야, 실제로는 당신이 행복하지 않다면 나는 속고 있는 거야. 그렇담 나는 행복할 수가 없어. 그러니까 당신이 먼저 대답해줘야만 해. 당신은 정말 행복한 거야?"

이후는 한동안 답이 없었다.

"나는 잘 모르겠어. 그러나 어떨 때 내가 당신을 저곳에 남겨 두고 왔다는 생각이 들어."

"그게 무슨 말이야? 난 여기 있는데?"

"응, 당신이 여기 와 있기는 한데, 뭐랄까, 아직도 당신이 진 짜 여기 와 있다고 믿기지 않는 거 같아. 별의 빛이 아주 오랜 세월을 여행한다는 거 들어봤지?"

"그래, 우리가 수백만 번을 죽었을 시간만큼."

"당신과 내가 꼭 그런 거 같아. 우리는 이렇게 한곳에 앉아 대화를 하고 있지만 당신의 신호는 한 일억 년쯤 전에 보내진 거야. 그래서 난 당신을 만나서 기뻐하지만 한편으론 당신을 여전히 그리워하지. 예를 들면 그런 상상이지."

"그건 당신이 맞아. 내가 이번에 알게 된 게 있어."

"뭔데?"

"내가 이렇게 느끼는 당신의 숨결, 당신의 체온이 사실 여기 존재하는 게 아니란 거. 당신이 사실은 내 기억이 만들어낸 감 각자료라는 거. 당신과 나는 항상 그렇게밖에 만날 수 없다는 거."

"아, 그렇구나."

"내가 여기 왜 들어왔는지 알아?"

"날 만나러."

"그보단 당신이 여기에 자기 의사와는 상관없이 들어와 있 다고 생각했어. 당신을 구해야 한다고."

"지금도 그렇게 생각해?"

"그래야 한다면."

"그럼 그렇게 해줘."

이후가 미소를 지었다. 그게 농담이란 것처럼.

"그러려면 내가 알아야 해."

"그래, 말해줄게, 솔직히. 저쪽에서 나는 죽음을 받아들이는데 평생을 보낸 거 같아. 죽음과 친해지려고. 그런데 죽음이 나를 배신했어. 나를 받아주지 않고 아주 오랜 시간, 너무나 긴 시간 동안 나를 천천히 죽이려 하고 있어."

"좀 더 말해봐."

"병원에서 브로핀 헬멧을 쓰고 치료를 받으면서…… 여기에도 그런 게 있거든? 그 갈등을 없애보려 했어. 영원히 죽어가는 것과 단숨에 깜깜한 곳으로 들어가버리는 것. 나는 둘 다 원하거든? 한편으론 당신과 함께 여기 이렇게 남아 있고 싶고 다른 한편으론 내가 본래 갔어야 하는 곳으로 가버리고도 싶고.

처음 여기 들어왔을 땐 정말 어리둥절했지. 내가 생각했던 죽음이 아니었으니까. 누군가 당신을 다시 볼 수 있다고 말했을 땐 진짜 기뻤어. 하지만 그건 내가 당신을 불러들여야 한다는 것이었고 그건 당신이 죽어야 한다는 뜻이었지. 그렇게는 할 수 없었어. 다만 언젠가 당신을 만날 수도 있다는 희망이 나를 지탱해주었지. 그런데 당신이 실제로 왔고, 더 바랄 것은 없었어. 정말 행복했고.

하지만 뭔지 거기서 끝나야 할 것 같다는 생각이 들어. 자꾸 이게 아니란 이상한 생각이. 난 한 아기의 엄마도 될 수 없고 정말 살아있는 거 같지가 않아.

지금 난 아주 답답해. 무거운 것이 늘 내 가슴을 짓누르고 있는 것처럼. 교회에 모인 노인들과 불쌍한 우리 엄마. 죽지 않게 해달라고 기도하는 사람들. 아주 천천히 흘러가는 예배 시간. 난 마음속으로 '숨이 막혀요, 나가고 싶어요. 나가서 내가 늘 갖고 싶어하던 작은 하얀 강아지와 뛰어다니고 싶어요' 하고 갈구하지. 하지만 그러면 안 돼. 내가 그렇게 하면 우리 엄마가 죽게 될 것만 같았거든? 내가 그 안에 계속 남아 있지 않으면? 나는 언제나 그렇게 꾹 참고 앉아 있었어. 그저 시간이 빨리 흘러주길 바라면서."

"당신에겐 지금 여기가 그 교회 같은 곳이구나?"

"그래. 꼭 그런 것 같아. 여기선 그런 마음이 병이란 건 알아. 그래서 교회에서 배운 노래를 부르지. 마음을 진정시키려고. 의사들이 권한 방법이야."

웬일인지 내 눈에서 눈물이 흐를 것만 같았다.

"만일에 단숨에 깜깜한 곳으로 들어가버리면?"

"그러면 이런 갑갑함은 사라지겠지. 다른 모든 것과 함께. 하지만 당신을 다시 잃어야 하고 당신이 또 혼자 남아야 해."

"당신도 알고 있지?"

"뭘?"

"우리가 여길 진짜로 떠날 수도 있다는 거. 당신이 나한테 미안해하지 않으면 나도 미안해하지 않을게."

"무슨 말이야?"

"말했듯이 당신이 행복해야만 내가 행복해. 내가 행복하지 않으면 당신은 행복할 수 없고. 이게 우리 딜레마야. 누군가 먼저 자기의 행복을 고려하지 않으면 안 돼."

"그러니까 당신 말은, 만일 내가 여길 떠나고 싶은데 당신 때문에 떠나지 못한다면…… 당신이 행복하길 원하니까, 당신이 영원히 나와 함께 여기 머물며 행복하길 바라니까 떠나지 않는다면……."

"그래, 만일 그렇다면……."

"그러면 결과적으로 내가 불행해지는 거고 그러면 우리가 둘 다 불행해지는 거네?"

"내 말이 그 말이야."

이후는 팔을 벌려 품을 열었다. 나는 거기에 안겼다.

"우린 서로를 잃을 수도 있어."

이후가 말했다.

"그래 그럴 수도 있어. 하지만 그렇게 생각 안 해. 이제 우리에게 필요한 것은 자꾸만 되풀이되는 기억이 아니라 진짜 망각, 진짜 오블리비언oblivion일지 몰라. 당신은 여기 자신의 의사대로 들어오지 않았고 이제는 나의 의사에 의해서 머물고 있는 거야. 내가 저 세상에서 당신을 만나 사랑한 것은 당신에게 넘치던 삶의 활기 때문이었지. 당신과 함께 있으면 내가 살아나는 것 같았기 때문에. 당신은 이미 죽었어. 더 죽을 필요는 없지."

내가 말했다.

우리는 한동안 바이앤바이의 물결에 몸을 맡겼다. 그 출렁거림에.

"당신 그거 알아? 내가 당신을 사랑하는 게 아주 단순하다는 걸?"

이후가 말했다.

"무슨 말이야?"

"여러 번 접히지 않은 종이처럼, 그냥 단순하다는 걸?"

그날 밤 나는 잠에서 일어났다. 나는 이후와 이후 옆에 놓인 요람에 잠든 우리의 아기를 내려다보았다. 아이는 깊이 잠들어 있었다. 우리에게 다음 생이 있다면 그런 아이를 갖고 싶다고 생각했다. 나는 우유를 타서 아이 곁에 두었다. 우리가 가고 나면 그 아이가 언젠가 깨어나서 손을 뻗어 그것을 쥐어 입에 물 것이란 상상을 하면서. 그런 일은 없을 것이다. 그 아이는 이후와 함께 사라질 테니까.

그리고 이후의 파자마를 열었다. 단추를 하나씩 풀어서 이후의 가무잡잡한 젖꼭지를 만져보았다. 손가락 사이에 끼워서 살짝 꼬집었다. 그것은 내 손 안에서 조금씩 부풀어 올랐다. 내가 기억하는 것처럼. 아니, 이것은 내 기억이 내게 하는 짓이었다. 나는 그녀의 살결에 얼굴을 가져갔다. 내 뺨에 이후의 체온이 느껴졌다. 이 역시 내 기억이었다. 나는 입을 열고 그것을 힘껏 빨아들였다.

이후가 눈을 떴다. 그녀가 내 얼굴을 잡아 자기 입술로 가져갔다. 입을 맞추었다. 처음처럼, 우리가 처음 나누었던 입맞춤처럼. 내 샅은 팽팽하게 달아올라 있었다. 내가 기억하는 가장 건강했을 때만큼이나. 그녀는 그것을 손에 넣고 아프게 쥐었다. 그리고 나를 자신에게 인도했다. 그녀는 자신의 틈에 그것을 대고 조금 문지르다가 그 틈새에 집어넣었다. 그 안은 내가 기억하는 대로 촉촉하고 매끄럽고 따뜻했다. 그리고 우리는 마지막으로 사랑을 나누었다. 서로의 기억과 함께, 서로의 기억에다 대고.

그리고 한참 기분이 고조되었을 때 내가 그녀의 귀에 속삭였다.

"내가 시키는 대로 해봐. '이걸 원하지 않아!' 하고 세 번, 우리 같이 말하는 거야."

그리고 내가 시작했다.

"이걸 원하지 않아. 이걸 원하지 않아. 이걸 원하지 않아."

그녀가 나의 말을 반복했다.

"이걸 원하지 않아. 이걸 원하지 않아. 이걸 원하지 않아."

불이 깜박였다. 그리고 온 세상의 전구가 한꺼번에 다 꺼져버렸다. 나는 이후를 다시 잃었다. 내 곁에 이후가 없었다. 아니, 아무것도 없었다. 나 자신이 아직 있는지 의아스러울 만큼. 오로지 밑도 끝도 없는 깜깜함만이 거기 있었다. 누가 내 귀에 속삭였다.

"당신에게는 당신만의 천국이 있습니다. 당신의 천국을 소거하겠습니까?"

그 목소리가 물었다.

나는 망설였다. 그러나 내 곁에 이후가 없다. 그러면 아무것
도 없는 거지.

"예, 물론이죠."

내가 대답했다. 그리고 그것으로 그만이어야 한다. 그런데
나는 눈을 떴다.

21

이것을 원하지 않는다

나는 눈을 떴다. 아니, 내가 눈을 뜨다니? 뭔가 잘못되었다. 잘못되어도 더할 수 없이 끔찍하게 잘못되었다.

익숙한 장소. 내 방이었다. 익숙한 내 침대. 그리고 내 눈앞에는 엔피 조은의 얼굴이 다가와 있었다.

"살아났네요?"

그녀가 말했다. 그리고 내 입에서 무엇인가를 길게 뽑아냈다. 호흡기처럼 보이는 물건이었다. '이게 어떻게 된 일이지?' 하고 나는 속으로 생각만 했을 뿐이다. 그런데 그 말이 내 입에서 그대로 흘러나왔다. 가쁜 기침 소리와 함께 "이게 어떻게 된 일이지?" 하고. 내 언어 중추가 제멋대로 반응한 모양이었다.

"글쎄요. 나도 정말 모르겠네요, 이런 일은. 다만 내가 내 권한 밖의 일을 했다는 것만 말씀드릴 수 있어요."

조은은 밝은 표정이었다. 나를 보아 반갑다는 듯. 고개를 조

355

금 들어 살펴보니 내 몸엔 생명유지 장비 같은 것이 되어 있었다. 온더에서 흔히 대하던 기계적인 특성이 다 드러난 로우테크 장비가 아니었다. 작은 바늘들과 패드들, 센서들로 이루어진 간결한 물건이었다. 그리고 그 의미가 서서히 내게 자리를 잡았다. 나는 다시 내 몸과 세상으로 돌아온 것이다.

낭패스러웠다. 이후와 함께 가야 하는데. 거기가 어디든. 그녀가 이 세상에서 없어졌다면 나도 없어졌어야 하고 그녀가 깜깜한 암흑이 되어 있다면 나도 그렇게 되었어야 하는데. 이쪽 세상으로 다시 다운로드되는 일은 한 번도 없었다고 했는데. 하필이면 왜 내게 그런 일이 일어났을까?

"몸의 기능이 완전해질 때까지 잠시 푹 쉬어요. 대체로 상태가 다 좋은 거 같네요."

나는 대꾸를 할 심정이 아니었다. 이후와 나 그리고 저 깜깜한 어둠이 모두 하나가 되려는 계획이 터무니없이 실패했다. 누구를 또는 무엇을 원망해야 할지 몰라 어리둥절할 뿐이었다.

"어떻게 된 영문인지 나도 모르겠어요. 세상이 대체 어떻게 되려고 그러는 건지. 그저 바쁘게만 보냈죠. 온 세상이 미쳐 돌아가니까. 사람들은 계속 죽어가고, 호출은 계속되고, 언제 비번을 했는지 기억이 안 날 정도예요. 아니, 자원이라도 해야 할 판이죠. 그 수요를 모두 맞추려면.

하여간 몇 달 전 이쪽 방면에 처리해야 할 자살자가 있다는 연락을 받았죠. 당신일 줄은 꿈에도 몰랐어요. 그런데 자세히 보니 당신 주소인 것 같더군요. 오래전에 장기 기증자로 등록을 했던 모양이에요. 하긴 그때 모두들 하는 일이었죠. 자동차 운전면허를 받을 때 간단한 선택으로 기증자가 되는 것이니까.

어쨌든 그래서 브로핀 헬멧을 뒤집어쓴 채 죽어 있는 당신을 보게 되었죠. 재빨리 당신을 스캐닝했죠. 당신은 동공도 풀리지 않았고 간뇌 활동도 있었어요. 그때 난 이상한 선택을 했어요. 나도 정말 왜 그랬는지 모르겠지만. 내 뒤에 따라오는 앰뷸런스와 팀원들에게 잘못된 신고라는 무전을 보내고 내가 비상용으로 싣고 다니는 경량형 생명유지 장비를 차에서 꺼내와 당신에게 설치한 거예요. 그대로 두었다면 당신은 바로 뇌사가 되었겠죠.

매우 우울한 날이어서 당신을 만나고 싶긴 했어요. 그날 나는 여러 구의 자살자를 처리해야 했거든요. 그런데 당신이 늘 내가 대하던 그런 자살자들의 시신과 같은 모습으로 여기 있던 거예요. 그대로 두고 볼 수가 없었어요. 그것이 우연인지 운명인지 알 수 없지만 당신은 정말 운이 좋았던 거죠. 아직 완전히 브레인 데드가 아니었고 재빨리 대처한 덕분에 코마 상태로 있게 되었으니. 사실 무슨 희망을 품은 건 아니에요. 당신이 실제로 자살을 택했다고는 생각했지만, 그리고 당신의 선택을 존중해야 한다고 생각은 했지만 정말 이렇게 살아날 줄은 몰랐던 거죠. 그러고는 틈틈이 시간을 내어 당신을 보러 오곤 했는데 또 우연히 이렇게 내가 온 순간에 눈을 떴네요? 하여간 내가 했던 말을 지키게 돼서 기뻐요. 내가 말하지 않았던가요? 당신이 중음신이 되어 연옥을 떠도는 처지가 된다면 내가 구해주

357

겠다고?"

조은은 재잘거리며 창을 가린 커튼들을 조금씩 열었다. 곳곳에 살짝살짝 빛을 들이며. 그녀가 내게 해준 일을 어떻게 받아들여야 할지 난감했다. 이후와 헤어지게 된 것에 내가 얼마나 실망감을 느꼈는지 그녀는 모를 것이다.

나는 내 몸에 서서히 돌아오는 온기를 느끼며 생각해보려 했다. 앞으로 내가 무엇을 어찌 해야 할지, 무엇을 바라보고 살아야 할지. 그러나 욘더로 돌아가는 일은 결코 없을 터이다. 거기 간다 한들, 내겐 그야말로 아무것도 남아 있지 않으니까. 욘더를 창조한 그들이 장차 무엇을 파괴하든 또는 무엇을 건설하든 내겐 이제 아무 의미도 없다. 다만 내가 앞으로 이대로 살아 목숨을 부지한다면, 나는 자꾸 꿈을 꿔봐야 할지 모른다. 내가 이후를 다시 만나고 만지고 껴안아볼 수 있는 길은 그것밖에 남지 않았으니까.

Good-bye Yonder

용어해설

BM Body Modification : 의학 이외의 목적으로 인체를 의도적으로 변형시키는 행위로 성적 충족, 통과의례, 심미적 이유 등으로 시행한다.

기술 특이점 Technological Singularity : 기술의 진보가 인간의 능력을 뛰어넘어 미래에 대한 예측이 불가능해지는 시점.

뇌사와 코마 Brain Dead and Coma : 코마는 어떤 형태로는 뇌가 활동하는 신호를 내보내는 경우를 말하며, 그것이 없으면 뇌사이다. 김홀은 뇌사에 이르기 직전 deep coma(식물인간 상태)에 빠져 있었고, 조은은 규정을 어기고 그가 코마 상태에 있도록 조치하였다.

로봇/ 휴머노이드/ 안드로이드 Robot/ Humanoid/ Android : 휴머노이드는 인간처럼 행동할 수 있는 로봇이며, 안드로이드는 한발 나아가 인간처럼 보이도록 만든 로봇이다.

로우테크 히피 Low-tech Hippie : 극단적으로 발달한 네트워크 사회에 반발하여 예전 기술로 돌아가 생활하려는 경향 혹은 문화.

바이앤바이By and by : 가상현실 기술을 바탕으로 세워진 추모 사이트로, 죽은 사람들의 메모리(여기에서는 그 사람에 관련된 데이터를 말한다)를 인공지능에 씌워 산 사람처럼 대할 수 있도록 만들어 놓은 가상현실이다.

브레인 다운로드 Mind Download : British Telecom의 미래학 연구소장 이안 피터슨의 전망에 따르면, 지금부터 사십 년 정도가 지나면(2050년대) 인간의 정신을 컴퓨터에 다운로드하는 것이 가능해진다고 한다.

브로핀VRorphin : 가상현실(VR)과 모르핀의 합성어. 가상현실을 이용한 통증 관리는 현재에도 활발히 연구되는 분야이다.

사이버 구루 Cyber Guru : 가상공간에서 추종자들에게 가르침을 전파하는 일종의 스승.

사이버 와이즈 Cyber-wise : 현실에서 살아남기 위한 스트리트 와이즈처럼 가상공간 안에서 활동하며 체득한 생존 지식.

사이버네틱 스페이스 Cybernetic Space : 가상공간과 현실이 함께 만나며 이루어지는 새로운 개념의 공간.

사이보그 Cyborg : 생물학적 부품이나 전자/기계적 부품을 가진 생명체를 부르는 말.

수소충전소 Hydrogen Station : 자동차의 연료전지 등에 필요한 수소를 공급하는 장소.

예측진단 : 유전자를 분석해 앞으로 앓을 수 있는 질병을 미리 진단하는 일.

욘더 Yonder : 사람들의 정신이 다운로드되어 있는 공간. 정확히 말하면 공간이라기보다는 통신 규약 형태로 존재하는 장소이다.

인공지능 아바타 AI assisted Avatar : 본디 사람이 가상공간 안에서 사용하는 캐릭터를 뜻한다. 이 책에서는 인공지능의 발달로 가상공간 안에서 접속자와 마찬가지로 활동할 수 있는 아바타가 등장한다.

인터페이스 Interface : 컴퓨터 등 하드웨어와 인간의 접촉이 이루어지는 지점. 다른 객체 간에 이루어지는 의사소통을 뜻하기도 한다. 하드웨어적으로 또는 추상적으로 쓰일 수 있다.

포스트 휴먼 Posthuman : 기술의 발달로 현재 존재하는 인간 종이 소멸하고 새로 나타날 종. 중간 단계로 사이보그 같은 '트랜스 휴먼'이 있다.

하이브리드 사이보그 Hybrid Cyborg : 이종교배 cross-breeding를 흉내낸 사이보그.

핸디 [네트워크 웨어] Handy : 이동하면서 네트와 접속할 수 있는 수단 중 하나. 이 책에서는 유비쿼터스로 모든 곳이 컴퓨터화되면서 다양한 모듈로 기능을 사용할 수 있다.

굿바이, 욘더

1판 1쇄 발행 2011년 1월 27일
개정판 1쇄 인쇄 2022년 10월 13일
개정판 1쇄 발행 2022년 10월 31일
지은이 김장환
펴낸이 고세규
편집 류효정 박정선 **디자인** 윤석진
마케팅 이헌영 **홍보** 이혜진

발행처 김영사
주소 경기도 파주시 문발로 197(문발동) 우편번호10881
등록 1979년 5월 17일(제406-2003-036호)
주문 및 문의 전화 031)955-3200 **팩스** 031)955-3111
편집부 전화 02)3668-3276 **팩스** 02)745-4827 **전자우편** literature@gimmyoung.com
비채 카페 cafe.naver.com/vichebooks **인스타그램** @drviche **카카오톡** @비채책
트위터 @vichebook **페이스북** www.facebook.com/vichebook
ISBN 978-89-349-8129-9 03810 책값은 뒤표지에 있습니다.

비채는 김영사의 문학 브랜드입니다.